Flowers in the Attic
閣樓裡的小花

逝世後仍繼續席捲全球的傳奇小說家 **V. C. 安德魯絲**——著

鄭安淳——譯

數百萬讀者不忍釋卷的精采現代童話！

我臨終前可能會以粗糙的雙手緊緊抱著《閣樓裡的小花》……我的少女時代是由青蘋果口味棒棒糖和《閣樓裡的小花》陪伴度過的。它顯然不是那種父母會大方買給兒女看的書，但是我真的深愛這部書。我喜歡童話故事，但吸引我的往往不是公主，而是巫婆。這本書最吸引我的也是女性的邪惡面，例如性情冷漠、喜歡體罰的外婆，或是滿口陳腔濫調，實則巧妙控制兒女、精神扭曲的美麗母親，這些「巫婆」角色是如此真實。我渴望知道凱西悲劇性的愛情將會如何發展，更迫切地想知道凱西長大後會成為公主還是巫婆，或者，兩者皆是？

——《控制》作者／吉莉安．弗林

一部以精采的藝術手法寫成的曲折現代童話！

——《時代》雜誌

《閣樓裡的小花》筆調異常優美，卻又令人驚懼，甚至為其內容坐立難安，閱讀過程中不禁讓人聯想至幾個詭譎的經典故事，諸如《小紅帽》、《森林中死去的孩子》，並且多了點鮮明的維多利亞歌德風。作者成功以少女的眼光訴說書中的可怖世界，教人為之嘆服！

——《每日快報》

令人無法抗拒的恐怖感！

——《格拉斯哥週日郵報》

一部令人毛骨悚然的家族故事，情節曲折，《閣樓裡的小花》讓數百萬讀者不忍釋卷！

——《倫敦小姐》

V．C．安德魯絲的書總是有一股神奇的魔力。詭譎神祕、難以預料的情節，總是伴隨著令人深陷其中的天真哀傷。

——《時代》雜誌

目錄

第一部

第二部

本書獻給我的母親

第一部

泥土豈可對摶弄他的說「你做什麼呢？」

以賽亞書第四十五章九節

序幕

應當為希望塗上鮮黃的色彩，就像我們難得一見的太陽。當我開始從那部寫了許久的日誌一點一點將內容抄錄出來，一個書名忽然出現在我腦海——《開窗佇日下》。不過，我遲疑是否該用這個名字為我們的故事題名。因為我覺得我們更像是閣樓裡的花。原本顏色鮮亮的紙花，在我們滿懷希望卻遭到囚禁、淪為貪婪的俘虜，並經歷那些漫長恐怖如沉悶夢魘的日子之後，漸漸褪去美麗的光彩。

狄更斯在他的小說中常以主角誕生做為故事開端，況且他是我跟克里斯都鍾愛的作家，因此，如果可以的話，我想要模仿他的風格。然而他是個天才，生來就寫作無礙，我卻發覺自己寫下每個字的時候都彷彿帶著血淚，心懷恨意，跟羞恥心和罪惡感徹底融合在一起。我以為我永遠不會感到羞愧或內疚，我以為這些都是別人要背負的。過了許多年，我現在老了，比較有智慧，也開始學會接納。如今，曾經肆虐我心的風暴已然平息，與其在幾年前就動筆書寫，我相信現在的我足以盡可能寫出事實，同時又少一點怨恨和偏見。

因此，在這部「小說」裡，我會把自己隱藏在虛構的姓名和地名背後，就像狄更斯一樣。我會向上帝祈禱，那些理應覺得難受的人讀了我寫的東西會感到心痛。當然，無窮仁慈的上帝保證會讓明理的出版商為我的文字印製出書，協助我打磨那把亟欲揮舞的利刃。

1 爸爸，再見

說真的，當時我還很小，在一九五〇年代的時候，我相信人生就像一個悠長理想的夏日。畢竟，人生一開始確實是那樣的。有關我們的童年時期，能說的沒多少，只能說十分美好，對此我應該要永遠感激。我說不出我們是否曾經缺過什麼生活必需品，也說不出我們擁有過什麼奢侈品，那是因為我們不曾和人比較，在我們居住的中產階級街坊裡，沒有誰比較有錢或比較窮。換句話說，我們只不過是平凡無奇的孩童。

我們的爸爸是一間大型電腦製造商的公關人員，在賓州格拉斯通，這是一個有一萬二千六百零二人的地方。爸爸事業成功，因為他上司常跟我們吃飯，誇讚爸爸的工作做得非常出色。「你就是用那張健康、好看、標準美國人的臉孔以及迷人舉止騙倒他們的。偉大的上帝啊！克里斯，有哪個聰明人能對你這樣的傢伙說不？」

我打從心底贊同這點。爸爸完美無缺。他身高一百八十公分，體重八十公斤，一頭濃密的亞麻金髮，卷度也恰到好處。他的眼睛是天藍色的，閃爍著笑意以及他對人生樂在其中的熱誠。他的鼻子筆直，不會太長、太窄，也不會太厚。他的網球和高爾夫有職業選手水準，時常游泳，晒出一身足以維持整年的古銅膚色。他總是穿梭於一班班飛機中，不斷前往加州、佛羅里達、亞歷桑那、夏威夷，甚至到國外，那個時候，我們就留在家裡由媽媽來照顧。

當他在星期五下午踏進家門，即使外頭下著雨或下著雪，只要他對我們露出慈藹和煦的笑容，燦爛的陽光就開始閃耀。每個星期五下午都是如此，因為他說他無法忍受跟我們分開超過五天。

他總是放下手提箱和公事包，隨即大聲招呼。「愛我就用親吻來迎接我！」

我跟哥哥會躲在靠近門邊的地方，等他出聲招呼，我們就從椅子或沙發後面衝出來，投入他的懷抱，他馬上抱住我們，抱得緊緊的，用親吻溫暖我們的嘴唇。星期五是最好的日子，因為這一天會將我們的爸爸帶回家。他的西裝口袋裡放著給我們的小禮物，手提箱裡裝的則是大禮物，等他向媽媽打過招呼才會拿出來，而媽媽會耐心地等爸爸先跟我們打完招呼。

等到我們從他口袋拿到小禮物，我跟克里斯多弗就會退開，望著媽媽緩步上前，雙唇盈滿歡欣迎接的笑意，爸爸會眼睛一亮，將她摟入懷裡，低頭凝視她的臉龐，彷彿已經整整一年沒見到她。

每到星期五，媽媽會花上半天時間在美容沙龍洗頭，將指甲修整光亮，然後回家在加了精油的熱水裡好好地泡個澡。我會待在她的更衣間裡，等著看她披上一件薄浴袍現身。她還會坐在化妝台前仔細上妝，而我渴望學會化妝，想學習如何像她一樣打點自己，讓自己從一個普通的漂亮女人，變身為令人神魂顛倒、美得彷彿幻夢的生物。最不可思議的是，爸爸竟然以為她沒有化妝！他堅信她生來就如此美麗動人。

在我們家，「愛」這個字簡直是用得揮霍無度。「妳愛我嗎？因為我當然是愛著妳的。妳想我嗎？我回家了妳開心嗎？我不在的時候，妳有沒有想我？每天晚上？妳有沒有在床上翻來覆去，希望我在旁邊緊緊抱著妳？柯琳，如果妳沒有，我可能會想死。」

媽媽完全知道該如何回應這種問題。只要用她的眼神、輕喃與親吻來回答。

有一天，我跟克里斯多弗從學校迅速返家，寒風一路把我們吹到家門口。「把靴子脫在門廳裡。」媽媽在客廳裡揚聲說道。我看見她坐在爐邊織一件白色小毛衣，小得像洋娃娃穿的尺寸。我想那是給我的聖誕禮物，要給我的洋娃娃穿。

「進屋前先踢掉鞋子上的土。」她又加了一句。

我們把靴子和厚重的衣帽擱在門廳裡，然後穿著襪子跑向鋪著絨白地毯的客廳。為了襯托出媽媽的美貌，這個房間的裝潢色彩平淡，大多時候我們不會待在裡頭。這是我們家的客廳，也是屬於媽媽的空間，杏色的花緞沙發和割絨椅子永遠都讓我們拘束。我們偏愛爸爸的房間，有黑色壁板牆面和堅固的格紋沙發，我們可以在房裡打滾玩鬧，永遠不必擔心會弄壞東西。

「媽媽，外頭冷死了！」我喘著氣坐在她腳邊，把雙腳伸向爐邊。「可是我們騎腳踏車回家這一路真的好美。所有樹木都掛著鑽石般的冰柱，閃閃發亮，灌木上有水晶般的冰稜。媽媽，外頭簡直像個童話世界。無論如何，我永遠不要南下，不要住在不會下雪的地方！」

克里斯多弗沒有提起天氣和冰天雪地的美麗。他比我大兩歲又五個月，而且比我聰明得多，現在的我明白這點了。他跟我一樣暖著冰冷的腳，但他抬頭望著媽媽的臉，深色的眉毛擔憂地皺著。

我也抬頭望向媽媽，猜想克里斯多弗是看出了什麼才會如此擔心。她編織的手法快速熟練，不時瞥向編織教本。

「媽媽，妳沒事吧？」他問道。

「嗯，當然啦。」她應道，給了他一個溫柔甜蜜的笑容。

「我覺得妳看起來很累。」

她把小毛衣擱在一旁。「我今天看了醫生，」她說道，傾身摸著克里斯多弗玫瑰色的冰涼臉頰。

「媽媽！」他十分驚慌地叫嚷起來。「妳生病了？」

她輕聲咯咯笑，用她修長纖細的手指梳理他蓬亂的金色鬈髮。「克里斯多弗．道蘭根格，你沒那麼笨。我已經發現你正滿心懷疑地盯著我看。」她抓起他的一隻手，還有我的一隻手，一起放在她微凸的腹部上。

「有感覺到什麼嗎？」她問我們，臉上又露出那神祕愉悅的模樣。

克里斯多弗很快抽回他的手，滿臉通紅。但我的手仍留在原處，邊猜測邊等待。

「凱西，妳感覺到了什麼？」

在我的手下方，她的衣服底下，有什麼事不太對勁，她身體裡有細小微弱的動靜。我抬頭望著她的臉，直到今天，我還能想起她當時看起來多麼美麗動人，就像文藝復興畫家拉斐爾筆下的聖母像。

「媽媽，是妳的午餐還在消化？還是妳腸胃脹氣？」笑聲讓她的藍眼睛閃閃發亮，她叫我再猜猜看。

當她把消息告訴我們時，她的語氣甜美又憂慮。「寶貝們，我在五月初就要生寶寶了。其實我今天去看醫生時，他告訴我他聽到的心跳聲不只一個。也就是說，我會生雙胞胎……或是說，但願不要是三胞胎。你們的爸爸還不知道，等我找到時機前，先別告訴他。」

我震驚萬分，瞥了克里斯多弗一眼，瞧他有什麼反應。他一臉茫然，而且仍覺得難為情。我再次望向媽媽在火光照映之下熠熠生輝的美好臉龐，然後我一躍而起，衝向房間。

我倒在床上放聲大哭，真的哭了。寶寶，兩個寶寶或者三個寶寶！我才是寶寶！我才不要什麼哇哇大哭的小寶寶來取代我的地位！我啜泣著拍打枕頭，想要弄壞點什麼東西，不然我就要揍人了。然後我坐起身，考慮離家出走。

有人輕敲我緊閉上鎖的房門。「凱西，」媽媽說，「我可以進去跟妳談談嗎？」

「走開！」我大叫。「我已經開始恨妳的寶寶了！」

沒錯，我知道在前方等著我的是什麼，我會成為中間的那個小孩，爸媽最不在乎的小孩。我不會被放在心上，再也沒有星期五的禮物。爸爸只會想著媽媽，想著克里斯多弗，還有那些擠走我位子的討厭寶寶。

爸爸在那天傍晚回家後來找我。我早就預先打開門鎖，預想他可能想來看我。我偷偷往他臉上瞥了一眼，因為我非常愛他。他看起來很傷心，拿著一個包著銀箔的大盒子，上頭有個粉緞的大蝴蝶結。

「我的凱西怎麼啦？」他柔聲說道，我從手臂底下偷看他。「我回家時妳沒跑來迎接我。妳沒有說哈囉，妳甚至不看我。凱西，妳沒有讓我擁抱，給我親吻，害我很難過。」

我沒開口說話，但翻了個身狠狠瞪著他。難道他不知道，我才應該是他生命中的寵兒嗎？為什麼他跟媽媽要生更多小孩？兩個還不夠？

他嘆了口氣，然後走過來坐在我床邊。「妳知道嗎？這還是妳這輩子第一次這樣瞪我。這是第一個妳沒有跑向我懷裡的星期五。妳可能不信，但我只有週末回到家才真正活了過來。」

我嘟著嘴不願被說服。他現在不需要我了。他有兒子，而且現在還有一堆號哭的寶寶就要到來。我會在人群裡被遺忘。

「妳也知道，」他仔細看著我，開口說道，「也許有點蠢，我一直相信，如果我星期五回家沒帶任何禮物給妳或妳哥哥……我還是相信你們兩個會瘋了般跑向我，歡迎我回家，無論如何。我相信妳愛的是我而不是禮物。我誤以為自己是個好爸爸，我贏得了妳的愛，而且妳也明白自己在我心中永遠有著重要地位，即使我和妳媽有一堆小孩也不會改變。」他頓了頓，嘆了口氣，他藍色的眼睛變得陰鬱。「我以為我的凱西知道，她依然是我心中特別的女孩，因為她是我第一個女兒。」

我對他投以憤怒受傷的目光。然後我哽咽地說：「可是要是媽媽生了別的女孩，你也會對她說一樣的話！」

「我會嗎？」

「會，」我開始啜泣，心痛不已，快要因嫉妒而發狂尖叫。「你可能會愛她愛得比我多，你會說『因為她年紀小又比較可愛』。」

「我或許會一樣愛她，但我不會更愛她。」他伸出雙臂，而我再也抗拒不了。我整個人撲進他懷裡，死命黏在他身上。「噓，」他安撫著哭泣的我。「不要哭，不用覺得嫉妒。妳得到的愛不會比較少。而且凱西，真人寶寶比洋娃娃好玩得多。妳媽媽會有很多無法處理的事，所以得靠妳幫她忙。如果妳媽媽有個可靠的女兒，我不在家的時候也會覺得比較安心，知道這個女孩會盡她所能讓所有人的日子過得更好、更輕鬆。」他溫暖的雙唇印上我淚濕的臉頰。「來吧，打開妳的盒子，告訴我妳喜不喜歡裡頭的東西。」

我得先在他臉上印滿無數親吻而且不斷緊緊抱住他，才能彌補我在他眼裡造成的憂心。在那個漂亮盒子裡裝著一個英國製的銀質音樂盒。音樂一響，身著粉衣的芭蕾舞者就開始在鏡子前方緩緩旋轉。「這也是個珠寶盒，」爸爸解釋，在我手指套上一只小巧的金戒指，上頭有個紅色的石頭，他說叫石榴石。「我一看到這個音樂盒，我就知道妳一定得擁有。我以這枚戒指發誓會永遠愛我的凱西，愛得比其他女兒稍微多一點點，只要她永遠不告訴別人這件事。」

接著，五月的一個晴朗星期二，爸爸在家。兩個星期以來他都在家裡晃來晃去，等著寶寶們到來。媽媽看起來急躁不安，貝莎．辛普森太太在我們家廚房裡準備餐點，對著我跟克里斯多弗笑得很假。她是住在我們家隔壁的可靠保姆，總是說爸爸和媽媽看起來不像夫妻，更像兄妹。她是那種嚴厲又愛發牢騷的人，很少說別人好話。而且她在煮甘藍菜，我恨甘藍菜。

約莫是晚餐時刻，爸爸衝進飯廳對我跟哥哥說他要載媽媽去醫院。「現在不用擔心。一切都會順利進行。聽辛普森太太的話，做你們的功課，也許再過幾個小時你們就會知道有弟弟們或妹妹們……或是各一個。」

直到隔天早上他才回來。他沒刮鬍子，神情疲憊，西裝皺巴巴的，不過他開心地對我們笑。「猜猜看！是男孩們還是女孩們？」

「男孩！」克里斯多弗斷言，他想要兩個能教他們打球的弟弟。我也想要男孩，這樣就沒有小女孩偷走爸爸對長女的關愛。

「一個男孩，還有一個女孩。」爸爸得意地說道，「是你們見過最漂亮的小東西。來，換個衣服，我載你們去看。」

我悶悶不樂去了醫院，爸爸把我抱起舉得高高的，讓我可以從育嬰室玻璃看到一個護士懷裡抱著兩名小嬰兒，原本我還不太想看。他們好小！他們的頭沒比小粒蘋果來得大，小小的紅拳頭在空中揮動。其中一個哭叫得好像被針刺到一樣。

「啊，」爸爸嘆了口氣，親了我臉頰又把我抱緊，「上帝對我真好，又給了我一對子女，完美的跟我年長的子女一樣。」

我以為我會討厭他們兩個，尤其是那個大嗓門叫凱芮的，又哭又嚎比那個叫克瑞的安靜寶寶吵了十倍。他們兩個的房間跟我的只隔一條走廊，幾乎不可能一夜好眠。不過，隨著他們長大開始會笑，我進房抱他們，他們眼睛就發亮，我的妒意被某種溫暖母性取而代之。基本上，我趕回家就只是為了看他們，跟他們玩，換尿布拿奶瓶，擱在我肩上替他們拍嗝。他們真的比洋娃娃好玩得多。

我很快就了解父母心裡塞得下不只兩個兒女，而我心裡也有餘裕去愛他們，雖然凱芮跟我一樣漂亮，或許比我還漂亮。他們像野草一樣長得好快，這是爸爸說的，雖然媽媽時常憂心地望著他們，說他們長得沒有我跟克里斯多弗快。她的醫生知道這件事後就安撫她，說雙胞胎通常會比一般嬰兒來得小。

「看吧，」克里斯多弗說道，「醫生真的什麼都懂。」

爸爸從他閱讀的報紙裡抬頭而笑。「我兒子嘴裡的醫生才會那樣。不過，克里斯，沒有人什麼都懂的。」

只有爸爸用克里斯來稱呼我哥哥。

我們的姓氏很怪，學會拼寫真的很難，道蘭根格。因為我們一家人都一頭金色鬈髮，皮膚又白（爸爸除外，他永遠晒成古銅色），爸爸的好友金．詹斯頓給我們取了綽號「瓷娃娃」。他說我們看起來就像人們會放在古董架或壁爐台上的精美瓷偶。很快地，我們的街坊鄰居都叫我們瓷娃娃，顯然比道蘭根格來得順口。

在雙胞胎四歲，克里斯多弗十四歲，我剛滿十二歲時，一個非常特別的星期五到來。那是爸爸的三十六歲生日，我們為他辦了個驚喜宴會。媽媽剛洗好澡做了頭髮，看起來就像童話故事裡的公主。她擦上珍珠色指甲油的指甲閃閃發亮，身上的長禮服是最柔和的水藍色，她忙前忙後走動，在飯廳裡擺餐具好讓爸爸的生日宴會完美無缺，身上繁複的珍珠項鍊也隨著走動不停擺盪。給爸爸的一堆禮物高高堆在櫥桌上。這是個小型私人宴會，只有我們全家和好友參加。

「凱西，」媽媽飛快瞥了我一眼，「妳不介意幫我替雙胞胎再洗個澡吧？他們午睡前我洗過一次，不過他們睡醒就去玩沙子，現在他們得再洗一次。」

我不介意。她看起來裝扮得太美，替兩個髒兮兮的四歲小孩洗個水花四濺的澡，會毀了她頭髮指甲和美麗衣裳。

「妳幫他們洗好澡後，妳跟克里斯多弗也去洗個澡，凱西，把妳那件粉紅色的新洋裝穿上，把頭髮弄捲。還有克里斯多弗，拜託別穿牛仔褲。我要你穿襯衫打領帶，穿上那件淺藍色運動夾克還有奶油色長褲。」

「哦！要命呀，媽媽，我不喜歡穿得那麼正式，」他苦著臉抱怨，腳上的運動鞋在地板上磨蹭。

「克里斯多弗，照我說的做，為了你爸爸。他為你付出那麼多；至少你能為他做這件事，讓他對家人感到驕傲。」

他抱怨離去，而我往外跑去後院逮住雙胞胎，他們立刻叫嚷起來。「一天洗一次就夠了！」凱芮大喊。「我們很乾淨！不要！我們不喜歡香皂！不喜歡洗頭！凱西，妳最好別再這麼做，不然我們要跟媽媽講！」

「哈！」我說道，「你們以為是誰派我到外頭把兩隻髒兮兮的小怪物弄乾淨？天啊，你們怎麼有辦法一下子弄得這麼髒？」

他們光裸的皮膚泡進熱水中，橡膠小船和黃色的橡膠小鴨浮了起來，他們對著我潑水，能洗澡洗頭然後穿上最好的衣服讓他們很開心。因為再怎麼說，他們要參加宴會，而且，這是星期五，爸爸會回家。

我先幫克瑞穿了漂亮的白色小上衣和短褲。還真奇怪，比起凱芮，他比較不會弄髒自己。我使盡辦法就是梳不好他那頭亂髮，他的頭髮整個歪向右邊像可愛小豬的豬尾巴，而且接下來，凱芮竟然也想把她頭髮弄成那樣！

我替他們兩個打扮好，看起來像洋娃娃變成真人似的。我將雙胞胎移交給克里斯多弗，嚴正警告他要對他們多加留意。現在該換我著裝了。

我匆匆洗澡洗頭，把頭髮上了大捲子，而雙胞胎又哭又鬧。我從浴室門口瞥見克里斯多弗為他們讀《鵝媽媽》，盡力逗樂他們。

「嘿，」克里斯多弗看見我穿著那件多層皺褶的粉紅洋裝現身，「妳看起來不太糟。」

「不太糟？這是你想得到的最好說法？」

「這是對妹妹能想到的最好說法。」他看了看表然後闔起圖畫書，抓起雙胞胎胖胖的小手喊著，「爸爸隨時可能會到家。凱西，快點！」

下午五點來了又過，儘管我們等了又等，還是沒看見爸爸那輛綠色的凱迪拉克駛進我們家弧型的車道。受邀的賓客坐在一起，試圖讓對話保持愉快氣氛，而媽媽起身開始緊張踱步。通常爸爸在四點就會砰地打開大門，有時候還更早。

七點，我們仍繼續等待。

媽媽花了一堆時間準備的佳餚因為久置保溫烤爐變得乾巴巴。七點是我們平常讓雙胞胎上床睡覺的時刻，他們餓得又睏又怒，每秒都要問一遍，「爸爸什麼時候回來？」

他們身上的白衣裳現在看來不再那麼乾淨無瑕。凱芮梳順的頭髮開始亂翹，像被風吹亂似的。克瑞開始流鼻水，不斷用手背擦著鼻子，我趕緊用面紙把他上唇部位擦乾淨。

「哦，柯琳，」金．詹斯頓開玩笑說道，「我猜克里斯替自己找了其他美女。」

他太太憤怒地瞪了他一眼，竟然說出這種沒禮貌的話。

我的胃在咕嚕叫，我也開始跟媽媽一樣擔憂。她不斷來回踱步，走到落地窗前往外瞧。

「哦！」我叫嚷著，看到一輛車的黑影駛進我們家的林蔭車道。「也許是爸爸來了！」

可是那台停在我們家門前的車是白色的，不是綠色。而且車頂上還有閃動的紅燈。白色車輛的車身印著一行字，寫著「州警」。

兩名穿著藍制服的警察走向我們家門按了門鈴，媽媽按捺住想喊叫的衝動。

媽媽似乎僵住了。她的手擱在喉頭邊，彷彿心臟快跳出來，眼神變暗。看到她的反應，我心裡有種猛烈驚嚇的東西快速滋長。

上前應門的是金．詹斯頓，他讓兩名州警進了門，我相信他們看起來很不自在，他們只要看看飯廳，看那一桌宴席、懸在掛燈上的氣球，還有櫥桌上的禮物，就知道這群人正準備慶祝生日。

「克里斯多弗．加蘭．道蘭根格太太？」較年長的州警問著，瞥過一位又一位女士。

媽媽僵硬地微微點頭。我挨近她，克里斯多弗也是。雙胞胎坐在地板上玩著玩具車，對突然登門的警察沒什麼興趣。

看起來很和善的制服男子帶著深紅臉色往媽媽那邊上前挪步。「道蘭根格太太，」他的語氣平板，我心頭立刻發慌，「我們深感遺憾，在格林弗德公路上發生一起事故。」

「哦……」媽媽抽了口氣，伸手把我跟克里斯多弗拉向她身側。我感覺得出她整個人在發抖，而我也是。我的目光定焦在他制服上的黃銅鈕釦，別的東西完全看不見。

「道蘭根格太太，您先生也捲入其中。」

媽媽哽住的喉頭吐出一聲長長的嘆息。她身體歪了歪，要不是我跟克里斯撐住她，她就要倒在地上。

「道蘭根格太太，我們已經問過不少目睹事故發生的駕駛人，您先生並非肇事者。」那個人聲繼續毫無起伏地說著，「根據我們記下的筆錄，一名藍色福特的駕駛人在左側車道蛇行，顯然是酒醉駕車，然後直接朝您先生的凱迪拉克撞去。不過您先生似乎已經察覺情況，因為他打了方向盤想避免直接被撞，可是另一輛車上有械具掉落下來，讓他無法將正確的防衛性駕駛操作完畢，否則，他的應對原本能保住他性命。然而就算如此，您先生的車輛噸位較重，多次翻覆後他仍有可能倖存，但一輛行進卡車煞車不及撞了上去，那輛凱迪拉克再次翻覆……然後……起火燃燒。」

從未有個房間裡滿是人卻一下子全都沉默。連年幼的雙胞胎也從天真無知的玩樂中抬頭望向那兩名警員。

「我先生？」媽媽輕聲說道，她的聲音微弱得幾乎快聽不見。「他沒有……沒有……死……吧？」

「女士，」那名紅臉警員肅穆開口，「在如此特別的場合告知您壞消息令我十分難受，」他侷促地環顧四周，結巴說道，「女士，我感到非常遺憾……所有人都盡力救援了……可是女士……他已經當場死亡，醫生是這麼判斷的。」

有個坐在沙發上的人放聲尖叫。

媽媽沒有尖叫。她的眼神茫然深幽，陷入夢魘。她美麗的臉龐被絕望洗去容光；看起來像個死人面具。我抬頭看她，試著用眼神告訴她這一切都不是真的。不是爸爸！不是我的爸爸！他不可能會死……不可能！會死的只有老人和生病的人……不會是被愛被需要而且又年輕的人。

然而我的母親臉色灰白眼神荒蕪，她的手像擰著看不見的濕衣服，而我愈瞧她，她的眼神愈來愈往下墜。

我開始哭泣。

「女士，我們取得他的少許物品，是在第一次撞車後拋落的。我們盡可能保留下來。」

「走開！」我對著警員大喊。「離開這裡！那不是我爸爸！我知道那不是！他只是順路去商店買冰淇淋。他很快就會回家！離開這裡！」我跑上前拍打警員胸口。他試著擋住我，然後克里斯多弗上前想拉開我。

「拜託，」警員說道，「拜託來個人阻止這孩子吧？」

我母親的雙臂環住我肩膀，把我拉到她身旁。人們用震驚的語氣私語低喃，放在保溫烤爐裡的食物開始散發焦味。

我期待有人會上前握住我的手，告訴我上帝不會把我父親這種人的性命帶走，可是沒有人走過來。只有克里斯多弗用手臂攬住我的腰，我們三個抱成一團——媽媽、克里斯多弗和我。

最先能開口的是克里斯多弗，他用古怪嘶啞的聲音說道，「妳們確信那就是我們的父親嗎？如果那輛綠色的凱迪拉克著了火，裡頭的人一定被火燒得很厲害，所以也有可能是別人，不是爸爸。」

媽媽的喉頭發出深沉的嗚咽抽氣，儘管她眼中沒有落淚。她信了！她相信那兩個人說的是真的！

精心打扮前來參加生日宴會的賓客現在都圍在我們身邊，說著那些人們在不知怎麼安慰人時會講的話。

「柯琳，我們都很遺憾，真的很受打擊……太可怕了……」

「這種事發生在克里斯身上太糟了。」

「我們的壽命都是有定數的。世事如此，從我們出生那天起，壽數已定。」

這類話一直說個不停，慢慢地像清水變成水泥開始向下沉，爸爸真的死了。我們永遠不會見到他活生生的模樣。我們只會看到他躺在棺木裡，裝進終將埋到土裡的匣子，有個大理石墓碑上頭寫著他的名字和生卒年月日，還有個數字寫著歲數。

我望向四周瞧瞧雙胞胎的情況，他們不該跟我有同樣處境。有個好心人把他們帶去廚房，讓他們在上床睡覺前吃點東西。我的目光對上克里斯多弗。他看起來跟我一樣被這噩夢纏身，他稚氣的臉龐蒼白驚嚇，一種空洞痛楚令他眼神陰鬱。

其中一名州警先前往外走回警車，現在拿著一堆東西回來，在茶几上小心地一一擺開。我僵立地望著爸爸放在口袋的東西展示出來：一個蜥蜴紋皮夾，是媽媽送他的聖誕禮物、他的皮質筆記本和行事曆、他的腕表和他的婚戒。所有東西都被燃煙烈火弄得發黑變焦。

最後是要給克瑞和凱芮的粉色動物玩偶，那名紅臉警員說發現玩偶散落在公路上。有粉色絨毛耳朵的長絨藍色大象，還有配著紅馬鞍和金轡繩的紫色小馬……哦！一定是給克瑞的。然後是所有物品中最令人悲傷的——爸爸的衣物，車子的後行李廂著火時從他手提箱迸出的。

我認得那些西裝襯衫領帶還有襪子。有條領帶跟去年他生日我送的一模一樣。

「得有人去指認遺體。」警員說道。

現在我真的明白了。這是真的，我們的爸爸永遠不會沒帶禮物給我們就回家，即使在他生日那天。

我從那房間逃了出來！逃離所有事物，它們在我心頭扯開大洞，讓我體會到前所未有的痛楚。我跑出家門進了後院，對著一棵老楓樹搥打。我搥到手疼，血絲從許多細小擦傷滲出，然後我撲倒在草地上大哭，哭得淚如泉湧，因為爸爸不應該死的。我為我們而泣，從此得在沒有他的日子活下去。還有雙胞胎，他們甚至還沒機會明白他有多棒。當我的淚水流乾，雙眼紅腫而且揉得很痛，我聽到輕輕的腳步聲朝我走來，是媽媽。

她在我身旁的草地坐下，握住我的手。天上有弓形的弦月和無數的星星，微風氣味怡人，有著春天新芽的香氣。「凱西，」我們之間的沉默似乎長得永無止盡，然後她終於開口，「你父親在天堂上注視著妳，妳知道他會要妳勇敢。」

「媽媽，他沒死！」我激烈否認。

「妳在院子裡待了很久，也許妳不知道現在已經十點了。得有人去指認妳父親的遺體，雖然金．

詹斯頓願意去認屍免得我二度受創，但我必須親眼見證。因為妳瞧，我也覺得難以置信。凱西，妳父親死了。克里斯多弗在床上哭，雙胞胎在睡覺；他們還不太了解『死』是什麼。」

她的手攬住我，把我的頭擱在她肩上。

「走吧，」她起身把我也拉了起來，手臂依然環著我的腰。「妳在外頭待太久。我以為妳跟其他人一起待在屋子裡，其他人以為妳不是在自己房裡就是跟我在一起。失去親人的時候，獨處不是好事。最好跟大家待在一起分擔痛苦，不要藏在心裡。」

她說話的時候眼睛沒濕也沒有淚水，但在她內心深處的某個地方，她正在哭泣吶喊。從她的聲音我能聽得出來，從她眼裡深深的一片荒蕪我也明白。

因為父親逝世，夢魘開始籠罩在我們的生活中。我怨懟地望著媽媽，覺得她應該要讓我們對這類事情有點心理準備，因為我們不能養寵物，至少寵物猝死能讓我們明白何謂失去。某個人應該要警誡我們，年輕美好而且受人需要的人也會死去。

對一個似乎被命運拽進小洞再拉得又薄又扁的母親，這種話又怎能說出口？對一個不願說話吃飯梳頭髮，連衣櫃裡滿滿的漂亮衣服都不想穿的人，能夠坦然交談嗎？她連我們的日常需求也不想打理。好在有熱心的街坊婦人前來照料我們，帶了她們在自家廚房做好的食物。我們的屋子裡滿是鮮花、自製砂鍋菜、火腿、熱捲餅、糕點，還有餡餅。

人們成群造訪，都是欣賞敬重父親的人，我驚訝著他名聲這麼響亮。然而每次有人問起他的死因，就會說有人這麼年輕就去世實在可惜，很多無用又不該活著的人卻活得很久造成社會負擔，我討厭這樣。

從我反覆聽聞的所有話語看來，命運會殘酷地收割人命，從不仁慈，也不特別重視那些被人愛著和被需要的人。

春天即將轉換成夏天。而無論再怎樣試圖以哭泣來供給養分，痛苦依舊有辦法消逝，曾經如此真實且深愛的人也成了黯淡又模糊的影子。

有天媽媽神色悲傷地坐著。「媽媽，」我歡快地說，試著要讓她開心點，「我要假裝爸爸還活著，只是又去出差而已，他很快就會回家，大步走到門前然後打招呼，就像以前那樣說『愛我就用親吻來迎接我』，然後我們會覺得好過一點，包括所有人，好像他還活在某個地方，生活在我們看不見的地方，但是我們隨時都能抱著期待。」

「凱西，不可以，」媽媽突然生氣了，「妳一定得接受事實。妳不能用假裝來獲得慰藉。妳聽到沒！妳爸爸死了，他的靈魂上了天堂，妳這麼大了應該要明白，沒有人會從天堂回來。至於我們，沒有他也要盡力做到最好，並非不面對就能逃避現實。」

我看著她起身離開椅子，打開冰箱裡拿食物做早餐。

「媽媽……」我又開口，小心翼翼說出想法，怕她又會突然發怒。「沒有他，我們有辦法繼續生活嗎？」

「我會盡我所能讓大家活下去。」她的語氣單調平板。

「妳現在會不會像詹斯頓太太一樣必須去工作？」

「也許會，也許不會。凱西，人生有各式各樣令人意外的事，有些讓人不開心，妳現在開始懂了。不過妳要記住自己已經很幸運，差不多十二年裡有個爸爸給了妳特殊待遇。」

「因為我長得像妳。」我還是覺得有點欣羨，因為我向來都排在她後面。

她翻找著塞得滿滿的冰箱，然後瞥了我一眼，「凱西，我現在要對妳說一些事情，我以前從沒告訴過妳。妳的長相跟我小時候很像，可是妳的性格不太像我。妳比我更活潑，而且更能下定決心。妳爸爸曾說妳跟他母親很像，他很愛他母親。」

「每個人不是都愛自己的母親嗎？」

「不，」她神情奇異地說，「有些母親妳不能愛，因為她們不要妳的愛。」她從冰箱裡拿出培根和雞蛋，然後轉身抱住我。「親愛的凱西，妳跟妳父親特別親密，我想所以妳才格外思念他，比克里斯多弗或是雙胞胎還要思念他。」

我在她肩上啜泣。「我恨上帝帶走他！他應該要活到老的。等我會跳舞，克里斯多弗成為醫生，他已經不在了。他走了以後，什麼都不再重要。」

「有時候，」她的聲音有點緊繃，「死亡沒有像妳想的那麼可怕。妳爸爸永遠不會變老或衰弱。他會永遠保持年輕，妳會永遠記得他是如此年輕英俊又強壯。凱西，別再哭了，妳爸爸說過，所有事情都有原因，所有問題都有解決辦法，而我正在努力，努力做到我覺得最好的。」

我們四個小孩徘徊在自身痛苦中，我們會在後院裡玩耍，試著從陽光中得到安慰，完全沒有察覺我們的生活即將如戲劇般徹底改變，「後院」和「院子」這兩個詞語對我們來說變成天堂的同義詞，而且也如同天堂一樣遙遠。

那是在爸爸葬禮才剛過的一個下午，我跟克里斯多弗在後院陪雙胞胎。他們坐在沙坑裡拿著小鏟子和小桶子。一遍又一遍地把沙子從這個桶子裝到另個桶子，口齒不清地用只有他們懂的古怪語言交談。克瑞和凱芮不是同卵雙胞胎，不過他們就像一心同體，跟對方作伴就很滿足。他們在自己周圍築起一道牆，他們就是城堡守衛，保護著他們藏匿的祕密。他們擁有彼此，這就已經足夠。

晚餐時刻來了又走。我們現在連沒飯吃都害怕，所以即使媽媽沒叫我們吃飯，我們也會抓著雙胞胎的胖手把他們往屋裡拖。我們發現媽媽坐在爸爸的大書桌旁，好像在寫一封很難下筆的信，因為有很多廢紙才寫了開頭就扔掉。她皺著眉親筆寫信，不斷停筆抬頭盯著空中。

「媽媽，」我說道，「已經快六點，雙胞胎餓了。」

「快好了，快好了，」她不加思索地應聲，「我在寫信給你們住在維吉尼亞州的外公外婆。鄰居送我們的食物夠我們吃上一星期。凱西，妳可以把砂鍋菜放到烤爐裡。」

這是第一次我幾乎得全靠自己來準備餐點。我擺好餐具，加熱砂鍋菜，倒好牛奶，然後媽媽走進來幫忙。

自從爸爸過世，媽媽每天都有信要寫，有地方要去，把我們留給隔壁鄰居照料。在夜裡，媽媽會坐在爸爸的書桌前，攤開一本綠色的計帳簿計算每一筆支出。再也沒有開心的事情，沒有。現在通常是我跟我哥替雙胞胎洗澡穿睡衣，然後把他們塞進床鋪。然後克里斯多弗會匆匆回他房裡讀書，而我急著回到媽媽身邊，想方設法讓她眼裡再度閃現快樂。

過了幾個星期，媽媽寄回家給雙親的一堆信終於得到回信，她立刻哭出來，她連那奶油色薄信封都還沒打開就哭了。她笨拙地用拆信刀打開信封，用顫抖的雙手拿著那三張信紙，反覆讀信讀了三次。她讀信時眼淚慢慢從臉頰淌下，在她妝容上留下長長的蒼白閃亮淚痕。

她一從前門的信箱取出那封信，就立刻把我們從後院叫回屋裡，現在我們四個坐在客廳的沙發上。我看著她那瓷娃娃般柔和美麗的臉孔變得冷硬果決，不禁渾身發涼，打了個冷顫。也許是因為她一直盯著我們看，看得太久了。然後她低頭望向顫抖雙手中的信紙，再看向窗外，彷彿她能從那裡找到信中提問的答案。

媽媽的樣子很奇怪。這讓我們都很不安，非比尋常地靜默，因為就算沒有那封三頁厚的奶油色信紙讓母親冷酷無言，在少了父親的屋子裡我們也已經夠害怕了。為什麼她還要用那麼奇怪的眼神看我們？

最後她清了清喉嚨開口說話，但聲音冷淡，完全不像她平常柔軟溫暖的聲線。「你們的外婆終於回我信了，」她口氣冰冷。「我寫給她的那些信……嗯……她同意了。她願意讓我們搬去跟她一起住。」

好消息！正是我們想聽到的，我們該開心才對。可是媽媽又陷入鬱鬱沉默，只是坐在那裡盯著我們。她怎麼了？她不是該認得出我們是她的孩子，不是什麼陌生人，像晒衣繩上的鳥兒般排排站？

「克里斯多弗和凱西，你們一個十四歲，一個十二歲，年紀大到能了解也做得到，幫助你們的媽媽走出這絕望處境。」她頓了頓，雙手焦慮地撫著頸間項鍊，然後重重嘆了口氣，好像快哭了。我覺得難受，非常難受，因為可憐的媽媽沒了丈夫。

「媽媽，」我說道，「一切還好嗎？」

「當然，寶貝，當然啊。」她試著笑了笑，「你們的爸爸，上帝保佑他的靈魂，他以為能活得夠老然後賺到足夠的財產。他生來就有會賺錢的血統，我一直相信他照著計畫就能做到，只要給他時間，但是三十六歲過世實在太早。人們以為壞事永遠不會發生在自己身上，只有別人會出事。我們沒有預料到事故，也沒想過會早死。唉，我跟你們的爸爸以為我們兩個能一起活到老看看孫子，然後兩個人一起離世。這樣我們誰也不用留下來為先過世的人痛苦。」

然後她嘆了口氣。「我得坦承我們的生活開支超出所能花用的，我們向未來預支費用，我們還沒賺到錢就先花掉。別怪他，這都是我的錯。他知道該怎麼過貧窮日子，而我從來沒有。他曾經責怪我。哦，在我們買這棟房子時他說我們只需要三間臥房，可是我想要四間。即使四間也還不夠。看看四周，這棟房子還有三十年貸款。沒有東西真正屬於我們：家具、車子、廚房和洗衣間的家電，沒有任何一件已經全數付清。」

我們看起來是不是嚇壞了？很害怕？她臉色變得通紅，忽然噤聲，目光在這間襯托她美貌的漂亮房間裡游移，精緻的眉毛扭曲，顯得焦慮不悅。「雖然你們的爸爸對我有點責怪，但他也想要那樣。因為他愛我所以縱容我，而我相信自己總算說服他這些奢侈東西絕對是必要的，然後他讓步了，因為我們兩個都太慣於縱容自己的物慾。這是我們的另一個共通點。」

她臉上神情彷彿沉浸在那孤寂回憶中，然後才繼續用奇異口吻述說。「現在我們所有的好東西都要被拿走，按照法律規定沒收。當你沒有足夠的錢把買的東西付清，他們就會這麼做。像是拿走那個沙發。三年前那沙發要價八百美元，我們付到只剩一百，但他們還是要拿走。所有我們付過錢的東西都會不見，這種事情卻不違法。我們失去的不只家具和房子，還有車子，事實上，只有我們的衣物和你們的玩具不用被拿走。他們允許我保留結婚戒指，我把訂婚鑽戒藏起來，所以拜託別跟別人說我有訂婚戒，可能會有人來查。」

「他們」是誰？我們誰也沒開口問。在那個時候我沒想到要問。而在之後，這也不再重要。

克里斯多弗的目光與我交會。我拚命想弄懂，努力別在還沒理解時就淹死。我已然沉沒，在死亡與債務的成人世界裡溺斃。我哥伸手握住我的手，用罕見的兄長式安撫態度緊握我手指。

我難道像片窗玻璃？如此易懂？就連他，那調皮的討厭鬼也會想安慰我？我試著微笑向他證明我是個大人，藉此掩飾我顫抖軟弱受刺激的事，就因為「他們」要拿走一切。我不要別的小女孩住進我那漂亮的薄荷粉色房間，睡在我床上，把玩那些我珍愛的東西。我那些裝在框架盒裡的娃娃，還有我那個有粉紅芭蕾舞者的純銀音樂盒，他們也要拿走嗎？

媽媽仔細看著我跟我哥的互動。她再次開口時帶了一絲她原本的甜美語調。「不用這麼難過。其實沒像我說的那麼糟。你們一定得原諒我太粗心，忘記你們年紀還太小。我先講了壞消息，好消息留在後頭。現在屏氣期待吧！你們不會相信我要說什麼——我的父母是有錢人！不是中產階級那種有錢或是上流階級那種有錢，而是非常非常有錢！有錢得可恥，有錢得難以置信，有錢得很不道德！他們住在維吉尼亞州一棟很好的大房子，你們從沒見過那樣的房子。我知道，因為我在那裡出生長大，等你們見到那棟房子，這棟屋子相較之下就像簡陋小屋。我有沒有提過，我們要跟他們，也就是我父親和我母親一起住？」

她用虛弱緊張的不安笑容遞出這根鼓舞人心的稻草，但她的舉止和口訊給我的衝擊疑慮卻完全沒消除。我不喜歡試圖與她對視時她那閃躲的罪惡眼神。我想她瞞了一些事。

然而她是我的媽媽。

而爸爸已經不在了。

我抱起凱芮讓她坐在我膝上，她又小又暖的身體緊緊貼著我。我把垂落她圓潤前額的金色鬈髮往後梳順。她的眼皮下垂，噘著玫瑰蓓蕾般的嘴唇。我瞥向倚著克里斯多弗的克瑞。「媽媽，雙胞胎累了。他們該吃晚餐了。」

「晚餐可以晚點再吃，」她不耐煩地厲聲說著。「我們有計畫要擬，有衣服要打包，我們今晚就得趕火車。雙胞胎可以在我們打包行李的時候再吃。你們四個要穿的所有衣物都得裝進兩只手提箱裡。我要你們只帶最喜歡的衣服，還有非帶不可的小玩具。遊戲只能帶一種。等你們到了那裡，我會買很多遊戲的。凱西，挑選妳覺得雙胞胎最喜歡的衣服和玩具，不過不能多帶。我們最多只能提四只手提箱，我自己的東西就得裝兩箱。」

天啊天啊！這是真的！我們得走了，拋下一切！我得把所有東西塞進兩只手提箱，而且還跟我的手足們共用。我那只布娃娃就能填滿一個手提箱的一半空間！可是她是我最心愛的娃娃，我三歲時爸爸送的，我怎能拋下她？我啜泣。

所以，我們一臉震驚地望著媽媽。我們讓她非常不安，因為她一躍而起開始在房裡踱步。

「就像我之前說的，我的父母極度富裕。」她往我和克里斯多弗打量一眼，然後迅速別過臉去。

「媽媽，」克里斯多弗說道，「有什麼問題嗎？」

我很驚訝他會這麼問，因為這太明顯了，一切都不對勁。

她踱著腳步，修長雙腿從她黑絲便服前端的開口露出。即使她很悲傷，穿著黑衣服，她還是很漂亮——憂鬱不安的雙眼和所有一切。她真的很迷人，而我很愛她。哦！那時候我多愛她啊！

那時候我們全都愛她。

就在沙發正前方，我們的母親轉過身來，那件黑色雪紡紗便服像舞者裙子般裙襬大開，露出她整條美腿。

「寶貝們，」她開口說道，「住在我父母擁有的好房子裡怎可能會有問題？我在那裡出生長大，只有上學那幾年沒住那裡。那是一棟龐大漂亮的房子，而且他們還在增建新房間，他們明明已經有夠多房間了。」

她微笑，但笑容裡有著某種虛假。「不過，我有一件很小的事得告訴你們，在你們見到我父親，也就是你們的外公之前。」然後她又開始發抖，笑得古怪陰鬱。「很多年前當我才十八歲，我做了件非常嚴重的事，你們的外公很反對，我的母親也不同意，不過她本來就不會留給我任何東西，所以無關緊要。然而因為那件事，我的父親把我從遺囑中剔除，所以現在我沒有繼承權。你們的父親曾經討好地說這是『從恩典中墜落』。你們的父親總是隨遇而安，他說這不重要。」

從恩典中墜落？那是什麼意思？我不能想像我的母親做了什麼事壞到讓她自己的父親對她生氣，取走她應得的東西。

「是的，媽媽，我完全明白妳的意思，」克里斯多弗突然開口。「妳做了某件妳父親不同意的事，因為如此，雖然妳的名字已經寫在遺囑裡，他找了律師把妳除名，現在妳沒辦法在他上天堂後繼承他留在世上的任何財產。」他咧嘴而笑，知道自己比我懂更多而得意。每件事他總是有答案。他只要待在家裡就會把鼻子埋進書本中。在外頭的天空底下，他就跟其他小孩一樣粗野小氣。不過在家裡，我的哥哥可是個書蟲，不看電視！

理所當然，他說的沒錯。

「是的，克里斯多弗。你們外公的任何財產在他死後都不會留給我。那就是我母親沒回信，我卻還一直寫很多信回去的原因。」她又笑了，這一次笑得難堪諷刺。

「不過，因為我是唯一能繼承的人，我很有可能贏回他的認同。你看，我原本有兩個哥哥，可是他們都出了意外過世，現在我是唯一能繼承的人。」她不再無休止地踱步。她舉起手放在嘴前，搖了搖頭然後改用一種閒聊口吻說道，「我猜我還有件事得告訴你們。你們真正的姓氏不是道蘭根格，是佛沃斯。佛沃斯在維吉尼亞州是個地位崇高的姓氏。」

「媽媽！」我驚嚇質問。「改了名字、在我們的出生證書上用了假名，這合法嗎？」

她的語氣開始不耐煩。「拜託，凱西，可以合法更改姓名的。而且道蘭根格這個姓也算是我們的。你父親從好幾代前的祖先借了那個姓氏。他覺得那是個有趣的姓，是個笑話，而且也足以達成目的。」

「什麼目的？」我問道：「為什麼爸爸改掉佛沃斯這個好寫的姓，換成道蘭根格字這麼多又難寫的，會是合法的呢？」

「凱西，我很累了，」媽媽就近找了張椅子坐下。「有那麼多事情需要我去做，那麼多法律細節。你們很快就會知道所有事情，我會解釋的。我發誓我絕對會說實話，可是拜託，讓我喘口氣。」

哦！這是怎麼樣的一天啊！我們先是聽到神祕的「他們」要來拿走我們所有東西，包括房子。然後我們又得知自己的姓氏其實不是我們的。

雙胞胎躺在我們膝頭上已經快要睡熟了，再怎麼說他們年紀太小不會明白。即使是我，已經十二歲，幾乎是個女人，也沒辦法弄懂為什麼媽媽要回家見她十五年沒見的父母卻不太開心。我們一直以為神祕的外公外婆已經不在了，直到我們的父親死去才知情。直到今天我們才知道有兩個已經意外身亡的舅舅。這讓我感觸很深，我們的父母在生小孩前也有過一段完整的人生，其實我們沒那麼重要。

「媽媽，」克里斯多弗慢慢說道。「妳在維吉尼亞州那個又好又大的家聽起來很棒，可是我們喜歡住這裡。我們的朋友都在這裡，大家都認識我們喜歡我們，而且我自己也不想搬走。妳不能去找爸爸的律師，請他想辦法讓我們能夠留在這裡，保留我們的房子和家具嗎？」

「對啊，媽媽，拜託讓我們留在這裡。」我也說道。

媽媽很快就撇下椅子，大步走過房間。她跪坐在我們面前與我們目光平視。「現在聽我說，」她一聲令下，抓住我和我哥的手然後一起放在她胸前。「我思考過了，思考過我們要怎樣才能留在這裡，可是沒有辦法，沒有任何辦法，因為我們沒有錢繳每個月的帳單，我也沒有一技之長能賺到足夠薪水養活自己和四個孩子。看看我，」她張開雙手，看起來多麼脆弱美麗又無助。「你們明白我是怎樣的人嗎？我是個美麗無用的裝飾品，一直堅信有個男人會照顧我。我什麼事也不會做。我連打字也不會，算術也不太在行。我會繡漂亮的針繡和絨繡針法，可是這種東西賺不了錢。沒錢就沒辦法生活。讓世界轉動的不是愛，是金錢。我父親擁有的錢比他知道得還多。他只有一個繼承人還活在世上，就是我！比起他的兒子，他曾經更在乎我，所以贏回他的關愛應該不會太難。然後他會叫律師把我寫到新遺囑裡，我就會繼承所有東西！他六十六歲，有心臟病，快死了。從我母親瞞著我父親寫的另一張信紙看來，你們的外公大概最多只能再活兩、三個月。這給我夠多時間討好他，讓他像以前一樣愛我，然後等他死了，他全部財產都會是我的！我的！我們的！我們就再也不用為錢煩惱。想去哪裡就去哪裡。想做什麼就做什麼。能夠自由出遊，心裡想要什麼就買下來。任何東西！我說的不只一、兩百萬，而是好幾百萬，可能甚至好幾億！有那麼多錢的人通常不清楚財產淨值有多少，因為到處投資又有一堆不動產，包括銀行、航空公司、飯店、百貨公司，還有船運公司。噢，你們只是不明白你們外公掌控的是何種帝國，即使現在他已經垂死。他是賺錢的天才。他碰過的東西都會變成黃金。」

她的藍色雙眼閃閃發亮。陽光從落地窗照射進來，在她髮間散落鑽石般的光束。她看起來彷彿已經富裕得無法估計。媽媽！媽媽！為什麼這一切在爸爸過世後才到來呢？

「克里斯多弗、凱西，你們聽見了嗎？你們想像過了嗎？你們了解那麼一大筆錢能做什麼嗎？全世界和世上的所有東西都是你們的！你們會得到權勢、影響力還有尊敬。相信我。我很快就能挽回我父親的心。他會看我一眼，然後立刻明白我們分離的那十五年都是虛度。他又老又病，總是待在一樓圖書室旁邊的小房間裡，有看護日夜照料和僕人悉心伺候。然而，只有自身血親才有意義，而我是他僅有的，只有我。連看護都不需要爬上二樓，因為她們有自己專用的衛浴。有一天晚上，我會讓他準備好見他四個孫子孫女，然後我會帶你們下樓走進他房間，他會被他看見的東西迷倒：四個完美無缺的漂亮孩子，一定會愛你們，你們每一個人。相信我，會成功的，就像我說的。我答應無論我父親要求什麼，我都會照做。我用生命，用我所有保護和珍惜的事物發誓，也就是我所愛著的，你們爸爸留給我的孩子們。你們可以相信，我很快會成為繼承人，財產多到難以置信，然後只要有了我，你們做過的美夢都會成真。」

我的嘴巴愣愣地張著，她的激情吞噬了我。我瞄向克里斯多弗，他用懷疑的目光注視媽媽。雙胞胎都快睡著了，他們什麼也沒聽見。

我們就要住在一棟大房子裡，宏大富麗就像宮殿一樣。

在那富麗堂皇的宮殿裡，僕人們會無微不至為你服務，我們會被引見給點石成金的麥達斯國王，他很快就要死去，然後我們會得到所有財產，全世界都會俯首。難以置信地，我們正朝著有錢人之路邁進！我會變得像個公主！

然而，為什麼我沒有打從心底感到快樂？

「凱西，」克里斯多弗對我露出開心的笑容，「妳還是可以當個芭蕾舞者。我不認為錢可以買到才能，也不能讓花花公子變成好醫生。不過，在我們努力認真之前，我們是不是得參加舞會啊？」

我不能帶走那個有粉紅芭蕾舞者的純銀音樂盒。那個音樂盒太過昂貴，已經被編列成有價物品好讓「他們」收回。

我不能把裝框盒從牆上拆下來也沒辦法把小人偶娃娃藏起來。爸爸送我的東西我幾乎都不能帶走，除了我手指上的小戒指，上頭有個心型的寶石。

而且就像克里斯多弗說的，等我們有錢以後，我們的生活會是一場盛大舞會，一個漫長的宴會。那就是有錢人的生活方式：數著資產，決定玩樂計畫，從此幸福快樂地度日。

玩樂、遊戲、宴會、難以置信地富有、一棟大得像宮殿的房子、還有僕人住在巨大車庫上頭，車庫裡至少放了九輛或十輛昂貴的轎車。誰會想到我的母親有這種家庭出身？為什麼爸爸要為了用錢太浪費跟她爭吵，她那時明明可以寫信回家稍微忍辱懇求啊？

我從走廊慢慢走向我房間，站在那個銀質音樂盒前，只要打開音樂盒盒蓋，那個粉紅的芭蕾舞者就會以優美舞姿站起，能在盒中鏡子看見她的身影。然後我聽到叮噹的音樂聲響起，「跳吧，芭蕾舞者，跳吧……」

我可能會想偷走音樂盒，要是有地方藏的話。

再見，有著薄荷色牆壁的粉白房間。再見，小小的白色床鋪，還有點點圖案的床頂篷罩，曾經見證我長麻疹、腮腺炎和水痘。

再一次說再見，爸爸，因為等我走了，我就沒辦法想像你坐在我床邊握住我的手，不會見到你端著一杯水走出浴室。**爸爸，我真的不想走得太遠。我寧願留下來，和你的回憶待在一起**。

「凱西。」媽媽站在門口。「不要光是站在那裡哭。房間就只是個房間。在妳去世之前會有機會住過很多房間的，所以快點把妳跟雙胞胎的東西打包好，我去收拾我的行李。」

在我去世之前，我會住上起碼一千個房間，一個小小聲音在我耳邊這樣說著。而我也真的如此相信了。

2 邁向富人之路

媽媽打包的時候，我跟克里斯多弗將我們的衣物扔進手提箱裡，連同幾件玩具和一套遊戲。在傍晚暮色微光中，一輛計程車載我們到火車站。我們偷偷摸摸地溜走，甚至連一個朋友也沒道別，這讓人很難受。我不懂為什麼非得這樣，但媽媽很堅持。我們的腳踏車留在車庫裡，所有太大帶不走的東西也都擱下。

列車在漆黑的繁星夜色裡笨重地行進，朝著維吉尼亞州遙遠的山間莊園駛去。我們行經許多寧靜的城鎮村莊，零星散落的農家只能靠方形的金黃燈火來證明他們確實存在。我和哥哥不想因為睡著而錯過任何事物，而且，我們能聊的事可多著呢！多半是關於那棟大豪宅的猜測，我們會過著奢華生活，用金盤子吃飯，還有穿制服的管家服侍。而我猜想我會有個專用女僕替我放衣服，準備洗澡水，幫我梳頭髮，我叫她跳她就跳。不過我不會對她太苛刻。我會保持溫柔，當個所有僕人都期望的女主人。除非她弄壞什麼我心愛的東西，那就得好好教訓一番，我起碼會發個脾氣，把幾樣不喜歡的東西往地上扔。

回想起搭火車的那個晚上，我已然明白，就在那一夜我開始成長和思考。儘管得到一切，仍得失去一些東西，所以我最好習慣一點，然後看開一些。

我跟哥哥正猜想著我們有錢之後要怎麼花，那個肥胖禿頭的列車長走進我們的小包廂，對我們的母親從頭到腳仰慕地掃視一回才開口說道：「帕得森太太，您下車的車站將在十五分鐘後抵達。」

為什麼他叫她「帕得森太太」？我很納悶。我質疑地望向克里斯多弗，他看起來也一臉困惑。

媽媽一下子清醒過來，看起來驚嚇又迷惘，眼睛瞪得大大的。她的目光從離她很近的列車長移向我和克里斯多弗，再低頭頹喪地望著睡夢中的雙胞胎。接著她的淚水就要湧出，她摸向皮包掏出面紙優雅地輕拭雙眼。然後吐出一聲滿是悲痛的深沉嘆息，我的心開始不安跳動。「好，謝謝。」她向列車長回話，他依然用極度讚嘆欣賞的表情看著她。「別擔心，我們已經準備好下車。」

「女士，」列車長看著懷表神情非常關切，「現在是凌晨三點。有人來接你們嗎？」他憂心的目光投向我跟克里斯多弗，還有睡著的雙胞胎。

「不要緊，」我們的母親語氣肯定。

「女士，外頭很黑。」

「我就算睡著也知道回家的路。」

慈祥老爺爺般的列車長沒被說服。「夫人，」他說道，「離夏洛茲維爾市有一個小時車程的距離。我們這樣是讓您和您的小孩留在偏僻無人的地方。那裡連一間房屋也看不到。」

為了免去更多詢問，媽媽用她最傲慢的神態回應，「有人**會**接我們。」有趣的是，她可以像戴帽子般戴上那種高傲模樣，而且輕易就能摘下。

我們抵達一個偏僻無人的車站，我們下了車，沒有人來接我們。

我們踏出火車，外頭一片漆黑，正同列車長提醒過的，四下看不見任何房子。我們獨自在這夜裡遠離任何文明，站著向火車踏階上的列車長揮手告別，他一手抓牢著車上，另一手揮舞著。他的表情顯露出他不太樂意讓「帕得森太太」和她那四個昏昏欲睡的孩子等人開車來接應。我望向四周，只瞧見一片生鏽的錫屋頂用四根木柱支撐，還有一張不牢固的綠色長凳。這就是我們下車的車站。我們沒坐在長凳上，只是站在原地目送火車隱沒在黑暗中，聽那單調悲傷的汽笛聲迴盪，好像在祝福我們好運，一切順利。

我們被田地和草地包圍。「車站」後頭的樹林深處裡有東西發出古怪聲響。我嚇了一跳轉身想瞧瞧是什麼，克里斯多弗笑出聲來。「那只是貓頭鷹！妳以為是鬼嗎？」

「這地方什麼鬼也沒有！」媽媽尖聲說道。「你們也不用小聲說話。這裡沒人。這裡是農牧地，主要養乳牛。看看四周，再瞧瞧那些麥田、燕麥田，還有一些大麥田。這一帶的農夫替住在山丘上的有錢人供應所有新鮮的農產品。」

有好多的山丘，看起來就像被子上一塊塊縫補的塊狀物，有成排的樹木由高到低隔出畫分區域。我說它們是夜晚的守衛，但媽媽告訴我們樹木種成一排排的是為了防風和阻擋厚重積雪。這些字眼恰恰讓克里斯多弗興奮不已。他熱愛所有冬季運動，他沒想過到維吉尼亞這種南方州也會下大雪。

「哦！對，這裡會下雪，」媽媽說道。「當然會下雪。我們在藍嶺山脈的山麓丘陵上，這裡非常冷，跟格拉斯通那裡一樣冷。不過夏季時白天比較暖和，晚上永遠都冷到至少得蓋一件毛毯。現在等太陽昇起，你們就能飽覽美麗的鄉間景色，跟世上其他地方一樣的好風光。但是我們得快點。要走很長很長的路才能到我家，我們得在日出前僕人還沒起床就到達。」

太奇怪了。「為什麼？」我問道。「為什麼那個列車長叫你帕得森太太？」

「凱西，我現在沒時間跟妳解釋。我們得走快一點。」她彎身拎起那兩只沉重的手提箱，語氣堅定地要我們跟著她走。我跟克里斯多弗被迫抱著雙胞胎，他們睏到沒辦法走，也不想走。

「媽媽！」我大喊，那時我們才走沒幾步路，「那個列車長忘了給我們妳那兩個行李！」

「凱西，那不要緊，」她喘氣說著，彷彿她拿的那兩只手提箱對她已經是個重擔。「我拜託列車長把我那兩個行李送到夏洛茲維爾市的寄物處，我明天早上再去領。」

「為什麼妳要這麼做？」克里斯多弗緊張地問。

「嗯，首先我絕對沒辦法提四個行李，是吧？另外呢，我想先找機會跟我父親談談，再讓他知道我有小孩的事。而且如果我離家十五年然後在半夜回家，似乎也不太對勁，是不是？」

我覺得聽起來很合理，因為雙胞胎不肯走，我們已經空不出手了。我們啟程出發，跟在我們的母親後頭走過起伏的地面，沿著岩石和樹林間的模糊小徑而行，路旁的灌木勾破我們的衣服。我們慢慢走過好長好長一段路。我和克里斯多弗開始覺得疲憊焦躁，因為雙胞胎在我們手中變得愈來愈重，我們的手臂開始痠痛。這場冒險才剛剛開始就變得乏味。我們出聲抱怨不停嘮叨，拖著腳步想坐下休息。我們想回格拉斯通，回自己的床上，擁有自己的東西，比有僕人和我們不認識的外公外婆的那棟古老大宅來得好，也比在這裡好。

「叫醒雙胞胎！」媽媽對我們的抱怨不耐煩地厲聲說道。「讓他們自己站好，逼他們自己走，別管他們想不想走。」然後她在外套的皮毛衣領裡喃喃低語，小聲得只有我敏銳的耳朵聽見，「天呀，他們最好趁還能在外頭走路時走一走。」

恐懼的漣漪貫穿我全身。我瞥向哥哥看他有沒有聽見，他正巧轉頭看我。他笑了一下，我也回他一笑。

明天，等媽媽坐著計程車在適當時間到達，她就能去見生病的外公，她會露出笑容然後說話，他會為她著迷然後認輸。只要瞧一眼她那迷人臉龐，只要她柔軟的漂亮小嘴吐出一字一語，他就會伸出雙臂原諒她做過的那些「從恩典中墜落」的事。

根據她告訴我們的，她爸爸是個壞脾氣的老人，六十六歲對我來說老得不可思議。而一個瀕死的人不會對他唯一活在世上的孩子心懷怨恨，他曾經如此深愛這個女兒。他非得原諒她不可，這樣他才能平靜喜悅地死去，知道自己做了件對事。然後，只要她令他著了迷，她就會領我們出臥房，我們會以最佳姿態現身，露出最討人喜歡的模樣，他馬上會知道我們不醜也不壞，只要人還有一顆心就絕對會喜愛雙胞胎。因為啊，人們在購物中心看到雙胞胎都會停下來輕拍他們，向媽媽稱讚她有這麼漂亮的孩子。而且等著看外公見識克里斯多弗如此聰明！成績全優的學生！而且更驚人的是，他不用像我一樣用功再用功。每件事對他來說都那麼容易。他的雙眼只要在書頁上瞄過一兩遍，所有資料就會永遠刻在腦子裡，絕對不會忘記。哦，我多嫉妒他的天才！

我也有自己天才的一面，跟克里斯多弗閃亮的才華不同。我擅長的是推翻所有亮晶晶的事，尋找它們的灰暗面。我們對陌生的外公只知道片段資訊，但將所有片段拼湊成塊之後，我已經可以猜出他不是那種輕易原諒別人的人，否則，他就不可能長達十五年不肯接納自己曾珍愛的女兒。不過，他真的能抗拒媽媽非同小可的哄人功力嗎？我不確定。我見識過她在金錢上怎麼哄我們的父親，爸爸總會投降，聽從她的意思。只要一個吻、一個擁抱、一個觸碰，爸爸就會開心微笑，然後同意一切要求，沒錯，她買下的任何昂貴東西，他都會想辦法支付。

「凱西，」克里斯多弗說道，「不要愁眉苦臉。如果上帝不想讓人變老生病然後死掉，祂就不會讓人生小孩。」

我覺得克里斯多弗盯著我瞧，好像在讀我的心，害我臉紅了。他開心地咧嘴笑著。他是那種永遠都無可救藥的樂天派，從來不曾像我一樣老是憂鬱多疑、悶悶不樂。

我們照著媽媽的話叫醒雙胞胎，讓他們自己站好，叫他們自己出力走路，不管累不累。我們拖著他們走，他們抗拒地抽氣哭著嘀咕抱怨。「我不想去我們要去的地方。」凱芮含淚哭訴。

克瑞只是一直哭。

「我不喜歡走去黑黑的森林！」凱芮喊著，想把她的小手從我手中掙脫。「我要回家！放開我，凱西，放手！」

克瑞哭得更大聲。

我很想把凱芮再抱起來，但我的手臂痠得沒辦法再試。然後克里斯多弗放開克瑞的手，跑到前頭去幫媽媽拿那兩只沉重手提箱，所以我得拽著兩個不情不願的雙胞胎走向暗處。

空氣寒冷刺人。雖然媽媽說這裡是丘陵地，遠方那些陰暗高大的形體對我來說就像山脈。我凝視天空，天空看起來像倒扣碗狀的深藍色絨布，閃爍的不是星星而是晶化雪花，或者是我未來哭泣時會流出的冰晶淚珠？為什麼它們好像很憐憫地俯瞰著我，讓我覺得自己像螞蟻般渺小，不知所措又微不足道？天空好近，太大、太美麗，讓我有種奇怪的不祥感。不過我知道如果換個環境，我應該會愛上這樣的鄉村景色。

我們總算來到有著偌大精美屋宅的社區，就在一道陡峭山坡旁邊。我們躡手躡腳走向最大棟的房子，也是這些沉睡中的山間屋舍裡最堂皇的。媽媽低聲說她家祖傳的房屋叫做佛沃斯大宅，已經超過兩百年歷史了！

「附近有湖可以溜冰游泳嗎？」克里斯多弗問道。他非常關注那山坡。「這不是很好的滑雪地，有太多樹木和岩石。」

「有，」媽媽說道，「大概四分之一哩外有個小湖泊。」她指向湖泊的方向。

我們幾乎是踮著腳尖繞過龐大大宅。一走到後門就有個老婦人讓我們進門。她一定在那裡等候然後看見我們到來，因為我們還沒敲門她就馬上開門了。我們像夜裡的竊賊悄悄溜進去。她連句歡迎我們的話也沒說。她會是僕人嗎？我猜想。

我們一下子就進了黑漆漆的大宅，她催促我們走上陡峭狹窄的後樓梯，不讓我們多停留一秒看看四周的大空間，我們只能瞥一眼就快速無聲通過。她帶我們走過好多走廊，經過好多緊閉房門，然後我們終於抵達一個走廊盡頭的房間，她打開門示意我們進房。我們漫長的夜晚旅程結束了，而且有間亮著盞燈的大臥房真讓人鬆了口氣。厚重的刺繡窗簾蓋住兩扇長窗。穿著灰洋裝的老婦人闔上通向走廊的重門，然後轉身倚著門看著我們。

她開口說話，我覺得發慌。「柯琳，正如妳所說的。妳的孩子很漂亮。」

她站在那裡對我們如此讚美，這些話語應該要讓我們心頭一暖，但我的心都涼了。她的語氣冰冷又滿不在乎，好像我們沒有耳朵足以聽懂她的話，也沒腦袋足以理解她的不悅，儘管她口中說的是好聽話。我對她的看法是對的，因為她的下一句話就能證實。

「不過妳確定他們腦袋沒問題？他們會不會有什麼不顯眼的潛在毛病？」

「沒有！」我們的母親喊著，覺得受到冒犯，而我也這麼覺得。「我的孩子完美無缺，就像妳看到的，腦袋和身體都沒有問題！」她瞪著那位灰衣老婦，然後蹲下來開始脫凱芮的衣服，凱芮低頭打瞌睡。我蹲在克瑞前面解開他那件藍色小外套，克里斯多弗把一只手提箱擱到一張大床上。他打開手提箱，取出兩套黃色的連身小睡衣。

當我幫克瑞脫下衣服穿上他黃色睡衣，我偷偷觀察那高大婦人，我想她就是我們的外婆。我仔細瞧她想找出皺紋和下巴贅肉，才發現她沒有我一開始想的那麼老。她鋼青色的濃密頭髮往後梳成一板一眼的髮型，讓她的眼睛顯得細長如貓眼。哦，你甚至能看到每一縷頭髮將她頭皮扯出一個個不平的小丘，甚至當我細瞧，看到有一撮頭髮斷掉了！

她的鼻子是鷹勾鼻，肩膀很寬，她的嘴巴薄得像彎刀的畫痕。她身上的洋裝是灰色的塔夫塔綢，在樸素的高領窄處有個鑽石胸針。她身上沒有任何一個地方是柔軟的，連她的胸部也像兩座水泥山丘。我們完全沒辦法像跟父母親打鬧般試著跟她說笑。

我不喜歡她，我想回家。我的嘴唇不住顫抖，希望爸爸可以活過來。這種女人怎麼能夠生出媽媽這樣美好可親的人？媽媽的美麗容貌和愉悅性情是從誰身上遺傳到的？我渾身顫抖，試著不讓眼眶裡的淚水流下。媽媽已經事先讓我們對一個沒有疼愛、漫不關心、無情的外婆做好心理準備，然而卻是這樣一個外婆要我們搬過來的，而現在，她令人驚異地突然現身。我忍著淚水，深怕克里斯多弗會看見，待會兒又要嘲笑我。不過讓我安心的是，我們的母親暖暖地笑著，把穿好睡衣的克瑞放到一張大床上，然後把凱芮放在他身邊。哦！他們看起來多麼可愛，雙雙躺在那裡就像玫瑰色臉頰的大洋娃娃。媽媽傾身在雙胞胎的紅臉頰印上親吻，她的手溫柔地梳過他們額上的鬈髮，然後她將被子拉高到他們下巴下方。「晚安，我的寶貝們。」她用我們熟悉的深情語氣輕輕說道。

雙胞胎沒聽見。他們已經睡得很熟了。

然而，外婆像生根樹木般站得很穩，她看到雙胞胎睡在同張床上非常不悅，然後看向靠在一起的我跟克里斯多弗。我們很累了，互相倚靠著彼此。她灰石般的雙眼閃著不贊同的神色。媽媽似乎很明白她為何會神情尖刻地陰沉著臉，雖然我不明白，媽媽卻了然於胸似地脹紅了臉。外婆說：「妳那兩個大孩子不能睡在同張床上！」

「他們還是孩子，」媽媽的怒火非比尋常。「母親，妳一點都沒變，對吧？妳還是一樣小心眼又多疑！克里斯多弗和凱西清清白白的！」

「清清白白？」她厲聲回應，她刻薄的目光銳利得足以將人割傷出血。「我跟妳父親就是一直傻傻地相信妳和妳那半個叔叔！」

我的目光在她們之間打轉，我瞪大眼望向我哥哥。他的歲數好像在冰冷空氣中融掉了，他柔弱無助地站著，就像個六、七歲的孩童，沒比我懂得更多。

狂怒和激動讓我們的母親臉上的紅潤盡消。「如果妳真的那麼想，那就讓他們分房、分床！天知道這大宅裡有多少房間！」

「不可能，」外婆以冰冷的激動語氣說道。「只有這間房間有獨立的浴室，他們在樓上走動或沖馬桶都不會讓我丈夫聽見。如果他們分房，又分散在樓上各處，他會聽見他們的聲音和噪音，僕人也可能會聽見。我是經過深思熟慮才這樣安排的，只有這間房間最安全。」

安全的房間？我們所有人要睡在唯一的一間房裡？在這棟富麗堂皇的大宅，有二十、三十，或是四十個房間，我們卻得待在同一間？即使如此，我想了想，發覺自己絕不想在這大宅中單獨待在一個房間裡。

「兩個女孩睡同張床，兩個男孩睡另一張，」外婆指示。

媽媽抱起克瑞，把他放在另一張雙人床上，就這樣暫時確定往後的生活模式：男孩睡在靠近浴室門的床，我跟凱芮睡在靠窗的床。

老婦人將她冷酷的目光轉向我，然後看向克里斯多弗。「現在聽好，」她像個教練軍官說道，「你們兩個年紀大的要讓那兩個小的保持安靜，如果他們違反任何一條我定的規矩，你們就要負責。

記住：如果你們的外公太早發現你們住在樓上，他會把你們全部扔出去，連一枚一分硬幣都沒有，而且他還會因為你們活在世上而嚴懲你們！你們要讓這間房間保持乾淨整潔井然有序，浴室也是，要像沒人住在這裡一樣。你們還要安安靜靜，不可以大喊哭鬧，不可以跑得讓樓下的天花板砰砰響。等我和你們的母親今晚離開這間房，我會把我身後這扇門關上上鎖。因為我不會讓你們閒晃過一間又一間房間，跑到大宅別的地方去。直到你們外公去世那天，你們都得待在這裡，就像你們其實並不存在。」

哦！天啊！我轉向媽媽。這不是真的！她在說謊對不對？她說那些苛刻的話只是想嚇我們，對不對？我往克里斯多弗身邊靠得更近，貼向他身側，覺得發冷打顫。外婆皺起眉頭，我立刻拉開距離。我試著看向媽媽，但她背過身低著頭，肩膀低垂抖動，好像在痛哭。

我整個人都慌了，要不是媽媽轉身坐在床邊朝我和克里斯多弗伸出雙臂，我大概就要叫喊出聲。我們跑向她，慶幸有她的雙臂抱緊我們、雙手撫過我們髮間背上，替我們梳平被風吹亂的頭髮。「不要緊，」她低聲說道。「相信我。你們只會在這裡待一晚，然後我父親就會歡迎你們進屋，讓你們把這裡當自己家來住，所有一切，包括每間房間和花園。」

然後她瞪向她那高大嚴厲又可怕的母親。「母親，稍微憐憫我的孩子吧。他們也是妳的骨肉至親，妳不要忘記這點。他們是好孩子，但也是普通孩子，他們需要空間玩耍奔跑，可以喧鬧。妳期望他們都能小聲說話嗎？妳不需要在這房門上鎖；妳可以鎖住走廊那頭的門。為什麼他們不能自由使用北側廂房的這些房間呢？我知道妳一向不太管年代較久的這一區。」

外婆使勁搖頭。「柯琳，我才是這裡做主的人！不是妳！妳以為我把這一側的門鎖起來，僕人不會議論嗎？所有事情都得跟原來一樣。他們明白我為什麼特地鎖住這間房間，因為房間裡有通往閣樓的樓梯，而我討厭他們在不該出現的地方晃來晃去。每天一大早我會帶食物和牛奶給孩子們，在廚師和女僕還沒進廚房前。北側廂房這一區只有在每個月的最後一個星期五才會有人來大掃除。那時候孩子們就躲在閣樓裡等女僕打掃完畢。女僕進房之前我會親自檢查所有東西，確保他們沒有漏掉任何洩露行蹤的東西。」

媽媽的語氣更加不贊同。「這不可能！他們一定會留下蛛絲馬跡。母親，鎖上走廊盡頭的門吧！」

外婆咬緊牙根。「柯琳，給我時間；讓我想出不准僕人進入北側廂房的藉口，連打掃也不行。但是我得謹慎行事，不能讓他們懷疑。他們討厭我，為了討賞，他們會跑去找妳父親說閒話。妳不懂嗎？柯琳，封閉北側廂房跟妳回家的事絕對不能同時發生。」

媽媽點頭放棄。她和外婆繼續進行籌畫，而我跟克里斯多弗愈來愈睏。這一天好像漫長得永無止盡。我好想爬上床躺在凱芮身邊休息，好讓我做個好夢，在夢裡一切問題都不存在。

最後，在我以為媽媽永遠不會注意到時，她終於看到我和克里斯多弗已經很累了，我們總算能在浴室換下衣服然後爬上床鋪。

媽媽走到我旁邊，看起來疲倦憂愁，臉上還有黑眼圈，她在我額頭印上溫暖雙唇。我看到她眼角閃著淚珠，她的睫毛膏在淚水中暈染開來。為什麼她又哭了？

「睡吧，」她沙啞地說道。「別擔心。無論聽見什麼都別管。等我父親原諒我，忘記我曾經做過惹他不高興的事，他就會張開雙手迎接他的孫子孫女，他能親眼見到的唯一孫兒們。」

「媽媽，」我苦惱皺眉，「妳為什麼一直哭？」

她急忙拭去淚水，試著微笑。「凱西，恐怕我得花上不只一天才能讓我父親回心轉意。可能要兩天，或是更久。」

「更久？」

「說不定，說不定要一星期，但不會更久，應該不用那麼久。我不確定到底多久……但是不會太久。妳可以放心。」她柔軟的手撫過我頭髮。「親愛的凱西，妳爸爸很愛妳，我也是。」她移到克里斯多弗那裡親他額頭又摸他頭髮，不過我沒聽見她跟他說的耳語。

她在門邊轉身說道，「好好睡一晚吧，明天只要我一有辦法就來看你們。你們知道我的打算。我得先走回車站，然後搭另一班火車到夏洛茲維爾市拿我的行李，然後明天一早我會坐計程車回到這裡，我會想辦法溜上來看你們。」

外婆無情地把我們的母親推向敞開的門口，媽媽扭過身從外婆肩頭回頭望著我們，她黯淡雙眼無聲地向我們懇求，然後才聽到她說道，「做個好孩子，要守規矩。不要發出聲響。聽外婆的話，照她的話做，別讓她找到藉口罰你們。拜託，拜託你們這麼做，讓雙胞胎聽話，別讓他們哭鬧，不要太想我。把這當成遊戲，很好玩的。在我帶玩具和遊戲回來之前盡量逗他們玩。我明天就會回來，我每一秒都會想著你們，為你們祈禱，而且愛著你們。」

我們保證自己會乖乖的，安靜得像老鼠，我們會像小天使般聽話守規矩。我們會盡力照料雙胞胎，我什麼都肯說肯做，只要能抹去她眼裡的焦慮。

「媽媽，晚安，」我和克里斯多弗一同說道，她躊躇地站在走廊上，外婆無情的大手抓在她肩上。「不用擔心我們。我們不會有事的。我們知道怎樣照顧雙胞胎，也懂得自己找樂子。我們不是小孩子了。」這些都是我哥哥說的。

「我明天一早會來。」外婆說完就把媽媽推向走廊，然後關門上鎖。

我害怕被鎖在房裡。要是發生火災呢？火災。我總是想著火災和逃生方法。要是我們就這樣被關在這裡，我們呼救也沒人會聽見。只有每個月最後一個星期五才有人來，誰會聽見我們在二樓偏僻的禁區房間裡？

謝天謝地這只是暫時的安排，只要一個晚上。明天媽媽就會讓垂死的外公認輸了。

我們獨自待在這裡，被鎖住。所有的燈都熄了。我們周遭和下方的這棟大宅像隻怪獸，把我們關在牠一口利齒裡。如果我們挪動出聲呼吸太重，就會被吞噬殆盡。

我躺下來等待入睡，可是漫長的寂靜不斷延伸。在我人生裡這還是頭一回沒有一躺在床上就睡著。克里斯多弗打破沉默，我們開始小聲討論自己的處境。

「不會太糟的，」他低聲說道，雙眼在黑暗中閃動。「外婆不可能像她外表看起來那麼壞。」

「你是想告訴我，你覺得她是溫柔老太太？」

他咯咯發笑。「對啊，沒錯，真是溫柔啊！溫柔得像隻紅尾蟒蛇。」

「她整個人大得可怕。你覺得她有多高？」

「噢，這很難說。也許有一百八十公分高，九十公斤重。」

「兩百公分高！兩百公斤重！」

「凱西，妳得學會一件事——別再那麼誇張！不要大驚小怪。認真想想我們的處境，就知道這裡不過是大宅裡的一個房間，沒什麼好怕的。我們只要在媽媽回來前在這裡過一夜。」

「克里斯多弗，你有沒有聽到外婆說什麼半個叔叔？你知道她在講什麼嗎？」

「不知道，不過我想媽媽之後會解釋所有事情。現在睡吧，然後禱告。我們能做的不就只有這些嗎？」

我起身下床雙膝跪地，雙手在下巴處合十。我緊閉雙眼祈禱，祈求上帝讓媽媽展現出她最迷人可愛、令人失去戒心的模樣。「然後上帝，拜託別讓外公跟他太太一樣討人厭又刻薄。」

於是疲倦又滿懷思緒的我倒回床上，將凱芮緊擁在胸前，如我所願地墜入夢中。

3 外婆的大宅

晨光從我們不准拉開的厚重窗簾後面隱隱透光。克里斯多弗最早起床，打呵欠伸懶腰，然後對我咧嘴笑。「嗨，毛毛頭。」他出聲問候。他的頭髮跟我的一樣亂蓬蓬，甚至比我更亂。我不知道為什麼上帝要讓他和克瑞的頭髮那麼捲翹，卻只給我跟凱芮波浪鬈髮。就跟其他男孩一樣，他拚命把那些鬈鬈髮弄直，而我坐在那裡希望鬈髮從他頭上蹦到我頭上來。

我坐起身打量這間房間，這裡大概有五公尺見方。房間很大，但裡頭有兩張雙人床、一個巨大的高腳五斗櫃、一個大櫥櫃、兩張椅墊太大的椅子、兩扇前窗中間有梳妝台，附帶小椅子，再加上一張桃花心木桌和四張椅子，房間看起來就變得很小，雜亂無章。兩張雙人大床之間還有一張小桌，上頭放了盞燈。這房間裡總共有四盞燈。在所有的厚重黑家具下方是一條褪色的東方紅毯，四邊有著金色流蘇。那條地毯過去一定很漂亮，不過現在已然老舊。牆壁貼著白色浮雕花紋的奶油色壁紙。床罩是金色的，材質是某種像夾棉緞布的厚重布料，牆上有三幅畫。我的天啊，那些畫讓人喘不過氣來！古怪惡魔在地底深處追趕赤身裸體的人，畫面幾乎一片通紅。可怕怪物正在吞食淒慘的人，那些人的腳仍在踢動，就被又長又亮的利齒大嘴垂涎嚥下。

「妳現在注視的是地獄景象，有些人是這種看法，」我那無所不知的哥哥告訴我。「八成是我們的天使外婆親自掛上這些畫作的，為了讓我們知道不聽話就會有怎樣的後果。我覺得這好像是西班牙畫家哥雅的畫作。」他說道。

我哥哥真的無所不能。排在醫生後頭，他第二想當的就是藝術家。他對畫畫格外有天分，像是水彩畫、油畫之類的。他幾乎什麼都擅長，除了收拾環境和打理自己。

就在我挪動身體起床要去浴室時，克里斯多弗從他床上跳起來搶先一步進去。為什麼我跟凱芮得睡在離浴室這麼遠的一側呢？我不耐煩地坐在床邊，晃動雙腳等他出來。

有這麼多擾人的動靜，凱芮和克瑞同時不安穩地醒來。宛如鏡中倒影般，他們坐起來打呵欠，揉著眼發睏地望向四周。然後凱芮語氣堅決地宣布，「我不喜歡這裡！」

這一點也不訝異。凱芮生來就頑固，即使在她九個月大會說話之前就分得出自己喜歡什麼討厭什麼。對凱芮來說沒有折衷選擇，不是零，要不就是一百。她心情好的時候有著最可愛的童音，聽起來像是清晨的可愛小鳥快樂吱喳。麻煩的是她會一整天吱喳不停，除了睡著以外。凱芮會跟洋娃娃、茶杯、泰迪熊，還有其他玩偶說話。所有靜靜擺著不會回話的東西都是她的談話對象。沒多久我就聽不見她不停吱喳的聲音，我會充耳不聞讓她自己喋喋不休。

克瑞就完全不同。凱芮講個不停時，他只是坐著仔細聆聽。我想起辛普森太太說克瑞是「平靜的一汪深水」。我還是不懂她那句話是什麼意思，然而安靜的人確實散發出某種神祕氣氛，會讓人一直猜想他們的外表之下究竟是什麼樣貌。

「凱西，」我那嬰兒臉小妹吱喳說道，「妳有沒有聽到我說我不喜歡這裡？」

克瑞聽到這句話就從他床上爬起，然後跑來跳上我們的床，伸手緊緊抱住他雙胞胎姊姊，他的眼睛驚恐瞪大。他用他那嚴肅的說話方式說道，「我們怎麼會在這裡？」

「昨晚，坐火車。你不記得啦？」

「沒有，不記得了。」

「而且我們在月光下穿過樹林，很漂亮。」

「太陽呢？現在還是晚上嗎？」

太陽躲在窗簾後頭。但是如果我敢對克瑞這麼說，他一定會想拉開那些窗簾往外看。要是他看到外頭景色，他就會想要出去。我不知道該怎麼說。

有人在轉動走廊那頭的門鎖，至少能讓我不用回答他。我們的外婆拿著一個裝滿食物的大托盤進了房間，托盤上頭蓋了一條大白巾。她用非常尖刻公事化的口吻解釋，說她沒辦法一整天帶著沉重托盤上下奔波。一天只能一次。如果她來得太勤，僕人就會發現。

「我想今後我會改用野餐籃，」她把托盤放在那張小桌上，然後開口。她轉身望向我，好像我得為這些食物負責一樣。「妳得讓這些食物夠吃一整天，分成三餐分量。培根、雞蛋、吐司、麥片是早餐。三明治和小熱水瓶裡的熱湯是午餐。炸雞、馬鈴薯沙拉、四季豆是晚餐。可以把水果當點心吃。然後如果你們一整天都安靜乖巧，我就會帶冰淇淋、餅乾，或是蛋糕給你們。糖果是絕對不會有的，不能讓你們蛀牙。直到你們外公去世之前，連出門看牙醫也不行。」

克里斯多弗已經穿著整齊走出浴室，他也站在那裡盯著外婆，她談論自己丈夫的死說得如此輕易，一點也不悲傷。好像她在說的是什麼中國來的金魚很快就會死在魚缸裡似的。「飯後都要刷牙，」她繼續說著，「頭髮也要整齊梳好，身體洗乾淨，衣服穿好。我討厭髒臉髒手又流鼻水的小孩。」

就在她說出這句話的時候，克瑞的鼻水就往下流。我偷偷用面紙替他擦掉。可憐的克瑞，他有花粉症，而她討厭小孩流鼻水。

「然後在浴室裡要端莊，」她格外嚴厲地看向我，以及懶散粗魯地靠在浴室門上的克里斯多弗。「女孩跟男孩絕對不能同時共用浴室。」

我感覺臉頰泛起火熱紅暈！她把我們想成哪種小孩？

接下來我們聽到前所未聞的話，之後我們還會一次又一次聽見，就像卡在刮花唱盤上的唱針。「然後孩子們，記住，上帝什麼都看得見！上帝會在我背後看見你們做的壞事！而且上帝會替我懲罰的！」

她從洋裝口袋裡掏出一張紙。「我在這紙上列出你們在我家要遵守的規矩。」她把紙擱在桌上，要我們詳讀記熟。然後她轉身離開……沒有，她走向我們還沒研究過的壁櫥。「孩子們，在這壁櫥門後面的空間裡頭，有扇小門藏匿著通往閣樓的樓梯。閣樓裡有很大的空間能讓你們跑跳玩耍，也可以發出一些不太大聲的聲響。不過你們只能在早上十點之後上去。十點之前女僕會在二樓做她們一早的例行工作，可能會聽到你們的跑動聲響。所以，一定要警惕在心，如果你們太吵就會被樓下聽見。十點之後，僕人就不能在二樓活動。有僕人曾經想偷東西。在竊賊當場被逮後，他們整理臥房時我都會在場。在這棟大宅裡，我們有自己的規矩，也會執行應有的懲罰。就像我昨晚說過的，在每個月的最後一個星期五，你們得一早就爬上閣樓，安靜坐著不准說話或是發出腳步聲。你們聽懂沒？」她輪流盯著我們每一個人，用刻薄嚴厲的眼神框住她的話。我跟克里斯多弗點點頭。雙胞胎只是用一種古怪近乎敬畏的出神模樣地盯著她。她接著又告訴我們，她在那個星期五會來檢查我們的房間和浴室，看看我們有沒有漏掉什麼。

全部講完，她離開了。她再次把我們關起來。

現在我們可以喘氣呼吸了。

我冷酷地下定決心。我打算要把這當成一場遊戲。「克里斯多弗．瓷娃娃，我任命你當爸爸。」

他發笑然後嘲諷開口。「還有呢？身為一個男人和一家之主，從現在起大家都得明白，你們得好好伺候我，就跟國王一樣。太太是我的屬下和奴隸，要擺碗盤，端菜端飯，為妳的主人準備妥當。」

「哥哥，你把話再說一遍。」

「從現在開始我不是妳哥，是妳的主人。不管我說了什麼，妳都要照我的話做。」

「那如果我不照你的話去做，你又會怎樣，主人？」

「我不喜歡妳這種說話口氣。跟我講話要尊敬點。」

「克里斯多弗，等你贏得我敬意的那天，我會很恭敬地跟你說話的！等到那天，你會有三公尺高，正中午會出月亮，大風雪裡會有身穿純白閃亮盔甲的英勇騎士騎著獨角獸，長矛尖端正對著一隻綠龍的腦袋！」我話一說完，對他惱火的表情十分滿意，我牽起凱芮的小手自傲地帶她進浴室，我們悠哉地梳洗穿衣，不顧可憐的克瑞一直嚷著他要進來上廁所。

「拜託，凱西。讓我進去！我不會偷看的！」

最後我開始覺得無趣，便踏出浴室，結果，你信不信，克里斯多弗替克瑞換好衣服了！而且更驚人的是，克瑞現在說他不用去廁所了！

「啊？」我問道。「你該不會告訴我你爬回床鋪在上面解決了吧！」

克瑞默默指向一只沒插花的藍色大花瓶。

克里斯多弗倚著五斗櫃，雙手環在胸前沾沾自喜。「這應該能讓妳明白忽視內急的男人會發生什麼事。我們男人跟坐著上廁所的妳們不一樣。緊急的時候靠小玩意兒就能解決。」

在我允許大夥吃早餐前，我得清空那個藍花瓶，把它好好清洗。的確，把這花瓶放在靠克瑞床邊的地方不是壞事，以防萬一。

我們坐在靠近窗邊的小桌旁，那桌子本來是打牌用的。雙胞胎坐在疊了兩層的墊子上，這樣他們就能看見自己在吃的食物。四盞燈全都亮著，但得在這種昏暗微光中吃早餐，還是令人很不開心。

「開心點，臭臉女孩。」我那難捉摸的哥哥說道。「我只是在開玩笑。妳不需要當我的奴隸。我只是喜歡看妳生氣時散發的神采。我承認，妳們女人在長舌方面很有天分，就像我們男人生來就有輕鬆上廁所的最佳工具。」為了證明他沒打算做個蠻橫傢伙，他幫我倒牛奶，然後跟我一樣發覺從四公升大小的保溫瓶倒東西而不亂濺沒那麼容易。

凱芮對那些炒蛋和培根只瞄一眼就哭了。「我們不喜歡培根和蛋！我們喜歡的是『冰』麥片！我們不要吃熱的、一團團、油油的食物。我們喜歡的是『冰』麥片！」她尖叫。「有加葡萄乾的『冰』麥片！」

「現在聽我的話，」他們新上任的小號翻版父親說道，「你們得吃下擺在面前的食物，不可以抱怨，也不能大喊叫鬧或尖叫！聽到沒？而且這不是熱的食物，這是冷的。你們可以把食物上的油刮掉，反正油已經凝固了。」

克里斯多弗一瞬間就嚥下他那份冰冷油膩的食物，以及沒塗奶油的冷吐司。雙胞胎因為某種我從未明白的奇怪原因，沒再抱怨一句就吃下早餐。我有股異樣的不安感，應付雙胞胎的好運不會維持多久。他們現在可能被強硬的年長哥哥鎮住，但之後就等著瞧！

吃完早餐，我將餐盤整齊疊放回托盤裡。然後我才想起我們忘了做飯前禱告。我們急忙圍坐在桌邊，低頭雙手合十。

「上帝，原諒我們未經您同意就用餐。拜託別讓外婆知道。我們發誓下次不會再犯錯了。阿們。」做完禱告，我把那張規矩守則表遞給克里斯多弗，那張紙仔細地寫滿粗體字，好像我們笨到讀不懂字似的。

而雙胞胎昨晚太睏不明白我們的處境，現在終於明白了，哥哥從最上面開始念出那張紙上不可違背的規矩——**後果自負！**

他先抿著嘴，絕妙地模仿外婆那討厭的嘴巴，你不會相信他那形狀美好的嘴唇竟然能變得那麼刻薄，但他的確模仿出幾分她嚴肅的樣子。

「一，」他用冷淡平板的口吻說著。「**你們要總是穿著整齊。**」天啊！「總是」二字被他講得如此令人難受。

「二，**你們永遠不可妄稱上帝的名。飯前都要禱告。即使我沒在房間裡看到你們禱告，你們要知道天上的祂會看到聽見。**」

「三，**你們永遠不能拉開窗簾，連偷看也不行。**」

「四，**你們永遠不能跟我交談，除非我先開口。**」

「五，**你們要保持房間整潔有序，床鋪都要鋪好。**」

「六，**你們永遠不能閒著沒事。你們每天要花五個小時念書，其餘時間用來培養有意義的專長。**

如果有任何技藝專長就要努力精進，如果沒有就讀聖經。如果不會讀，那就坐著凝視聖經，努力用你們純潔的思想，去理解上帝和祂的道。」

「七，你們每天早餐前要刷牙，晚上睡前也要刷。」

「八，要是我逮到男生和女生同時共用浴室，我就會無情地從你們的背上剝掉一層皮。」

我的心好像要狂跳起來。天啊，我們到底有個什麼樣的外婆啊？

「九，你們四個無論何時都要謹慎莊重。行為、談吐、思想都是。」

「十，你們不能觸碰晃動自己身體的私密部位，不能從鏡子裡看，也不能在心裡想，即使在清潔那些部位時也不行。」

克里斯多弗的臉皮很厚，眼裡閃過一絲笑意，他模仿外婆繼續往下念。

「十一，你們不能讓心裡產生邪惡、有罪，或墮落的想法。你們必須讓思想保持清淨、純潔，遠離腐化道德的邪惡事物。」

「十二，除非必要，你們不能正眼看異性。」

「十三，你們裡頭懂閱讀的人，我希望至少有兩個，每天要輪流大聲朗誦聖經至少一頁，好讓年幼的那兩個孩子也能從上帝教誨中受惠。」

「十四，你們每天都要洗澡，清理浴缸，讓浴室保持得跟你們到來時一樣乾淨。」

「十五，你們每個人包括雙胞胎，每天都要學會至少一句聖經引言。如果我提出要求，你們就要把我要求的引言背誦出來，我會追蹤你們讀過哪些段落。」

「十六，你們要把我帶來的食物全部吃掉，一點也不能浪費，不能丟掉或藏起來。浪費食物是有罪的，這世上很多人都在挨餓。」

「十七，你們不能只穿睡衣在臥室裡活動，即使只是要去浴室或是從浴室出來。你們無時無刻都要在睡衣外套件罩袍之類的，如果你們還沒穿好衣服就突然得出浴室，一定要在貼身衣物外穿件外

衣，好讓急著用浴室的人能進去。所有住在這屋簷下的人，所有事情、所有行為，務必按我的要求要求，保持謹慎莊重。」

「十八，我進門時你們要立正站好，雙手垂放在身側。你們不能握拳表示無聲抗議，不能用眼睛直視我，你們也別想用情感打動我，或是希望得到我的友誼、同情、喜愛，或是憐憫。這些全都不可能。不管是你們的外公或是我，都不會允許自己對不健全的東西產生感情。」

哦！這些話真的很傷人！就連克里斯多弗也頓了一下，臉上閃過絕望神情，然後與我四目相接時隨即換上笑容。他伸手搔凱芮的癢讓她咯咯笑，又捏了捏克瑞鼻子讓他也發笑。

「克里斯多弗，」我驚慌叫喊。「從她的態度看來，媽媽根本不可能讓她父親回心轉意的！更別說讓他願意瞧我們一眼！為什麼？我們做了什麼？媽媽做了讓她從恩典中墜落又剝奪繼承權的可怕事情時，我們又不在場！我們甚至還沒出生！為什麼他們討厭我們？」

「冷靜點，」克里斯多弗的雙眼往下掃視那張冗長清單。「別把這一切看得太認真。她就是個瘋子，腦子有問題。我們外公這樣聰明的人不會跟他太太一樣有這種白痴想法。要不然他怎麼能賺到那麼多錢？」

「也許他的錢不是賺來的，是靠繼承的。」

「沒錯，媽媽告訴過我們他繼承了部分財產，但他把那些錢翻了百倍，所以他一定至少有點腦子。不過他不知為何從香膠冷杉上挑了瘋子裡的女王蜂當他太太。」他咧嘴一笑然後繼續念下去。

「十九，當我踏進這房間帶食物和牛奶給你們時，你們不能看著我，不能跟我說話，不能對我有不敬想法，也不能對你們的外公有不敬想法，因為上帝就在上頭，能讀你們的心。我丈夫是個意志堅定的人，很少有人能勝得過他。他有一群醫生護士和技師照料他各種需求，還有替代衰退器官運作的機器，因此別以為他心臟不好就不再是個鋼鐵硬漢。」

哇！書擋的這頭是他太太，另一頭就是他這個鋼鐵硬漢。他的眼睛一定也是灰色的。堅硬冷酷的鋼灰雙眼，因為就像我們的母親和父親所證實的，同性相吸。

「二十，」克里斯多弗繼續念道。「**你們不能蹦蹦跳跳、大吼大叫，或是講話太大聲，不然僕人會聽見。你們要穿軟底的鞋子，永遠不能穿硬底的。**」

「**二十一，你們不能浪費衛生紙和香皂，如果你們害抽水馬桶阻塞外溢，就要清理乾淨。要是你們弄壞馬桶，那馬桶就會保持原貌直到你們離開那天，你們就得找出閣樓裡的夜壺來用，你們的母親可以替你們倒夜壺。**」

「**二十二，男孩要在浴缸裡洗自己的衣服，女孩也是。你們的母親會處理你們用的床單和毛巾。夾棉的床墊套一星期換一次，要是有人弄髒墊套，我就叫你們的母親拿橡膠布給你們用，學不會在廁所裡方便的小孩要痛打一頓。**」

我嘆了口氣摟住克瑞，他聽了這話就哭著抓住我。「噓！別怕。無論你做了什麼，她都不會知道的。我們會保護你。如果你犯了錯，我們會想辦法掩護的。」

克里斯念著，「結論，這一條不是規矩，只是警告。她寫著『**你們的確可以假設我會在必要之際隨時添加新的規矩，因為我是個循規蹈矩的女人，不會忽略任何事。別以為你們能騙過我、嘲弄我，或是拿我開玩笑，因為要是你們這麼做，就會受到嚴厲處罰，你們的皮膚和內心都會得到永生的傷疤，自尊也會受到永久挫敗。然後今後所有人都要知道，我在場的時候永遠不准提起你們父親的名字，或是用任何一點方法暗示，而我自己也不會正眼看那個長得最像他的孩子。**』」

說完了。我質疑地瞄了克里斯多弗一眼。他是不是也跟我一樣在猜想，最後那段話裡意味著，在某種方面而言，爸爸就是讓媽媽失去繼承權的原因，所以現在外公外婆討厭他？

然後，他是不是也在猜測，我們會在這裡被關上好長好長一段時間？

哦！天啊！天啊！天啊！我連一星期也撐不過！

我們不是惡魔，但我們的確也不是天使！我們需要彼此，能夠碰觸與對望。

「凱西，」我哥哥語氣冷靜，他的嘴角彎成挖苦笑容，而雙胞胎的目光在我們之間游移，準備要仿效我們驚慌、開心，或是尖叫的模樣。「我們真的醜到一點魅力也沒有，讓一個顯然很討厭我們父母親的老婦人可以永遠抗拒我們？她是個騙子，假貨。她還沒明白這點。」他拿起那張紙，摺疊擲向櫥櫃。這紙飛機好遜。

「而且，我們要相信這種精神不正常應該要抓去關的老女人？還是要相信那個深愛我們、我們熟識又信賴的女人呢？我們的媽媽會照顧我們。她知道自己在做什麼，妳可以相信這點。」

沒錯，他說得對。媽媽才是我們要去信賴的人，不是那個想法愚蠢、嚴厲瘋狂的老婦人，她的眼神像是會射出子彈，她的薄唇像刀畫出來的。

不用多久，樓下的外公就會屈服在我們母親的美貌和迷人之下，我們就能下樓，穿著最好的衣服，帶著甜美笑容。他會見到我們，知道我們不醜也不笨，正常得能搏取一些好感。然後也許，誰知道呢，也許有一天他會對孫子孫女有一點點的愛。

4 閣樓

早上十點來了又過。

我們把一日配給的剩餘食物存放在房間裡能找到最蔭涼處，那個高腳五斗櫃的下方。整理床鋪和清掃二樓其他房間的僕人，一定已經下樓去了別的區域，他們在接下來的二十四小時內不會再出現在這個樓層。

而我們理所當然已經厭倦這個房間，非常渴望探索我們有限領土的外圍。我跟克里斯多弗分別牽著雙胞胎的手，悄聲邁步往那個壁櫥走去，裡頭放著我們那兩只手提箱，所有衣物仍放在箱裡。我們等著開箱，等我們有了更大的舒適房間，僕人會幫我們開箱整理，就像電影那樣，然後我們就能到外頭去了。沒錯，等這個月最後一個星期五僕人來打掃時，我們已經不住這房間，那時候我們已經重獲自由了。

哥哥走在前頭，牽著弟弟的小手免得他跌倒，而我抓著凱芮的手緊跟克瑞腳邊，踏上漆黑狹窄又陡峭的階梯。樓梯窄到肩膀幾乎都快碰到牆面。

然後，終於到了！

我們以前也見過不少閣樓，誰沒看過？可是從沒見過這樣的閣樓！

我們佇在原地，像腳底生根似的，不可置信地環顧四周。廣大幽暗、骯髒蒙塵，這閣樓延伸得好遠！最遠處的牆面那麼遙遠，看起來模模糊糊的，看不清楚。四周光線不亮，而且很暗；這裡有股難聞味道，是腐敗的氣味、朽爛舊物的氣味和沒被掩埋的屍體氣味，而且因為裡頭滿是混濁飛塵，所有東西看起來都在動，閃著微光，尤其是那些黝黑陰暗的角落。

前方斜牆有四扇長型天窗，後牆上也有四扇。就我們目光所及，兩邊側牆沒有窗戶，因為兩邊有房間，但除非我們不怕周遭窒人悶熱，才能上前一窺究竟。

一步又一步，我們齊整畫一地從樓梯口向前走。

閣樓的地板是柔軟朽爛的大片木板。隨著我們心懷恐懼地謹慎挪步，閣樓裡的小動物四處奔竄。閣樓裡屯放的家具足以裝潢好幾棟房屋，有漆黑巨大的家具、夜壺，還有放在大碗盤裡的瓶罐，說不定有二、三十組。還有一個圓形木製物品，看起來像個用鐵箍圈住的浴缸。想想看連這種浴缸都留著！

所有看似值錢的物件都罩著白布，陳積的灰塵讓白布變得暗灰。而那些用白布覆蓋保護的東西讓我背脊發涼，因為在我眼中它們是古怪可怕的家具亡靈，不斷喃喃低語。而我一點也不想聽它們要說什麼。

幾十只老舊的皮質箱子排滿整面牆，有沉重黃銅鎖頭和包角，每只箱子上都貼滿旅遊貼紙。哇，他們一定曾經環遊世界好幾次，說不定很多次。箱子很大，能當棺材用了。

幾座巨大衣櫥沉默地成排坐落在最遠的牆邊，我們上前查看，發現所有衣櫥裡滿是陳年衣物。我們發現聯邦制服和邦聯制服兩種都有，讓我和克里斯多弗推論半天，而雙胞胎緊緊靠著我們，惶恐的大眼望著四周。

「克里斯多弗，你覺得我們的祖先在內戰時是不是很猶豫不決，不知道要支持哪邊啊？」

「州際之戰這說法聽起來比較好，」他回道。

「你想，他們會是間諜嗎？」

「我怎麼會知道？」

祕密，到處都是祕密！我開始想像兄弟對立的景象。哦！挖掘真相實在太有趣了！如果我們能找到日記就好了！

「瞧瞧這個。」克里斯多弗拿出一件男士西裝，是淺奶油色的羊毛料，有棕色的天鵝絨翻領，而且時髦地用更深棕色的緞料滾邊。他甩動西裝，雖然衣服有樟腦丸的臭味，噁心的有翅生物仍從裡頭往四面八方飛出。

我發出尖叫，凱芮也是。

「別這麼孩子氣，」克里斯多弗說道，絲毫不受那些東西的干擾。「妳看到的是飛蛾，無害的成蛾。啃出這些洞的是蛾的幼蟲。」

我才不管！蟲就是蟲，不管幼蟲成蟲。反正我不懂那件有洞的西裝為什麼讓他這麼感興趣。我們為什麼得翻看衣襟好知道那時的人用的是鈕釦還是拉鏈？「天啊，」他說道，終於感到困擾，「每次都得解開這些釦子，多痛苦啊！」

那是他的想法。

在我看來，古早年代的人們才真正懂得如何穿衣服！我多想蹦蹦跳跳穿著荷葉邊蓬蓬裙，內搭一件燈籠襯褲，金屬的裙撐圈罩上好幾件別緻襯裙，裙上滿是打褶、蕾絲和刺繡裝飾，還有天鵝絨或緞面的光滑絲帶，我的鞋子會是緞料的，然後除了這些眼花撩亂的華麗衣著，還要有一把蕾絲陽傘為我的金色鬈髮遮蔭，替我姣好光滑的肌膚隔離日光。我會拿把扇子優雅地為自己搧涼，眼簾閃動令人著迷。哦，我會是個美女！

凱芮直到現在都因巨大閣樓而感到驚嚇，她哭喊出聲讓我迅速從美夢中回歸現實，回到這個我不想回來的地方。

「凱西，這裡好熱！」

「對，沒錯。」

「凱西，我不喜歡這裡！」

我瞥向克瑞，他望著四周緊靠我身旁，小臉上滿是畏怯。我抓起他的手和凱芮的手，離開那些令人著迷的舊衣物，我們一起走向閣樓別處看看這裡有什麼。這裡的東西可多著呢。上千本堆在書架上的舊書、黑殼會計帳本、辦公桌、兩架直立式鋼琴、收音機、留聲機、裝滿一代代淘汰舊物的紙箱。有鳥籠狀支架和底座豎直的各種尺寸裁縫人檯、耙子鏟子、裱框照片裡有格外蒼白病態的人像，我想他們是我們過世的親戚。有的髮色淺，有的髮色深；這些人的眼睛有著銳利、冷酷、嚴厲、刻薄、悲傷、渴望、思念、無助或茫然的神情，但我發誓我沒有見到任何眼神是快樂的。少數人有笑容。大部分都沒有。我特別注意到一個年約十八的漂亮女孩；她臉上有一抹神祕淺笑讓我想起蒙娜麗莎，不過她比較漂亮。她的胸部在打褶馬甲下非常顯眼，讓克里斯多弗指向某一具裁縫人檯然後斷然宣稱，

「這具是她的！」

我看了過去。「欸，」他讚賞地繼續說道，「那就是妳所謂的前凸後翹身材。看見那蜂腰、圓屁股，還有鼓鼓的胸部沒有？凱西，遺傳到這種身材的話，妳就發大財了。」

「是喔，」我厭惡地說道，「你不太懂呢。那不是女人天生的體態。她穿了緊身束腰，緊緊地束在腰上把她的肉擠到上面和下面去。那就是為何女人以前常常暈倒，然後嚷著要嗅鹽的原因。」

「怎麼會有人都暈過去卻還可以出聲要嗅鹽啊？」他挖苦問道。「另外，最上面的部位如果原先就沒肉也擠不上去的。」他又朝那體態美好的年輕女孩瞄了一眼。「妳知道嘛，她長得有點像媽媽。如果她換個髮型，穿上現代的衣服，她就會是媽媽。」

哼！我們的母親才不會沒品味到穿件鳥籠束腰讓自己忍耐著。「不過這女孩只是美麗而已，」克里斯多弗下了結論。「我們的母親卻是美麗非凡。」

這廣大空間裡非常寂靜，靜到能聽見自己的心跳。雖然翻箱倒櫃，還有試穿那些破損難聞的華麗衣服玩扮裝遊戲一定都會很有趣，但這裡實在好熱！好悶好難受！我的肺好像被空氣中的汙濁粉塵塞住。不僅如此，蜘蛛網懸在閣樓角落，從椽柱上方垂落，地板和牆面高處有蠕動的東西爬來爬去。雖然我什麼也沒看見，但我聯想到老鼠。我們曾在電視上看過一部片子，裡頭有個發瘋的人用閣樓椽柱上吊。還有另一部片子，有個男人把他太太塞進一只老舊箱子，跟這裡的箱子一樣有黃銅鎖頭和包

角，然後他闔上箱蓋讓她在箱子裡等死。我又朝那些箱子瞄了一眼，猜想裡面究竟有什麼祕密不能讓僕人知道。

令人心慌的是，我哥哥正觀察著我和我的舉動。我轉身想掩飾自己在想什麼，但他瞧見了。他上前走近然後抓住我的手，講出爸爸會講的話，「凱西，不會有事的。一切難懂神祕的事情一定都有簡單的解釋。」

我慢慢轉身面對他，訝異著他竟然安慰我而不是嘲笑我。「為什麼你也覺得外婆討厭我們？為什麼外公會恨我們？我們做了什麼？」

他聳聳肩，跟我同樣困惑，他繼續抓著我的手，我們再次開始探索閣樓。即使我們沒受過專業訓練也看得出老宅哪些區域是加蓋的，許多厚重方正的直樑將閣樓明顯地畫分成區。我想如果我們到處閒晃的話，應該能找到一塊區域能好好呼吸。

雙胞胎開始咳嗽打噴嚏。他們的藍色雙眼滿懷恨意地盯著我們，因為我們讓他們留在他們不想待的地方。

「瞧，」克里斯多弗在雙胞胎真的開始要抱怨時說道，「我們可以把窗戶打開幾公分，夠讓一些新鮮空氣進到屋裡，而且從樓下看也不會有人發現這麼小的縫隙。」接著他鬆開我的手，往前跨過盒子、箱子、家具，然後消失無蹤，我呆呆站著，兩手牽著雙胞胎，他們被這裡嚇住了。

「來看我找到什麼！」不見人影的克里斯多弗喚著。他語氣興奮。「妳等著瞧我發現了什麼！」

我們跑上前去，急著想見到令人興奮、好玩有趣的東西，他讓我們看的是一間房間，一間有灰泥牆壁、如假包換的房間。牆壁沒有粉刷，不過房間上方並非只有椽木，而是有正常的天花板。這房間看起來像間教室，有五張小桌子正對著另一張大桌。三面牆上有黑板架在矮書櫃上，書櫃裡滿是褪色生塵的舊書，我身邊那位永不停止的知識追尋者立刻開始到處移動，大聲念出書名。光是書本就能讓他達到興奮顛峰，讓他知道自己可以逃到別的世界裡。

我被小桌子吸引了注意力，桌上刻著人名和日期，像是一八六四年喬納森十一歲，還有一八七九年阿得雷德九歲。哇！這棟大宅多麼老啊！他們的墳墓現在都已蒙塵，不過他們卻留下名字，讓我們知道他們曾經也被送上閣樓。可是為什麼有爸媽要把小孩送上閣樓讀書？他們絕對是有人要的孩子，不像我們被外公外婆鄙夷。也許當時窗戶全是敞開的。而且僕人會把煤炭或木柴運上來，把我們在角落看見的兩座壁爐點燃。

有隻老舊的搖搖馬歪斜地晃著，一邊的黃褐色馬眼不見了，糾結的黃色馬尾也破破爛爛的。但這隻黑白斑點的小馬已足以讓克瑞發出喜悅呼聲。他立刻騎上脫皮的紅馬鞍大喊，「起來，馬馬！」那隻小馬太久沒人騎著搖動，生鏽的接合處抗議地嘎吱嘎吱響。

「我也要騎！」凱芮大喊。「我的馬馬呢？」

我飛快上前舉起凱芮，把她放在克瑞身後讓她靠著他的腰，她笑著踢動雙腳好讓那隻快壞掉的搖搖馬晃動得更快。我很驚訝那可憐的玩具馬竟然還沒散開。

現在我終於有機會瞧瞧那些迷住克里斯多弗的舊書。我漫不經心地伸手拿出一本書，不在乎書名是什麼。我翻動書頁，好多長著蜈蚣腳的扁平蟲子瘋狂地到處亂竄！我把那本書丟在地上，然後瞪著散落一地的書頁。我討厭蟲，最討厭蜘蛛，接下來是蟲子。而那些書頁裡爬動的東西像是兩者的綜合體。

如此小姑娘似的表現足以讓克里斯多弗大笑不停，他笑夠了，就開始指責我太神經質。雙胞胎騎在他們的野馬上，驚恐地瞪著我。我迅速回復鎮定，裝出母親看到幾隻蟲也不會尖叫的冷靜模樣。

「凱西，妳十二歲，該像個大人了。沒有人會看到幾隻蠹魚就尖叫。蟲子也是生物中的一員。我們人類是萬物主宰，是最高的統治者。這個房間其實沒那麼糟。有很大的空間、很多大窗戶、很多書，甚至還有一些玩具可以給雙胞胎玩。」

是啊。有一台生鏽的紅色手拉車，把手斷掉又缺一個輪子，太棒了。還有一台壞掉的綠色滑板車，真慘。但克里斯多弗站在那裡望著四周，找到這房間令他高興不已，人們把小孩藏在這裡遠離視線，也聽不見或甚至不會想起小孩存在，他覺得這房間大有可為。

的確，有人可以把那些恐怖的爬行生物棲息的隱蔽處全部清理乾淨，用驅蟲劑將小得會踩到的邪惡東西都全部趕跑。可是要怎麼應付外婆外公？怎樣才能將閣樓房間變成花朵盛開的樂園，而不是跟樓下房間一樣的監牢？

我跑向天窗那頭，爬上箱子搆向很高的窗邊。我渴望見到地面，看看我們離地面有多高，看看如果我們跳下去會跌斷多少骨頭。我渴望見到樹木草地，在那裡花朵盛開、陽光普照，還有小鳥飛翔，是真正可以生活的地方。然而我只看見黑色的石板瓦屋頂從窗邊延伸得老遠，擋住視野看不見地面。屋頂的盡頭是樹梢，樹梢的後面是藍霧籠罩的群山。

克里斯多弗也爬上來站在我身旁。他的肩膀拂過我顫抖的肩，他低聲說道，「我們還是能看見天空和太陽，晚上我們可以看到星星月亮，而且小鳥和飛機也會飛過。我們可以把觀看它們當成一種娛樂，直到我們不會再登上閣樓的那天。」

他頓了頓，好像在回想我們來的那晚——那才只是昨晚的事嗎？「我猜如果我們把一扇窗全開的話，貓頭鷹說不定會飛進來。我一直想要養隻貓頭鷹當寵物。」

「拜託，你怎麼會想要養那種東西？」

「貓頭鷹可以把頭轉一圈。妳做得到嗎？」

「我不想做那種事。」

「可是就算妳想，妳也做不到。」

「哦，你也做不到！」我動怒想讓他面對現實，就像他堅持我得面對一樣。像貓頭鷹這種聰明的鳥才不會想跟我們一起被關住超過一小時。

「我想要貓咪。」凱芮說道，她舉高雙手好讓自己也能被抱到她能看到外面那麼高。

「我想要狗狗，」克瑞講完才瞥向窗外，然後他一下子就忘記寵物的事，因為他開始反覆嚷著，「外面外面，克瑞想去外面。克瑞想在花園裡玩！克瑞想要盪鞦韆！」

凱芮馬上也附和，她也想去外面、去花園，還有玩鞦韆。她的嗓音有如雄麋鹿般響亮，而且她比克瑞更固執。

現在他們兩個快把我跟克里斯多弗逼瘋了，要求著想出去、出去、出去！

「為什麼我們不能出去外頭？」凱芮大叫，她握拳拍打我胸口。「我們不喜歡這裡！媽媽在哪裡？陽光在哪裡？花朵都去哪了？為什麼這裡那麼熱？」

「嘿，」克里斯多弗接住她不停搥打的小拳頭免得我瘀青，「把這裡想成外面。你們沒理由不能在這裡盪鞦韆，就像在花園裡一樣。凱西，我們來找找看有沒有繩子。」

我們在一個裝滿破爛東西的舊箱子裡找到繩子。顯然佛沃斯家族的人什麼東西都不扔，只把不要的東西堆在閣樓裡。說不定他們害怕有一天會變窮，突然急切需要這些束之高閣的東西。

我哥哥勤奮地替克瑞和凱芮各做了一架鞦韆，等你有雙胞胎手足你就會知道，你永遠不可能只給他們一份，無論是任何東西。他從一只箱子的箱蓋拆下木板當做鞦韆的坐位。他找到砂紙磨掉木刺。他做鞦韆時，我四下搜索，找到一具舊梯子，少了幾個階梯一點也沒礙著克里斯多弗迅速攀上高處椽柱。我望著他敏捷地在上方移動，慢慢挪到一根大樑上，他每走一步都冒著生命危險！他站在上頭炫耀他的平衡感。他突然晃了一下，但馬上伸出雙臂平衡，我的心卻快蹦出來了，驚慌地看到他冒著危險拿性命開玩笑，只為了炫耀！這裡沒有大人能斥責他，讓他下來。如果我試著叫他下來，他只會大笑然後做出更多蠢事。所以我一直閉著眼睛，努力遮蔽腦中幻覺，不去想像他失足摔落跌斷手腳，或更糟地弄斷背或頸子！他沒必要在那裡裝模作樣，我知道他膽子很大。他明明繫了安全繩，為什麼他就是不下來，好讓我的心跳回復正常頻率？

克里斯多弗花了好幾小時做鞦韆，還得冒生命危險架好。等他弄好，雙胞胎坐在鞦韆上前後擺邋，攪動了汙濁空氣，他們開心的時間大概就只有三分鐘。

然後開始了。凱芮發難。「帶我們離開這裡！不喜歡這鞦韆！不喜歡這裡！這裡是個壞地方！」她一哭喊，克瑞馬上也開始叫喊。「外面外面，我們要去外面！帶我們去外面！外面！」然後凱芮也應和地一直叫喊。忍耐！我要有耐心、有自制力、像個大人、不喊不叫，因為我也跟他們一樣想出去。

「現在別再吵了！」克里斯多弗對著雙胞胎厲聲說道。「我們還在玩遊戲，遊戲都有遊戲規則的。這個遊戲裡的重要規則就是要待在室內，盡量保持安靜。」他低頭看著他們流淚的髒臉，語氣放柔。「假裝這裡是個晴朗藍天的庭院，頭頂上方有樹葉，陽光燦亮。等我們下樓後，那個房間就是我們好多好多房間的家。」

他反覆露出笑容讓人放鬆心情。「等我們跟洛克斐勒家族一樣有錢，我們就永遠不用再見到這閣樓或樓下臥室。我們會過著像王子和公主般的生活。」

「你覺得佛沃斯家的錢有多到跟洛克斐勒家一樣多嗎？」我懷疑地問道。天呀，哇！我們什麼東西都會有！可是，可是我還是很不安……因為外婆有點怪，她對待我們的方式就好像我們沒資格活在世上一般。她說了那麼可怕的話，「你們都得待在這裡，就像你們其實並不存在。」

我們在閣樓裡無精打采地四處閒晃，直到有人的肚子咕咕叫。我瞄著腕表，下午兩點。我哥哥瞪著我，而我看向雙胞胎。一定是雙胞胎的其中一個，因為他們吃得少，不過，他們的消化系統向來就自動設定成早上七點吃早餐、十二點吃午餐、下午五點吃晚餐、晚上七點吃消夜，睡覺前再吃一次點心。

「午餐時間到！」我開心宣布。

我們下樓的時候腳滑了一下，然後回到那討人厭的陰暗房間。要是我們能拉開窗簾讓一些陽光和歡笑進來就好了。要是……

我一定是脫口說出了心中想法，因為克里斯多弗忽然敏銳地說即使窗簾可以打開，太陽也永遠不會直射進這面朝北方的房間。

而我只是望著鏡子裡活似煙囪清潔工的我們！就像《風吹來的瑪麗．包萍》裡的主角，這比喻一說出口就讓雙胞胎髒兮兮的臉上掛上笑容。他們最喜歡被比喻成他們那些圖畫書裡的迷人角色。

因為我們早年就被教導不能髒兮兮地坐下來吃飯，而且上帝也用祂銳利的目光盯著我們，我們要遵守所有規矩取悅祂。唉，如果我們把克瑞和凱芮一起放進浴缸裡，這應該不會褻瀆上帝的眼睛吧，因為他們在子宮裡也待在一起，不是嗎？克里斯多弗負責克瑞，我替凱芮抹香皂然後洗淨穿衣，接著把她的頭髮梳到柔亮，再用我的手指把她頭髮弄捲，整理成漂亮的鬈髮。然後再繫上一條綠色的緞料髮帶。

如果我洗澡時，克里斯多弗跟我聊天，其實也無傷大雅。我們不是大人，還不是。這跟「共用」浴室不一樣。爸爸和媽媽一直也不覺得光著身子會怎樣，可是我洗臉的時候，眼前閃動著外婆那嚴肅又不讓步的神情。她一定會覺得這樣不對。

「我們不能再這樣下去了，」我告訴克里斯多弗。「外婆可能會發現，然後她會認為這是邪惡的。」他用一種這沒什麼大不了的模樣點點頭。我臉上一定有什麼讓他看出不對勁的，他走到浴缸旁用手抱住我。他怎麼會知道我想要一個能放鬆哭泣的懷抱？而我也哭了。

「凱西，」我把頭埋在他肩上放聲啜泣，他安慰地說道，「要一直想著未來，想想我們有錢後會擁有的東西。我一直都想要很有錢，好讓我能玩樂一陣子，就玩一陣子，因為爸爸說每個人對全人類都應該有所貢獻，要有所助益又有意義，我也很願意付出。不過在我上大學和醫學院前，我想要溜去鬼混一下子，然後才認真安頓下來。」

「哦，我知道你的意思是做做窮人負擔不起的那些事。嗯，你想要的話就去做吧。不過我想要的是一匹馬。我一直都很想要一匹小馬，而且我們也沒住過可以養小馬的地方，然後現在小馬對我來說太小了。所以就得是一匹馬才行。當然，我一直都努力要成為世界頂尖的芭蕾舞者，名利雙收。然後你也知道舞者都得一直吃一直吃，不然她們就會瘦到皮包骨，所以我要每天都吃一大堆冰淇淋，然後有一天我什麼都不吃只吃起司，各種口味的起司，夾在餅乾裡。我還要很多很多的新衣服，一年四季每天都要穿不同的外出服。我會穿過一次就丟掉，然後坐下來吃起司夾心餅乾，餅皮上還要放冰淇淋。然後我靠跳舞就能減肥了。」

他拍著我的濕背，我轉頭看到他的側臉陰鬱愁悶。

「凱西，妳瞧，我們被關在這裡的這段期間就沒那麼糟了。我們沒空沮喪，因為我們忙著思考要怎麼花錢。叫媽媽帶副西洋棋給我們吧。我一直都很想學下棋。我們還可以讀書，讀書只略遜於實踐。媽媽不會讓我們無聊的；她會帶新遊戲給我們，讓我們有事做。這個星期一下子就過去了。」他燦爛地對我笑。「然後拜託別再叫我克里斯多弗！不會再分不清我跟爸爸了，所以從現在起，叫我克里斯，好嗎？」

「好，克里斯，」我說道。「可是，你覺得要是她發現我們一起用浴室，外婆會怎麼做？」

「她會讓我們下地獄，然後天知道還有什麼。」

不過我起身出浴缸擦身體時，我開始叫他別看我。不過他本來就沒看。我們早已見慣彼此光溜溜的身體，從我有記憶以來開始。在我看來，我自己的身材才是最棒的，勻稱多了。

我們全都穿好乾淨衣服，身上沒異味，我們坐下來開始吃火腿三明治，從小熱水瓶中倒出微溫的蔬菜湯來喝，然後喝更多的牛奶。沒有餅乾的午餐真的糟透了。

克里斯一直偷偷地看表。我們的母親可能要很長很長一段時間才會現身。雙胞胎吃完午餐就一直到處亂走。他們很暴躁，把不安宣洩在踢東西上，他們在房間裡亂走時偶爾會怒視我跟克里斯。克里斯朝壁櫥走去，要上閣樓去那間教室找書來讀，我也起身想跟著去。

「不行！」凱芮大喊。「不可以上閣樓！不喜歡去上面！不喜歡在下面！全都不喜歡！凱西，不喜歡妳當我媽媽！我真正的媽媽在哪？她去哪了？妳叫她回來讓我們去外面玩沙子！」她奔向通往走廊的那扇門，然後轉動門把，開不了門就像驚恐動物般尖叫。她瘋狂地將自己的小拳頭搥上堅硬的櫟木，不斷呼喊著媽媽，要媽媽來這裡帶她離開黑漆漆的房間！

我跑過去用雙手抱起她，她仍舊不斷尖叫踢腿。這跟抓一隻野貓沒兩樣。克里斯抓住想來保護他雙胞胎姊姊的克瑞。我們能做的只有把他們放在一張大床上，拿出他們的故事書要他們睡個午覺。兩個雙胞胎都含著淚憤憤地瞪著我們。

「晚上了嗎？」凱芮抱怨著，白費功夫地不斷哭喊，想要自由和那個不會前來的媽媽，結果嗓音都啞了。「我好想要我媽媽。她為什麼不來？」

「來讀《彼得兔》吧！」我拿起克瑞最喜歡的故事書，每一頁都有彩色插圖，光是這點就讓《彼得兔》成為一本好書。沒有圖畫的書是壞書。凱芮喜歡《三隻小豬》，可是克里斯得照著爸爸的讀法來念，要噗哧噗哧噴氣，聲音要像狼一樣低沉。

「拜託讓克里斯去閣樓上面替他自己找本書看，他去樓上的時候，我會讀《彼得兔》給你們聽。我們來看看彼得今晚能不能偷溜進農夫的菜園，吃掉很多的胡蘿蔔和甘藍菜。如果我故事沒念完你們就睡著的話，故事就會跑到你們夢裡。」

大概過了五分鐘，雙胞胎睡著了。克瑞把他的故事書抓在小胸膛前，好讓《彼得兔》盡可能容易地傳送到他夢裡。我覺得有種柔軟溫暖的情感令我心痛，因為雙胞胎真的需要一個媽媽，而不是一個十二歲的假媽媽。我覺得自己跟十歲時沒多大差別。如果女孩的成年期就在不遠處，它還沒出現就能讓我覺得自己成熟能幹。謝天謝地我們不用在這裡關上很久，因為要是他們生病了，我該怎麼辦？要是發生意外、摔倒或骨折要怎麼辦？如果我用力拍打那扇上鎖的門，那個卑鄙的外婆會跑來應門嗎？房間裡沒有電話。就算我大聲呼救，有誰會聽到我從這個偏僻又禁止進入的房間發出的聲音呢？

正當我不安焦慮的時候，克里斯去閣樓的教室拿書來臥室給我們看，一堆內容五花八門、滿是灰塵又有臭蟲的書。我們有帶一副跳棋，我只想玩那個，不想把鼻尖對著舊書。

「給妳，」他往我手裡塞了本舊書。他說他甩過書本，不會再有讓我抓狂的蟲子跑出來。「跳棋等雙胞胎醒了再玩。妳知道妳輸棋就大吵大鬧的。」

他坐在一張舒適的椅子上，把腳橫跨過圓厚的椅子扶手，打開《湯姆歷險記》。我撲向另一張空床開始看亞瑟王和圓桌武士的故事。你信不信，我在那天開啟了一扇從未知曉的門：一個美好的世界，在那裡盛行著騎士精神、有浪漫的愛情，還有美麗佳人聲名顯赫，備受愛慕。對我來說，從那天起我就愛上了中世紀，而且後來也一直沉迷其中，大部分的芭蕾舞劇不都源於童話嗎？而所有的童話故事不就是編寫自中世紀的民間傳說嗎？

我是那種會在草地上尋找小精靈飛舞的孩子。我想要相信有女巫、巫師、食人怪、巨人和魔咒。我不想要科學解釋取代魔法的世界。那時我並不知道，自己住的地方其實就是一棟堅固黑暗的城堡，城堡主人是女巫和食人怪。我更沒料到某些現代的巫師會用財富來編織魔咒……

日光消失在厚重垂下的窗簾後方，我們坐在小桌邊吃晚飯，有炸雞（冷的）、馬鈴薯沙拉（溫的），還有四季豆（又冷又油）。我跟克里斯把碼吃掉了大半，無論是否冰冷又倒胃口。但雙胞胎只挑了一點來吃，不斷抱怨食物難吃。我覺得如果凱芮能少說幾句，克瑞可能會多吃一點。

「柳橙的模樣並不有趣，」克里斯遞給我一顆柳橙讓我削皮，「也不應該是溫溫的。不過其實啊，柳橙就是陽光的汁液。」哇，他這時候說這個真對。現在雙胞胎有東西能開心地吃——陽光的汁液。

現在是晚上，跟白天其實沒什麼兩樣。我們把四盞燈全打開，還有一盞玫瑰樣式的小夜燈，那是媽媽為了安撫討厭黑暗的雙胞胎才帶來的。

雙胞胎小睡後，我們又幫他們換上乾淨衣服、梳頭洗臉，好讓他們看起來甜美又吸引人，他們坐在地板上拼拼圖，那些拼圖是舊的，他們完全知道哪片拼圖能跟另一片拼起來，拼拼圖沒什麼困難，只是在比賽看誰能先拼出最多片。很快地雙胞胎厭倦了拼圖競賽，我們把拼圖堆在一張床上，然後我跟克里斯開始講些自己編的故事。然後雙胞胎很快地又覺得無聊，雖然我跟我哥還能繼續講下去，看看誰的想像力比較豐富。接著我們從手提箱拖出小汽車和小卡車，雙胞胎可以爬來爬去把車子從紐約推到舊金山，路線繞過床下和椅腳，然後他們很快又變得髒兮兮。我們覺得累了，克里斯提議玩跳棋，而雙胞胎正把柳橙皮裝在卡車上運到佛羅里達丟掉，地點就在角落的垃圾桶。

「妳可以拿紅棋，」克里斯高高在上地宣布。「我不覺得妳拿紅棋，黑棋就會輸。」

我皺眉生起氣來。彷彿從日出到日落經歷了一段永無止盡的時間，足以讓我改頭換面變了個人。

「我不想玩跳棋！」我不悅地說道。

我倒在床上，不再試著克制自己去想那些宛如徘徊在永無止盡迴廊中的疑慮和令人痛苦的不安猜忌，猜想媽媽到底有沒有說出全部的真相。當我們四個持續等待媽媽現身，我腦中閃過無數種可怕的事：大部分是火災、住在閣樓裡的鬼怪和別的幽靈。然而在這間上鎖房間裡，火災是最可怕的。

時間過得好慢。克里斯坐在椅子上拿著書，一直偷瞄手表。雙胞胎抵達佛羅里達倒掉柳橙皮，現在他們不知該去哪裡。這裡沒有能橫渡的海洋，因為他們沒有船。為什麼我們沒帶上小船呢？

我朝著牆上的那些畫瞄了一眼，畫中描繪著地獄景象和地獄裡的折磨，我訝異著外婆竟如此聰明又殘酷。她為什麼非得這麼看重這些規矩呢？要上帝一直只注視著四個孩子也太不公平，外頭的世界有那麼多人做更壞的事。換做我是上帝，有祂全知全能的眼光，才不會把時間耗在觀看四個被鎖在臥室裡的喪父孩童，我會關心一些更有趣的東西。更何況，爸爸也在天上，他會讓上帝照顧我們，寬恕些許過錯的。

克里斯不理會我一副生氣拒絕的模樣，他放下書本拿出遊戲盒，裡頭的東西足以變化出四十種不同遊戲。

「妳怎麼了？」他開始把紅色和黑色的圓形棋子放在棋盤上。「妳為什麼坐在那裡一聲不吭，看起來很害怕的樣子？難道是怕我又要贏了？」

遊戲，我沒有想著遊戲的事。我告訴他我對火災的想法，還提議把床單撕成條狀綁在一起，做成可以垂降到地面的繩梯，就像很多老電影裡那樣。要是起火的話，說不定就是今晚，我們就得打破窗戶想辦法爬到地面，到時候可以把雙胞胎揹在背後。

我從沒見過他的藍眼睛裡有這麼熱烈的敬意，欽佩地閃動著。「哇，凱西，這主意太棒了！了不起！那正是發生火災時我們要做的，不會起火的。哇，能看見妳不再只是個愛哭鬼，感覺真的很好。妳能提前想到意外狀況而且做好計畫，這證明妳長大了，我很開心。」

天呀，經過十二年的艱苦奮鬥，我終於贏得了他的尊敬和讚許，達成了我以為不可能的目標。我們雖然被關在這狹小地方，但還能好好相處，感覺真的很好。我們給彼此微笑，承諾著我們會一起努力活過這個星期。我們新生的同志情誼建立起些許安全感，抓住一點點的幸福感，如同緊握的雙手。

然後，我們剛建立起的東西破滅了。媽媽忽然走進房間，走路的樣子好怪，臉上的表情非常不對勁。我們等她回來等了這麼久，不知怎麼地，跟她團圓並沒有帶給我們期望中的喜悅。也許只是因為外婆就緊跟在她後面，她那刻薄的灰眼迅速鎮壓了我們的熱忱。

我的手摀住嘴巴。可怕的事發生了。我知道！我就知道！

我跟克里斯坐在同張床上玩跳棋，常常看向對方，又弄皺了床單。

違反一項規定……不，是兩項……對視是不被准許的，弄亂床鋪也是。

還有雙胞胎把拼圖弄得到處都是，他們的小車車和彈珠散落一地，所以房間也不整潔。

違反了三項規定。

而且男孩和女孩也一起共用了浴室。

或許我們還違反了另一項規定，因為我們總是覺得不管做了什麼，上帝和外婆之間有某種神祕的溝通方法。

5 上帝的憤怒

我們待在這房間的第一個晚上，媽媽來了，她四肢緊繃關節僵硬，好像每走一步路都很痛。她漂亮的臉蛋蒼白浮腫，發腫的眼睛裡有著血絲。有人對她這個三十三歲的女人狠狠羞辱了一番，讓她不敢跟我們對視。她看起來很挫敗、絕望又卑微，像個被人痛打的孩子站在房間中央。雙胞胎不加思索地跑去迎接她。他們用熱情的雙臂抱住她的腿，歡喜的語氣又哭又笑，「媽媽，媽媽！妳去哪了？」

我跟克里斯慢慢走過去遲疑地抱住她。有人可能會覺得她一定離開了好幾十個週末，而不是週三出門一天而已，但她象徵著我們的希望與現實，是我們與外界之間的連繫。

我們是不是親她親得太多？我們熱切渴望的緊擁是否讓她痛得畏縮，或者是責任感令她怯懦？她蒼白的臉頰無聲地慢慢滑落少許淚水，我想她只是因為疼惜我們才哭的。我們坐在一張大床上，都想盡量靠她近一些。她將雙胞胎放在膝上，讓我跟克里斯能各據一邊依偎著她身側。她低頭看著我們，稱讚我們把自己打理得整齊閃亮，然後露出笑容，因為我替凱芮的頭髮綁上綠絲帶來搭配她衣服上的綠色條紋。她開口說話，嗓音沙啞好像感冒一樣，或是喉嚨裡卡了一隻童話裡的青蛙。「好啦，老實告訴我，你們今天過得怎麼樣？」

克瑞板起鼓鼓的臉表示不開心，無聲地訴說他今天過得不太好。凱芮將憤怒化為語言。「凱西和克里斯好壞！」她大叫，這可不是甜美小鳥的吱喳聲。「他們要我們一整天都待在屋裡！我們討厭屋裡！我們討厭那個又大又髒的地方，他們說很棒的！媽媽，這裡很不好！」

媽媽的表情困擾又痛苦，她試著安撫凱芮，告訴雙胞胎現在跟以前不一樣了，他們現在得聽哥哥姊姊的話，將他們倆當成爸媽來看待。

「不！不要！」她更加生氣，小臉發紅，尖利地怒吼。「我們討厭這裡！我們想要院子！這裡好黑。我們不要克里斯跟凱西，我們只要**妳**！帶我們回家！帶我們離開這裡！」

凱芮拍打媽媽、我、克里斯，吶喊著她有多想回家，媽媽坐在那裡毫不防備，顯然充耳不聞也不知道要怎麼應付這種五歲小孩掌控的情況。媽媽愈不回應，凱芮就喊得更大聲。我摀住耳朵。

「柯琳！」外婆下令。「妳立刻叫那孩子不准再叫了！」只要看她石頭般冰冷的臉就知道，她完全明白怎樣讓凱芮閉嘴，而且是永遠閉嘴。然而，還有一個小男孩坐在媽媽另一側膝頭上，他瞪大眼睛望向高大的外婆——那個出口威脅他雙胞胎姊姊的人，而他的同胞姊姊已跳下媽媽膝頭站在外婆面前。凱芮張開兩隻小腳，仰頭打開她玫瑰花蕾般的嘴然後放聲尖叫！像個歌劇主角把她最出色的演出保留到高潮結尾的詠嘆調，凱芮之前的哭鬧聲就像小貓細弱的喵喵叫，現在我們見識到了，她竟也能像母獅子一般凶性大發！

哦，天啊，我是否對接下來發生的事感到畏怯害怕，印象深刻？

外婆抓住凱芮頭髮把她整個人往上提，這讓克瑞跳下媽媽膝頭。他敏捷得像隻貓撲向外婆！快得我還來不及眨眼，他就咬住外婆的腿。我蜷起身子，知道我們全都有麻煩了。外婆俯視著他，然後像甩開煩人小狗般將他甩掉。不過那一咬讓她鬆開凱芮頭髮，凱芮一落地就飛快倉皇穩住身子站好，然後迅速揮出攻擊，卻沒打中外婆的腿腳。

克瑞不讓雙胞胎姊姊專美於前，他舉起他的小白鞋仔細瞄準，然後使盡全力打向外婆的腿。

在那期間，凱芮逃到房間角落蹲下來，哭得像愛爾蘭傳說裡的報喪女妖，情緒激動。

哦！這景象確實值得牢牢記住，而且記錄下來。

到目前為止克瑞不發一語也沒發出一聲哭喊，正如他那沉默果決的行動。沒有人能傷害威脅他的雙胞胎姊姊，即使那個「人」將近一百八十公分高，體重差不多有九十公斤重！而克瑞以他年齡來說是特別瘦小的。

要是克瑞不喜歡發生在凱芮身上的事，或他感受到的可能威脅，那麼外婆也不喜歡發生在她身上的事！她低頭看著克瑞那仰望她的憤怒反抗小臉。她等著克瑞退怯，等著他臉上不再有著怒意，藍色眼睛裡不再有反抗，然而克瑞堅決地站在她面前，打算大膽挑戰她。她細薄無血色的雙唇抿成一條細彎的鉛筆線。

她揚起手，巨大厚實的手，上頭的鑽石戒指閃閃發亮。克瑞沒有退縮，對這顯而易見的威嚇，他唯一的反應就是怒氣更重更加猛烈，他將小手握成拳狀擺出職業拳擊手的姿勢。

天啊！他以為自己能跟她對抗？而且會贏？

我聽到媽媽呼喚克瑞的名字，她的聲音哽咽得變成耳語。

外婆現在決定採取行動，她在他叛逆的豐滿小臉上狠狠打了一巴掌，力道大得讓他整個人轉了個身往後倒。他踉蹌後退然後跌在地上，但很快就站起來，回過身思考著是否要對那座可恨的龐然大山再次行刺。他猶豫不決的模樣實在可憐。他怯怯地又想了想，理性思維勝過了怒意。他半爬半跑地奔向凱芮蹲坐的地方，然後用雙手抱著她，他們蹲在那裡臉貼著臉彼此相擁，他也以女妖般的哭聲附和著她。

我身旁的克里斯喃喃低語著像在禱告。

「柯琳，他們是妳的小孩，讓他們閉嘴！馬上！」

然而，未解世事的雙胞胎只要一開始哭就很難安靜下來。他們的耳裡從來就聽不進道理。他們只聽見自己的恐懼，他們像機械玩偶一樣得耗盡力氣才會停歇。

爸爸在世的時候很會處理這種狀況，他會像扛玉米袋一樣把他們一人一邊夾在腋下，然後把他們運到房間裡嚴厲地命令他們閉嘴，如果不閉嘴就得一直待在房間裡，沒電視、沒玩具，什麼都沒有。沒人看得見他們反抗或聽得見他們驚人哭聲，房間一關上沒幾分鐘他們就不再哭叫。然後他們會怒氣全消、安靜柔順地依偎在爸爸膝旁，然後小聲說著，「對不起。」

可是爸爸已經死了。這裡也沒有一間偏遠臥室可以讓他們洩氣。這一間房間就是我們的大宅，雙胞胎俘虜了無法轉移注意力的痛苦聽眾。他們一直哭鬧到臉色從粉色變紅色、紅色變紫紅色，然後臉色發青。他們的藍眼睛在通力奮戰後變得茫然渙散。這演出真是場面盛大，而且魯莽至極！

顯而易見，外婆被這種場面迷惑住好一陣子。然後咒語失效了，不再讓她站著不動。她整個人活了過來。她果斷走向雙胞胎蜷縮的那個角落，無情地伸手抓住那兩個哭喊孩童的頸背。她伸直手臂抓著雙胞胎，他們踢腿揮舞雙手，徒勞地想對這個折磨他們的人造成一些傷害，他們被硬送到我們的媽媽面前，然後像多餘的垃圾般落在地上。她響亮堅定的聲音在他們的哭喊聲中格外突出，她斷然說道，「如果你們不馬上停止哭鬧，我就要抽打你們打到皮膚流血為止！」

殘酷的口吻再加上這冰冷迫力的可怕威脅，雙胞胎信了，而我也是，相信她真的會照她說的去做。雙胞胎用一種震驚恐懼的信服神情瞪著她，張著嘴吞回哭喊聲。他們知道什麼是血，知道流血會痛。看到他們遭到如此殘忍對待實在很難受，好像她一點也不在乎會不會弄斷雙胞胎的脆弱骨頭或是讓嬌嫩皮膚瘀青。她壓倒了他們，壓倒我們所有人。然後她轉身衝著我們的母親發火。「柯琳，我不會讓這種噁心的事再出現一次！顯然妳的小孩都被溺愛寵壞，非常需要學點紀律和服從的教訓。沒有一個住在這屋裡的小孩可以不聽話、大聲哭鬧，或是反抗。聽見沒！有人跟他們說話，他們才能開口。他們要立刻聽從我的話。我的女兒，現在把衣服脫掉，讓他們瞧瞧不聽話的人在這屋子裡會受到什麼懲罰！」

在此時我們的媽媽已經站了起來。她穿著高跟鞋卻好像變矮了，臉色變得像蠟一樣白。「不要！」她低聲說道，「現在沒這必要。瞧，雙胞胎不再哭鬧了……他們現在很聽話。」

那老婦人的表情變得非常無情。「柯琳，妳這麼不聽話？我叫妳做什麼事妳就得做！而且馬上做！看看妳養大了什麼東西。軟弱、被寵壞、又任性的孩子，四個都是！他們以為可以用哭鬧得到他們想要的。在這裡，哭鬧完全幫不了他們。他們也會明白，不聽話和違背我規矩的人是不會被饒恕的。柯琳，妳應該很清楚。我對妳曾經手下留情過嗎？即使在妳背棄我們之前，妳那漂亮臉蛋和迷人風情能讓我收手嗎？喔，我記得那時妳父親很喜愛妳，他會站在妳那邊跟我作對。不過那些日子過去了。妳向他證明了妳就是我說的那種人，也就是欺瞞撒謊的廢物！」

她將無情如燧石的目光移到我跟克里斯身上。「沒錯，我得承認妳跟妳那半個叔叔生出了非常漂亮的孩子，雖然他們永遠不該被生下來。不過他們看起來也是軟弱的沒用東西！」她刻薄的眼神輕蔑掃過我們的媽媽，好像我們都從她那裡遺傳了不良毛病。但她的話還沒說完。

「柯琳，妳的孩子顯然需要上一堂實務教學課。等他們見識到自己的母親遭到怎樣的對待，才會相信自己也可能會有同樣遭遇。」

我看到我們的母親挺直背脊勇敢面對那高大瘦削的婦人，那婦人至少比她高了十公分，體重也重得多。

「要是妳對我的孩子那麼殘忍，」媽媽語氣顫抖地說道，「我今晚就帶他們離開這棟大宅，妳再不會見到他們，也不會見到我！」她挑戰似地抬起她美麗臉龐，帶著幾許果決狠烈地瞪向那粗鄙婦人，那**可是**她的媽媽！

一抹嚴厲冷酷的微笑迎上媽媽的挑釁。不，那不是微笑，是冷笑。「今晚就帶他們走！馬上！柯琳，妳也要走！要是我不會再見到妳孩子，不會再聽到妳的消息，妳以為我會在乎嗎？」

我們的媽媽那瓷藍眼睛撞上了這股剛硬的語氣，我們觀望著。我心底喜悅地大叫。媽媽要帶我們離開這裡。我們要走了！**房間，再見！閣樓，再見！那幾百萬的錢我一點也不想要，再見！**

然而，當我等著看媽媽轉身走向壁櫥拿我們的行李，我卻看到她內在某種高貴美好的東西崩碎了。她挫敗地垂下眼皮，慢慢低下頭掩飾自己的表情。

我整個人發抖戰慄，看著外婆的冷笑變成更張揚殘酷的勝利笑容。媽媽！媽媽！媽媽！我的靈魂在尖叫。別讓她這麼對妳！

「柯琳，**把衣服脫掉**。」

媽媽臉色死白，緩慢不甘地背過身狠狠打了個冷顫。她僵硬地舉起雙手，費力地解開白色上衣的每顆釦子。她小心脫下上衣露出背部。

她在那件上衣底下沒穿連身裙或胸衣，原因顯而易見。我聽見克里斯抽了口氣。凱芮和克瑞一定也看到了，因為我耳邊傳來他們的嗚咽聲。現在我知道一向優雅的媽媽為什麼會僵硬地走進房間，而且眼睛都哭紅了。

她的背上一條一條地滿是發炎紅腫的長條鞭痕，從她脖子一路往下到藍色裙子的裙頭上方。幾道腫大鞭痕上還沾著乾涸血跡。在那些醜惡的鞭痕間幾乎找不到一吋肌膚完好無傷。

外婆完全漠不關心，不在乎也不理會我們和母親的感受，她宣布了全新訓令：「孩子們，仔細看清楚。你們母親**全身**上下都有這樣的鞭痕。三十三鞭，是打她活在世上的每一年。另外再加十五鞭，打她跟你們父親那十五年有罪的生活。你們的外公下令懲罰，不過是我親自動手鞭打的。你們母親犯下的罪行違抗了上帝，也違背了這世間的道德準則。她的婚姻天理難容，是褻瀆神聖的行為！在上帝的眼中祂憎惡這樣的結合。而且好像犯的罪還還不夠似的，他們生了小孩，而且生了四個！惡魔之子！從懷胎那刻起就是邪惡的！」

我瞪大眼睛望著那些可恨鞭痕烙在媽媽奶油色嬌嫩皮膚上，爸爸總是憐愛斯文地觸碰著的皮膚。我在混亂旋渦中掙扎，心裡好痛，不知道自己是誰，是否有資格活在這世上，這個經過上帝祝福和許可的地方。我們失去爸爸、失去家園、失去朋友和所有財產。那一夜起，我不再相信上帝是最好的法官。因此可以這麼說，我也不信上帝了。

我好想在手裡拿根鞭子朝那個老婦人打回去，她那麼殘酷地奪走我們許多東西。我望著媽媽背上交橫的血色鞭痕，覺得自己生出前所未有的恨意，或是怒意。我憎恨的不僅是她對媽媽的所做所為，還有她那刻薄嘴巴滔滔不絕吐露的醜惡話語。

然後那個可恨的老婦人看向我，彷彿察覺到我的情緒。我抗拒地瞪回去，希望她會看出我從那一刻起多麼不想跟她有血緣關係，不只是她，還有那個樓下的老人。我再也不會同情他了。

也許我的雙眼就像玻璃一樣，透露出我心裡埋藏的復仇紡車，而且發誓有一天會釋出這股恨意。也許她從這些腦中的白色紡絲看出某種憤恨之情，因為她接下來的話是對著我說的，雖然她用的稱呼是「孩子們」。

「孩子們，你們都看到了，這棟大宅會殘酷無情地對待那些不聽話和違反規矩的人。我們會施捨飲食和住所，但不會有仁慈同情或是愛。對不健全的東西除了厭惡不會有別種感覺。遵守我的規矩，你們就不會挨我的鞭子，生活必需品也不會減損。要是敢不聽我的話，你們很快就會知道我會使出什麼手段，會怎樣對付你們。」她逐一注視我們每個人。

沒錯，那一夜，她想要毀了我們，在我們還年輕無知、輕信他人，只見過生命最美好部分的時候。她想要讓我們的靈魂枯萎，令我們變得枯皺，又小又乾，也許再也無法感到自傲。

可是她不了解我們。

沒有人可以讓我恨爸爸或媽媽！沒有人可以掌控我的生死大權，在我還活著、還能反抗的時候！我飛快瞥了克里斯一眼，他也瞪著她。他的目光上下打量她的身高，思索著出手攻擊能造成多大傷害。但他才十四歲，他得長大成人，或許才有辦法戰勝她這種人。但他雙手握拳，強迫自己把手擱在身側。壓抑自己讓他的嘴唇抿得又薄又無情，就像外婆那樣。只不過他的眼神冷冷的，冷硬如堅冰。

在我們所有人之中，他對媽媽的愛最深。他深深崇拜她的完美，把她當作這世上最珍貴、最可人、最善解人意的女人來看待。他曾告訴我，他長大後娶的女人要像媽媽這樣。但他現在只能使勁怒視，他還太年輕，什麼都做不了。

外婆最後又朝我們輕蔑地看了許久，然後把房門鑰匙塞進媽媽手裡，走出房間。

有個疑問出現在天際，凌駕了所有問題。

為什麼？為什麼我們要到這棟大宅來？

這裡不是避風港，不是藏身處，也不是庇護所。媽媽一定早就知道會這樣，但她還是三更半夜帶我們來到這裡。為什麼？

6 媽媽的故事

外婆離開房間後，我們不知該說什麼、該做什麼，除了悲慘不幸，也不知還能感覺到什麼。我的心狂跳著，望著媽媽穿起衣服扣上釦子，把衣服塞進裙頭裡，然後轉身對我們露出安撫的顫抖笑容。可悲的是，就連如此笑容都能給我一線希望。克里斯垂眼看著地板，他的鞋子在東方地毯繁複的渦捲裝飾上不斷描畫，透露出他的焦慮痛苦。

「瞧，」媽媽強作開心地說道，「這只是柳枝抽打出來的，沒有很痛。我的自尊比肉體受了更大折磨。像奴隸或動物般被鞭打真的很丟臉，而且還是被自己的媽媽鞭打。不過別擔心，這種鞭打不會再有，永遠不會。只有這次而已。我願意承受身上鞭痕，再被鞭打上百次，只要能再一次與你們爸爸和你們過上那十五年幸福的日子。雖然我的靈魂很卑屈，她逼我亮出他們做的那些事……」她坐在一張床上伸出雙手讓我們緊緊偎著感到安慰，不過我小心地不抱住她免得讓她更痛。她舉起雙胞胎放在膝頭，拍拍床鋪要我們上床靠著她。然後她開口述說。她要說的話顯然難以傾訴，對我們來說也一樣難以傾聽。

「我要你們仔細聽好，這輩子永遠都要記得我今晚說的一字一句。」她停頓下來，猶豫地掃視這間，房間盯著奶油色浮雕牆面，彷彿牆壁是透明的，讓她可以穿牆看到這龐大大宅的所有房間。「這是一棟很古怪的大宅，住在裡頭的人更怪，不是僕人，是我的父母。我應該要先提醒你們，你們的外公外婆是極度虔誠的人。信仰上帝是好事，是對的。但是從舊約聖經裡引用語句來加深自己的信念，用最適合自己需求的方式來詮釋，這就太過偽善，我的父母正是如此。

「我的父親的確快死了，但他每逢星期日都要去教堂，他覺得身體很好就坐輪椅，覺得不太好就躺擔架去，而且他會捐錢，年收入的十分之一，合理的數目。所以很自然地，他很受愛戴。他出錢幫忙蓋教堂，所有鑲嵌玻璃窗都是他買的，他掌控了牧師和布道的內容，因為他是用黃金鋪砌上天堂的道路，如果守門的聖彼得天使收賄的話，我父親一定能進入天堂大門。在那個教堂裡，他的待遇簡直跟神明或活聖人沒兩樣。然後等他回到家就覺得自己做什麼都完全合理，因為他盡了義務付出金錢，所以不會有下地獄的危險。

「在我成長過程中，我跟我兩個哥哥幾乎都要被迫上教堂。即使我們病到臥床還是得去。他們把宗教信仰強塞給我們。要乖、要乖、要乖，我們只聽得見這句話。平凡尋常的娛樂之事對其他人而言很正當，對我們而言就有罪。我和我哥哥不能去游泳，因為穿泳衣會暴露我們的大半身體。我們不准玩紙牌或是任何跟賭博有關的遊戲。我們也不被允許參加舞會，因為那意味著身體可能會跟異性親密接觸。我們被勒令要控制自己的思想，不能想著慾望和罪惡的事物，因為他們說心底想著就跟實際去做一樣邪惡。哦，我們不准做的事我還能說上好多好多——好像每件有趣興奮的事對他們來說都是罪惡。年輕的時候，一旦生活太過嚴苛就會想反抗，讓我們想要做出所有不被允許的事。我們的父母想讓他們的三個孩子成為活天使或活聖人，卻只讓我們變得比原本想像中更差勁。」

我睜大眼睛出神地坐著，我們全部都是如此，連雙胞胎也是。

「然後有一天，」媽媽繼續說道，「在這種情況中，一個美少年住進了這裡。他的父親是我的爺爺，在他三歲時就過世了。他的母親叫愛莉西亞，嫁給我四十五歲的爺爺時才十六歲。所以當她生了個男孩，她應該要能看著他長大成人的。不幸的是，愛莉西亞年紀輕輕就過世了。我爺爺的名字是加蘭・克里斯多弗・佛沃斯，他去世的時候應該要把一半家產分給他才三歲大的幼子。然而我父親麥爾坎讓自己被任命為遺產管理人，取得我爺爺留下的所有家產，因為一個三歲男童沒有發言權，而愛莉西亞也無權表決。等我父親掌控一切，就把愛莉西亞和她的三歲兒子趕出去。他們逃回列治文，回到愛莉西亞的父母家，她住在那裡直到再婚。她跟一個她從小就喜歡的年輕男子結婚，過了幾年幸福生活，然後他也過世了。二次婚姻，二度守寡，只留下年幼的兒子，而且雙親那時也已過世。有一天，她在胸口發現腫塊，過了幾年就死於癌症。也就是在那個時候，她的兒子加蘭・克里斯多弗・佛沃斯四世住進了這裡。我們只叫他克里斯。」她頓了頓，雙手緊擁我和克里斯。「你們知道我說的是誰嗎？你們猜到這個年輕人是誰了嗎？」

我渾身顫抖。那個神祕的半個叔叔。我低聲說道，「爸爸……妳說的是爸爸。」

「沒錯，」她重重地嘆了口氣。

我身體前傾，瞥向我哥哥。他靜靜坐著，臉上表情古怪至極，眼神呆滯。

媽媽繼續往下說：「你們的爸爸是我半個叔叔，但他只比我大三歲。我還記得第一次見到他的情景。我知道他要搬進來住，這位年輕的叔叔我從沒見過也知道不多，我想讓他有個好印象，所以我一整天都在打理自己，把頭髮弄捲，然後洗了澡，穿上我自認最好看、最能待客的衣服。我那時十四歲——那年紀的女孩才剛開始感覺到自己掌控男人的能力。然後我知道自己在大多男孩和男人眼中是漂亮的，而我猜想，我或多或少已經想談戀愛了。

「你們的父親那時十七歲。那時候是春末時節，他站在門廳中央，兩只手提箱擱在他穿著破鞋的腳邊——他的衣服看起來非常破舊，而且也小得不合身。我的父母親站在他旁邊，但他卻只顧望著四周，什麼都瞧，富貴擺設讓他目眩神迷。我自己從來沒有對周遭事物多看幾眼。那些東西就在那裡，我只把那些當作我繼承財產的一部分，直到我結了婚開始過著不富裕的生活。我幾乎沒想過自己是在一個非比尋常的地方長大的。

「明白嗎？我父親是個『收藏家』。他買了各種他心目中獨特的藝術作品——不是因為他愛好藝術，而且因為他喜歡擁有東西。可能的話，他什麼都想要，尤其是漂亮的東西。我曾經以為自己也是他收藏的藝術品……而且他對我有獨占慾，並不是因為喜愛，而是因為不想讓別人喜愛他的所有物。」

我的母親滿臉喜悅繼續說著，她的目光凝視著虛空，顯然在回憶那段日子，一個年輕的叔叔來到她生命中，造成了巨大轉變。

「你們的父親來跟我們一起住的時候，他是那樣純真又對人信賴、親切又不設防，他只懂得坦率的情感和真摯的愛。他極度窮困，他從四間房間大的小屋來到這棟巨大堂皇的大宅，讓他瞪大眼被期待沖昏了頭，以為自己走了好運來到人間天堂。他看向我父親和母親時，眼裡全是感激之情。哈！一想到他住進這裡還心懷感激，我現在還是很心疼。因為他眼裡瞧見的東西照理說有一半是他的，我的父母卻使盡辦法讓他覺得自己是個窮親戚。

「看見他站在那裡，陽光從窗戶照射進來，我在樓梯上停住了。他的金髮籠罩著銀色光環。他好美，不是俊秀而已，而是美——那有差別，你懂的。真正的美是從內在散發出來的，而他就有那種美。」

「我發出了一些輕微聲響他抬起頭，藍眼為之一亮——哦！我還能想起那眼睛是如何閃亮。然後等我們彼此被引見後，那光芒就熄滅了。我是他的半個姪女，是不被允許的，他跟我一樣都很失望。因為在那一天，當我站在樓梯上，他站在樓下，我們之間就點亮了一簇火花，小小的紅色火花，變得愈來愈大，大到我們都無法再否認。

「我不會講我們的羅曼史讓你們害羞的，」她侷促地說道，在我挪動身子然後克里斯把臉藏住的時候。「只要說我們之間是一見鍾情就夠了，愛情有時就是那樣發生的。也許他想談戀愛了，而我也是，也許只是因為我們彼此都需要有人給予溫暖和情感。那時我的兩個哥哥都已經意外身亡。我的朋友很少，因為沒有人『配得上』麥爾坎．佛沃斯的女兒。我是他的獎賞，他的開心果，如果有人能從他那裡得到我，必得付出很昂貴、很昂貴的代價。所以我跟你們爸爸都是偷偷在院子裡見面，只是坐下來聊上好幾小時，有時他會推我盪鞦韆或者我幫他推，有時我們一起站在鞦韆上用雙腳出力盪著，我們只是凝視著彼此然後愈盪愈高。他告訴我他所有祕密，我也把我的告訴他。很快地再也掩飾不下去了，我們必須坦承彼此已深深相愛，不管對錯我們都得結合，而且我們必須從這棟大宅和我父母的規矩逃脫出來，在他們還有辦法將我們變成他們的復刻版前——因為那就是他們的目的，你們懂的，掌控住你們的爸爸然後改變他，讓他替他媽媽贖罪，因為她嫁給一個老男人。他們給了他所有東西，這點我承認。他們把他當作自己兒子般對待，因為他代替了他們失去的兩個兒子。他們送他去耶魯念書，而且他腦筋很好。克里斯多弗，你的才智就是從他那裡遺傳到的，他只花三年就畢業。但他拿到的碩士學歷沒辦法派上用場，因為證書上頭有他的真名，而我們必須隱藏自己的出身。我們結婚的頭幾年過得很艱辛，因為他必須否認自己受過的大學教育。」

她停頓下來，若有所思地望向克里斯多弗，然後再看著我。她抱住雙胞胎，親吻他們可愛的頭頂，臉上忽然出現愁容，皺起眉頭。「凱西、克里斯多弗，我希望你們兩個能夠明白，雙胞胎還太小。你們正試著弄懂我們當時的處境，是嗎？」

對，對，我跟克里斯都點頭。

她講的是我的語言，那語言是音樂與芭蕾，是羅曼史，是愛情與迷人世界裡的漂亮臉龐。童話故事可以成真！

一見鍾情！哦！我也想要那樣，我知道一定會那樣！他會像爸爸一樣美，由內散發的美觸動了我的心。必須擁有愛情，不然就會枯萎死去。

「現在仔細聽好，」她低聲說著，話語更加有影響力。「我要在這裡盡我所能，讓我爸爸重拾對我的喜愛，原諒我嫁給他同父異母的弟弟。要知道，一到我十八歲生日，我跟你們的爸爸就私奔了，兩個星期後我們才回到大宅告知我父母。我爸爸差點氣瘋，他大發雷霆，叫我們兩個滾出他的房子，要我們永遠別再回來，永遠！那就是我喪失繼承權的原因，你們的爸爸也一樣——因為我想我爸爸確實有打算留給他一些錢，只有一些，不是很多。主要的財產會留給我，因為我母親有她自己的財產。哦，我曾聽說過爸爸娶她的主要原因就是她從她父母繼承了一筆錢，雖然她年輕的時候很多人也說她是好看的女人，不是非常美貌，但她有那種貴族般莊嚴強勢的好相貌。」

不對，我心裡不痛快地想著……那個老婦人一定生來就不好看！

「我現在盡我所能讓我父親重拾對我的喜愛，原諒我嫁給自己的叔叔。為了達成這個目的，我必須要扮演一個順從謙卑、完全被懲罰過的女兒模樣。有時候，當你扮演一個角色時，你會假裝自己就是那個角色，所以我想現在就說出這些事，在我還完全能做我自己的時候，你們必須聽好。所以我才要把所有事情都告訴你們，盡可能地坦承一切。我承認，我的意志並不堅強，也不是主動的人。只有在你們的爸爸當我後盾時我才能堅強，但是他不在了。在樓下，一樓的大圖書室旁的小房間裡，有個跟你們遇過的任何人都不相像的男人。你們已經見過我母親，稍微明白她是怎樣的人，但你們還沒見過我父親。在他原諒我，而且接受我跟他同父異母的幼弟生了四個孩子前，我不想讓你們見他。對他來說這會很難承受。不過我想讓他原諒我不會太難，因為你們的爸爸已經死了，要持續對已經入土的人心懷恨意是很難的。」

我不知道自己為什麼這麼害怕。

「為了讓我爸爸把我再次寫進遺囑裡，他想要的任何事我都會逼自己去做。」

「除了聽話和表現敬意，他還會想要妳做什麼？」克里斯用最嚴峻、大人般的方式問著，好像他完全明白這是怎麼回事。

媽媽滿懷溫柔愛意地看著他好久好久，她抬起手撫上他男孩子氣的臉頰。他是她剛過世丈夫的小號翻版。難怪她眼眶泛淚。

「親愛的，我不知道他會想怎樣，但無論我得做什麼，我都會去做，他總得把我寫進遺囑裡。不過現在別管那些，我媽媽說我閒話時，我看見你們的表情。我不要你們覺得我媽媽說的是真的。我跟你們的爸爸**沒有**悖德。我們在教堂裡正正當當結婚，跟其他熱戀的年輕夫妻一樣。跟『有罪』一點關係也沒有。你們不是惡魔之子，也不邪惡——你們的爸爸會說那是一派胡言。我的媽媽會讓你們覺得自己很可恥，當作另一種懲罰我和你們的方法。訂定社會規範的是人，不是上帝。在世界上的某些地方，近親結婚生小孩是完全合法的，雖然我沒有要試著替我們的所做所為辯解，因為我們必須遵守我們這個社會的規範。這個社會認為血緣親近的男女不該結婚，因為他們結婚生下的小孩可能腦袋或身體會有缺陷。可是哪有人是完美無缺的？」

接著，她笑中帶淚，把我們全都緊緊抱住。「你們的外公曾預言我們的孩子生來就長角、背上有瘤、有叉狀尾巴，還有蹄狀的腳——他就是個瘋子，他想要詛咒我們的孩子變得畸形，因為他想要我們受到詛咒！他那些可怕預言成真了嗎？」她瘋狂地叫喊著。「沒有！」她自問自答。「我跟你們的爸爸在我懷頭一胎時確實有點擔心。他整晚在醫院走廊上踱來踱去，直到快要破曉才有個護士上前跟他說他有了個兒子，各方面都毫無缺陷，然後他得跑去育嬰室親眼瞧瞧。如果你們也能在場就好了，就能看到他走進我病房時臉上喜悅的表情，他抱著兩打紅玫瑰，親吻我的時候眼裡閃著淚光。克里斯多弗，他是多麼以你為傲，非常自傲。他送掉六盒雪茄，然後馬上跑去替你買塑膠球棒、捕手手套，還有一顆橄欖球。你在長牙的時候會咬球棒，也會拍打嬰兒床和牆壁讓我們知道你想出去。

「然後是親愛的凱西，妳跟妳哥哥一樣漂亮又完美。妳知道妳爸爸有多愛妳，他漂亮的舞者凱西，只要一上台就能讓所有人坐下來看得目不轉睛。還記得妳四歲的時候第一次芭蕾表演？妳穿上妳第一件粉紅芭蕾舞裙，有幾個地方沒跳好，觀眾都笑了，但他還是拍手鼓掌好像很自傲，妳爸爸還送了一打玫瑰花給妳——記得嗎？他從來就看不見妳犯的任何錯。在他眼中妳是完美的，在妳出生七年後，我們生了雙胞胎。現在我們有兩男兩女，向命運四度挑戰——而且贏了！四個完美無缺的孩子。如果上帝想懲罰我們，祂有四次機會能給我們畸形或弱智的孩子。可是祂卻給我們最好的。所以永遠別相信你們外婆或任何人說的，說你們不夠好沒資格或是比不上被上帝完全寵愛的人。如果真有任何罪行，那是你們父母犯下的，你們沒有罪。你們依然是那四個孩子，我們在格拉斯通的朋友都心懷羨慕地叫你們瓷娃娃。不要忘記你們在格拉斯通擁有的，堅持下去。一定要相信自己，相信我和你們的爸爸。即使他死了也要永遠愛他、尊敬他。那是他應得的。他那麼努力當個好爸爸。我不覺得有多少人像他一樣那麼努力。」她淚光閃動，笑得燦爛。「那麼，告訴我你們是誰。」

「瓷娃娃！」

「那麼，你們還會相信你們外婆說的『惡魔之子』？」

不！絕不，永遠不會！

可是媽媽和外婆說的話，有半數讓我想再思考一下，仔細琢磨。我想相信上帝喜愛我們，無論我們是怎樣的人。我得相信，必須相信。點頭啊，我告訴自己，跟克里斯一樣說「好」。別像雙胞胎只望著媽媽，一句話也不說。別那麼多疑——不行！

克里斯用最堅定的信服聲音說道，「好，媽媽，我相信妳說的，因為要是上帝不贊同妳嫁給我們的父親，那麼他就會用小孩來懲罰妳跟爸爸的。我相信上帝不是心胸狹窄有偏見的人，跟我們的外公外婆不一樣。那個老婦人明明有眼睛，看得出我們不醜也不畸形，而且肯定也不是弱智，她怎麼還能說出那種醜惡的話？」

像是築堤又洩洪的河流般，寬慰之情讓媽媽的漂亮臉孔淌下淚水。她將克里斯緊緊抱在胸前親吻他頭頂；她用掌心捧住他的臉，深深凝視他的眼睛，不去理會我們其他人。「我的兒子，謝謝你，謝謝你明白，」她沙啞地低聲說著。「還要謝謝你沒有譴責父母的所作所為。」

「媽媽，我愛妳。不管妳做了什麼，我都能理解。」

「對，」她喃喃自語，「你會，我知道你會的。」她不自在地瞥向我，而我退到後面，試著理解這一切，認真思考。「愛情不是你想要的時候才來。有時候愛情就這樣出現了，不管你願不願意。」她低頭握住哥哥的雙手。「我年輕時我父親很愛我，他想把我永遠留在他身邊，他從不希望我嫁人。我想起我才十二歲時他就說過，如果我一直陪在他身邊直到他老死，他就把所有財產都留給我。」

她突然猛地抬頭看我。她是否從我臉上看出幾許質疑？她的雙眼蒙上陰影，更加黯然。「手拉手，」她挺起肩膀強硬下令，鬆開克里斯的一隻手。「我要你們跟著我念一遍：我們是好孩子。我們的腦袋身體和情緒都沒有缺陷，而且盡一切可能對上帝虔誠信奉。我們跟世上其他小孩一樣有資格活著，可以愛人，可以享受人生。」

她對著我笑，空出來的那隻手握住我的手，然後要凱芮和克瑞也一同牽著手。「你們在這裡會需要一些小儀式幫助你們度日，一些小小墊腳石。我替你們放一些墊腳石，等我離開後你們就用得上了。凱西，我看著妳就像看見跟妳同齡時的自己。凱西，拜託愛我、相信我。」

我們遲疑地照著她的話做，複述那段我們一旦心中動搖就要一起念的話語。我們念完那段話後，她認同又安撫地對我們笑。

「瞧！」她表情更加開心地說道。「別以為我今天一整天都沒有想著你們四個。我想過了，對我們的未來已經有打算，我決定我們不能繼續在這裡住下去，我們全會被我父親和母親控制住。我母親是個殘酷無情的女人，我只是碰巧從她肚子裡生出來，她從沒給我一點點愛，她把愛都給了她兒子。她回信的時候，我傻傻相信她不會像對我那般對待你們。我以為她年紀大了就會變得和藹，等她見到你們認識你們，她就會像天底下所有外婆一樣張開雙手歡迎你們，希望有小孩可以疼愛。我如此期盼，一旦她看到你們的臉……」她哽咽著，幾欲落淚，好像認為任何頭腦正常的人都會喜愛她的小孩似的。「我可以明白她為何不喜歡克里斯多弗，」她緊緊抱住他，親吻他臉頰。「因為他長得太像他爸爸。凱西，我也知道她看到妳就會想到我，她從沒喜歡過我。我不知道原因，也許是因為我父親太喜歡我，所以她嫉妒。可是我從沒想過她會對你們和年幼的雙胞胎這麼殘忍。我讓自己相信人會隨著年紀而改變，會明白他們犯過的錯，但現在我知道自己錯得離譜。」她拭去淚水。

「所以，我明天一早就要離開這裡，去最近的大城市，我會去一間商學院註冊入學，那裡會教我怎樣當個祕書。我會學會打字、速記、簿記、歸檔，以及其他優秀祕書該學會的所有事情。等我學會怎樣做那些事，我就可以去找個薪水不錯的好工作，我就有足夠的錢帶你們離開這房間。我們可以在附近地方找間公寓，方便我探望我爸爸。不用多久，我們所有人就可以在同個屋簷下生活，我們自己的屋簷，我們又能成為真正的一家人。」

「哦，媽媽！」克里斯開心大喊，「我就知道妳會想出辦法的！我就知道妳不會讓我們一直被鎖在這裡。」他倚身向前給了我一個沾沾自喜的滿足表情，彷彿他一向知道他深愛的母親會解決所有問題，無論多難。

「相信我。」媽媽自信地笑著說道。然後她又親了親克里斯。

我有點希望自己也能像我哥哥克里斯那樣，把她說的所有話當成神聖誓言。然而我那詭譎心思老是想著她以前說過：爸爸不在身旁支持的話，她就沒辦法意志堅強，也無法積極主動。我沮喪地提出疑問。「學會當個好祕書到底要多久的時間？」

她很快就回答了，我覺得太快了。「凱西，只要一點時間。大概一個月。不過要是得耗費多一點時間的話，你們得有耐性，妳知道我對那些事情沒辦法很快上手。那真的不是我的錯。」她急切地繼續說著，好像她看得出我會責怪她不夠努力。

「當妳出生在有錢家庭，在有錢家庭出來的女孩念的寄宿學校受教育，然後妳又被送去念女子家事學校，妳學到的只會是社交禮節和人文古典科目，不過大多時間妳都忙著談戀愛、參加初入社交圈的舞會、學習如何待客當個完美的女主人。他們沒有教我任何實用的東西。我從來沒想過自己需要學會任何商務技能。我以為我永遠能靠丈夫照顧，如果沒有丈夫，我父親一定也會照顧我，更何況，我一直都跟你們的父親談著戀愛，我知道只要一滿十八歲我們就會結婚。」

她那時教會了我很多。我絕對不會那麼仰賴男人，讓自己無法獨力活在世上，無論會面對多殘酷的人生！但我同時也覺得自己刻薄愚蠢又羞愧內疚，竟然所有事情都怪她，她怎能知道將來會如何？

「我現在得走了。」她起身準備離開。雙胞胎哭了起來。

「媽媽，別走！不要離開我們！」他們一起用小手環住她的腿。

「我明天一早會再回來，在我出發去上學之前。凱西，真的，」她筆直望著我，「我保證我會盡力去做。我跟你們一樣，都想讓你們離開這裡。」

她走到門邊說，她這次回來看我們不是件壞事，因為我們現在終於明白外婆有多無情。「拜託，聽她的話。在浴室裡要行為端莊。因為她不是只對我殘忍，也會對我的孩子殘忍。」她朝我們伸出雙手，我們忘了她背上有鞭傷，就撲向她懷抱。「我好愛你們所有人，」她啜泣著。「堅持下去。我發誓我會以前所未有的態度認真去做。我多少覺得自己跟你們一樣是被困住的囚犯。今晚開心地上床睡覺吧！要知道無論這看起來多糟，很少會真的那麼糟的。你們知道的，我很討人喜歡，我父親以前非常喜歡我。所以讓他再次喜愛我應該會容易一些，是吧？」

是的是的，一定會的。人總是對以前曾經喜愛的事物難以招架。我明白。我已經愛過六次了。

「等你們躺上床，在這昏暗房間裡入睡，要記得明天我去學校註冊後就會採買新玩具和新遊戲，讓你們忙碌開心地度過這段時間。不用太長時間，我就會讓我父親再次愛我，而且原諒我一切作為。」

「媽媽，」我說道，「妳的錢夠替我們買東西嗎？」

「夠，夠的，」她匆匆說道，「我有足夠的錢，而且我父母親都是驕傲的人。他們不會讓我在他們的友人和鄰居面前落魄寒酸地出現。他們不會虧待我，也不會虧待你們。你們會明白的。而我空出來的每一分鐘，省下來的每一筆錢，我都不會浪費，我計畫有一天我們可以自由住在自己的房子裡，像我們以前那樣，再次成為一家人。」

這是她道別的話語，然後她親吻我們，闔上房門，上鎖。

這是我們在上鎖的房間內度過的第二個夜晚。

現在我們又知道多一些了，也許太多了。

媽媽離開後，我跟克里斯都上床休息。他對著我咧嘴笑，蜷起身子靠著克瑞的背，眼裡也已滿是睏意。他閉上眼睛咕噥說著，「凱西，晚安。別被臭蟲咬了。」

克里斯多弗睡著後，我也弓身靠在凱芮溫暖的小身體旁，她像根彎曲湯匙般睡在我懷中，我垂著頭埋進她芳香柔軟的頭髮裡。

我睡得不安穩，很快就翻身仰躺瞪著上方，試著感覺這棟歇息沉睡大宅裡的龐大寂靜，沒有電話鈴聲微弱的尖響，沒有廚房家電運轉和停擺的聲音，連外頭也沒有狗叫聲，沒有可能會穿透厚重窗簾投射車燈光線的路過車輛。

惡毒想法朝我襲來，對我說我們沒人要、被關起來……是惡魔之子。那些想法想要盤據腦海，將我推入不幸深淵。我得想個辦法驅除。媽媽愛我們，並未遺棄我們，她很努力要成為某個幸運兒的優秀祕書。她會的，我知道她會。她能對抗外公外婆所有想讓她討厭我們的手段。她可以，她可以的。

我向上帝祈禱，拜託祂讓媽媽學得快一點！

房間裡面悶熱得可怕。我可以聽到外頭有風吹動樹葉，但風吹不進來，無法替我們降溫，只意味著外頭很涼，除非我們窗戶全開才能讓風吹進來。我嘆了口氣，十分渴望新鮮空氣。媽媽不是對我們說山裡的夜晚即使在夏天也很涼嗎？現在就是夏天，窗戶沒開，一點也不涼。

在這美好的黑夜裡，克里斯低聲叫我。「妳在想什麼？」

「我在想，風聲聽起來像狼嚎。」

「我就知道妳在想那些愉快的事，如果妳沒在想什麼驚人的黑暗念頭的話。」

「我想到一個更好的：颯颯的風聲像是死靈試著對我們傾訴一些事情。」

他咕噥了一聲。「現在聽我說，凱瑟琳．瓷娃娃（這是我預計未來要用的藝名），我命令妳**不准**躺著想妳那些可怕念頭。我們要好好運用每個鐘頭，預先想好接下來要做什麼，這樣會比一直數算天數和週數更容易打發時間。想想音樂和唱歌跳舞。我不是聽妳說過，妳腦中一旦響起音樂就不會覺得難過嗎？」

「你有什麼想法？」

「要是我沒這麼睏，我的想法可以寫成十冊大作，不過我太睏，累得沒辦法回答。反正妳也知道我的志向。至於現在，我一心想著我們有空能玩的遊戲。」他打了呵欠伸懶腰，然後對著我笑。「叔叔娶了姪女生下有角有蹄有尾巴的小孩，妳對這說法有什麼感覺？」

「身為一個所有知識的追尋者和未來的醫生，這在醫學和科學上有可能嗎？」

「不可能！」他回答，好像對這主題受過良好教育似的。「要是可能的話，這世界就會有一堆長得像惡魔的怪人了，老實告訴妳，我很想親眼看到惡魔，一次也好。」

「我常常看啊，在我夢裡。」

「哈！」他嘲笑我。「妳和妳那些怪夢都很了不得。話說回來，雙胞胎是不是很了不起？他們在巨人般的外婆面前那麼勇敢挑戰，我真的為他們感到驕傲。天啊，他們膽子真大。不過後來我怕她真的會做出很糟的事。」

「她那樣還不夠糟嗎？她抓著凱芮頭髮，把她整個人往上提。那一定很痛。然後她打了克瑞一巴掌，讓他根本站不穩，那也一定很痛。你還想怎樣？」

「她可以做出更糟的事。」

「我覺得她自己才是瘋子。」

「妳大概是對的。」他發睏地低聲說道。

「雙胞胎還是小孩子。克瑞只是想保護凱芮，你知道他們多麼在乎對方。」我猶豫地說道。「克里斯，我們的父母相愛是對的嗎？他們是否曾試圖阻止這件事發生？」

「我不知道，別談這個，我覺得很不自在。」

「我也是。可是我想這就能解釋為何我們全都是金髮藍眼。」

「是啊，」他打了個呵欠，「瓷娃娃，就是我們。」

「你說得對。我一直很想要玩遊戲玩一整天。而且想想看，媽媽如果真的帶來全新的豪華版地產大亨給我們，我們至少可以玩完一局。」因為我們從來沒有真正玩到遊戲結束過。「還有克里斯，銀色芭蕾舞鞋那個棋子是我的。」

「好，」他低聲說著，「那我要拿大禮帽，或是賽車那個。」

「拿大禮帽，拜託。」

「好，抱歉我忘了。我們可以教雙胞胎怎麼當銀行家，然後數錢。」

「那我們得先教他們怎麼數數。」

「那就不能耍花招了，因為所有姓佛沃斯的對錢都很在行。」

「我們不姓**佛沃斯**！」

「那我們是誰？」

「道蘭根格！就是我們！」

「好，隨你高興。」然後他又說聲晚安。

我再次跪在床邊，雙手在下巴前擺出禱告姿勢。我無聲地開始禱告：**現在我將上床睡覺，求主保守我靈魂……**但不知怎地我就是沒辦法說出後續的禱文：如果我死掉沒醒過來就帶走我靈魂。我跳過那段禱文，然後請求上帝保佑媽媽、克里斯、雙胞胎，還有爸爸，雖然他已經上天堂了。

等我回到床上，我得想著外婆昨晚半允半諾的蛋糕、餅乾，還有冰淇淋，如果我們很乖。

我們很乖的。

至少在凱芮開始鬧脾氣之前。不過外婆進房的時候也沒帶點心。

她怎麼會預先知道我們等等會開始不聽話，所以不配吃點心呢？

「妳現在在想什麼？」克里斯用睏倦的單調語氣問我。我以為他已經睡著，絕對沒有在看我。

「沒什麼。只是一些小念頭，想著外婆說，我們如果聽話她就會帶冰淇淋、蛋糕，或餅乾給我們。」

「明天又是新的一天，別對點心放棄希望。而且說不定明天雙胞胎就會不記得戶外了。他們記性不好。」

對，他們記不住。他們已經忘了爸爸，他四月才過世的。克瑞和凱芮這麼輕易地就忘記如此深愛他們的父親。我不會忘記；我永遠不會忘記他，雖然我現在沒辦法清楚憶起他的模樣，我還是可以感覺得到他。

7 度日如年

每一天都過得好慢。一成不變地。

當你時間很多的時候，你會怎麼過日子？當你看膩所有東西，你會放眼何處？當白日夢也只會令你更加煩憂，你該思考哪些事情？我可以想像在外頭奔跑會是怎樣的情景，在樹林裡無拘無束地跑著，腳下乾枯落葉啪啦碎裂。我可以想像在鄰近湖泊裡游泳，或是在清涼的山野溪流中涉水而行。但白日夢不過是易壞的蜘蛛網，我很快就墜回現實之中。幸福在哪裡？在昨日？在明日？總之，不在這一時這一分這一秒。能給我們喜悅火花的只有希望。

克里斯說浪費時間是不共戴天的罪行。時間可貴，沒有人有足夠時間活得夠久，可以學得夠多。我們周遭的世界總像快著火似地叫著：「快、快、快！」看看我們，我們很空閒，很多時間能填滿，有上百萬本的書可以讀，有時間讓我們的想像力振翅飛翔。有創造力的天才都在閒暇時刻獲得啟發，憑空發想，然後再化不可能為可能。

媽媽信守承諾，持續來看我們，帶了新遊戲和玩具讓我們有事情可做。我跟克里斯愛玩地產大亨、拼字遊戲、跳棋和簡化版的跳棋，媽媽還帶了兩副撲克牌和一本紙牌遊戲教學給我們，哇！我們會變成撲克高手！

雙胞胎就比較辛苦，他們年紀還沒大到能玩複雜規則的遊戲。什麼東西都吸引不了他們太久，無論是媽媽買的許多迷你小車、玩具卡車，或是克里斯連結架起的電動火車軌道都不行，那軌道經過床下，走到梳妝台下，越過櫥櫃，最後到達高腳五斗櫃下方。不管我們轉頭望向何處，腳下都有東西。只有一件事是肯定的，那就是他們確實討厭閣樓，任何跟閣樓有關的東西他們都覺得可怕。

我們每天都早早起床。我們沒鬧鐘，只有自己的腕表。但我體內的某種自動計時系統接管了不讓我睡懶覺的工作，即使我真的好想賴床。

我們起床之後，男孩們可能會先用浴室，然後再換我跟凱芮，隔天再換女孩先用。我們得在外婆進門前就穿著整齊，不然就糟了。

外婆會昂首闊步地走進陰森幽暗的房間，而我們立正站好，等她放下野餐籃然後離去。她很少開口對我們說話，就算開口，也只是問我們飯前有沒有禱告、睡前有沒有念禱告文、昨天有沒有讀一頁聖經。

「沒有，」有天早上克里斯說道，「我們沒有讀一頁，我們讀了好幾個章節。如果妳把閱讀聖經視為懲罰手段，還是取消吧。我們覺得讀聖經很棒，比我們看過的任何電影都還血腥色情，而且比我們看過的書談論更多罪惡。」

「男孩，住口！」她對他咆哮。「我問的是你妹妹，不是你！」

接著她要我背誦我學過的一些聖經引言，我們常常用這種方法拿她開個小玩笑，因為只要你讀得夠久夠認真，任何場合都能從聖經裡找到適用引言。有天早上我就回答，「創世紀第四十四章四節說：你們為什麼以惡報善呢？」

她皺起眉頭轉身離開。好幾天前在她還沒對克里斯發脾氣時，有一天她背過身不直視他，「背出一句約伯記的引言。別想愚弄我，沒讀聖經還想讓我誤以為你讀了！」

克里斯看起來準備萬全又自信，「約伯記第二十八章十二節——然而，智慧有何處可尋？聰明之處在哪裡呢？約伯記第二十八章二十八節——敬畏主就是智慧；遠離惡便是聰明。約伯記第三十一章三十五節——在這裡有我所畫的押，願全能者回答我。約伯記第三十二章九節——尊貴的不都有智慧；壽高的不都能明白公平。」他可以一直不斷背下去，但外婆臉色顯露怒意。她從此再也沒叫克里斯背誦聖經引言。到了最後她也沒再要我背誦，因為我也總能想到一些挖苦人的引言。

每天傍晚六點左右，媽媽會上氣不接下氣地現身，總是匆匆忙忙的。她帶著一堆禮物出現，讓我們有新鮮事做、有新書看，還有更多遊戲可以玩。然後她會倉促回她房間浴沐更衣，下樓共進正式的晚餐，會有管家和女僕在桌旁伺候。從她氣喘吁吁地解釋聽來，似乎常有賓客跟他們一起用餐。「許多生意買賣都是在午餐和晚餐時成交的。」她說。

最棒的時刻就是她偷溜上來，為我們帶了別緻小點心和美味餐前菜，但她從不給我們會蛀牙的糖果。

只有週末她能有較多時間陪我們，坐在我們的小桌旁吃午餐。有一次她拍了拍肚子。「看我變得多胖，我跟我爸爸一起吃午餐，然後說要午睡，如此一來，我才能上來陪我的孩子再吃一次。」

跟媽媽一起吃飯非常開心，因為這讓我回想起過去我們跟爸爸一起生活的時光。

有個星期日，媽媽帶著戶外的清新氣味進來，從糕餅店帶了一個巧克力蛋糕和香草冰淇淋給我們。冰淇淋已經幾乎融成湯狀，但我們還是吃了。我們求她留下來過夜，睡在我跟凱芮中間，這樣我們早上醒來就能看到她。但她望著凌亂的房間，打量許久然後搖頭。「對不起，我不能留。我真的不能留下來。要知道，女僕會納悶為什麼我的床沒有睡過的痕跡。而且三個人睡一張床實在太擠。」

「媽媽，」我問她，「還要多久？我們待在這裡已經兩星期了，就好像兩年一樣。外公還沒有原諒妳嫁給爸爸嗎？妳告訴他我們的事了沒？」

「我父親允許我開他其中一輛車，」我覺得她在迴避我的問題。「我相信他快原諒我了，要不然就不會讓我用他的車、睡在他大宅裡，而且吃他的食物。不過還沒有，我還不敢告訴他我有四個藏起來的小孩。我必須非常小心地看準時間才開口，你們得耐心點。」

「要是他知道我們的事會怎麼樣？」我開口發問，不理會一直朝我皺眉的克里斯。他已經告訴過我，要是我一直問一堆問題，媽媽可能就不會每天來看我們了。那我們要怎麼辦？

「天知道他會怎麼做，」她恐懼地低語。「凱西，答應我妳不打算讓僕人聽見妳的聲音！他是個殘忍無情的人，權力又很大。讓我小心抓時機，等他願意聽的時候。」

她大概晚上七點就離開，我們隨即也睡下。我們很早就寢，因為我們起得早。而且睡得愈久，日子就相對愈短。早上十點一過，我們就拖著雙胞胎上去閣樓。探索龐大閣樓是我們消磨時間的最佳方式之一。那裡有兩架直立式鋼琴。克瑞爬上一張能調整高低的圓椅，坐在上面轉啊轉。他使勁敲打泛黃的琴鍵，歪著頭仔細聽。鋼琴已經走音了，他弄出的聲響刺耳得令人頭痛。「音不準，」他說道。

「為什麼音不準？」

「它需要調音。」克里斯說道，他試著調音卻弄斷琴弦。想讓兩架舊鋼琴發出樂音的嘗試就此終結。那裡有五台手搖留聲機，每台上頭都有隻小白狗開心歪頭，好像沉迷在音樂中，不過只有一台還能運作。我們搖動發條，放入一張變形的舊唱盤，聆聽我們聽過最怪的音樂。

那裡有成疊義大利聲樂家卡羅素的唱盤，但不幸的是唱盤沒妥善保存，沒放進唱盤硬紙殼裡，直接堆在地板上。我們圍成半圓坐著聽卡羅素唱歌。我跟克里斯知道他是最出色的男高音歌手，現在終於有機會能聽見他歌聲。他的聲音高昂，聽起來很假，我們很納悶他的出色之處何在。但出於某種怪原因，克瑞很喜愛。

留聲機轉速漸漸變慢，讓卡羅素的歌聲變得只剩嘎吱聲響，然後我們其中一個就會狂奔過去轉動留聲機手柄，緊到他的聲音唱得又快又好笑，聽起來就像唐老鴨在講話。雙胞胎會爆笑不已，那是他們兩個特有的交談方式，他們的祕密語言。

克瑞可以一整天待在閣樓上聽唱盤。但凱芮是靜不下來的遊蕩份子，永不滿足，不斷尋找更棒的事做。

「我不喜歡這個大大的壞地方！」她無數次地叫嚷。「帶我離開這個壞地方！現在就走！馬上！帶我出去，不然我就把牆都踢倒！真的會踢！踢得倒！踢得倒的！」

她跑向牆邊用細弱小腳攻擊，亂揮她的小拳頭，弄到嚴重瘀青都還不放棄。

我覺得她和克瑞很可憐。我們所有人都想要踢倒牆壁然後逃離。但對凱芮來說，只要她叫喊得愈有力，牆壁就會塌下，就像聖經裡耶利哥城倒塌的城牆那般。

凱芮勇敢面對危險閣樓，自己找路，走下樓梯回到了臥室，她終究能在臥室裡玩她的娃娃、茶杯、小爐子，還有沒加熱的熨斗配上小熨衣板，這還真讓人鬆了口氣。

這還是頭一次，克瑞和凱芮長達好幾小時都沒待在一起，克里斯說這是好事。閣樓上的音樂吸引了克瑞，而凱芮朝著她「那些東西」喋喋不休。

重複洗幾次澡是另一個消耗過多時間的辦法，洗頭就讓洗澡時間更長一些。哦！我們會是世上最乾淨的小孩。我們午飯後會睡午覺，盡可能睡上很久。我跟克里斯比賽削蘋果，把蘋果皮削成一整條好長好長的螺旋條狀。我們剝掉柳橙皮，去掉雙胞胎厭惡的每一絡白色纖維。我們有許多小盒餅乾，我們一塊一塊地數，把所有餅乾均分成四人份。

最危險有趣的遊戲是模仿外婆。我們總是害怕她會忽然走進來，然後發現我們披著閣樓找來的灰色髒布，用來代替她身上一成不變的灰色塔夫塔綢。我跟克里斯學得最像。雙胞胎太怕她，她走進房間時連眼睛也不敢睜開。

「孩子們！」克里斯站在門邊厲聲說道，提著一個看不見的野餐籃。「你們有保持正經高尚、循規蹈矩嗎？這房間看起來亂得可怕！女孩！就是妳，把那亂糟糟的床單弄平，不然我就用我憤怒的目光碾碎妳的頭！」

「外婆，饒命啊！」我哭喊著，雙膝跪地爬向克里斯，兩手合十放在下巴。「我擦洗閣樓所有牆面擦得太累了。我得休息。」

「休息！」假外婆站在門邊喝斥，洋裝快掉到地上了。「那些邪惡墮落有罪又卑鄙的人不能休息，只能工作到死，然後永遠吊在地獄永不熄滅的炙熱火焰上！」接著他舉高蓋在白布下的雙手，做出一些恐怖姿勢讓雙胞胎嚇得發抖，然後外婆忽然像妖術一般不見了，只剩克里斯對我們咧嘴笑。

頭幾個星期的日子裡，雖然我們自己找樂子而且努力做了很多事，還是度日如年。猜疑恐懼和希望期待讓我們如此焦慮地等了又等，而出外下樓對我們來說依舊遙遠。

雙胞胎跑向我，身上有細小傷口和瘀青，還有被閣樓朽爛木板扎到的木刺，克里斯抹上殺菌藥，他們都很喜歡那黏黏的藥膏。手指受傷足以成為要求抱抱和搖籃曲的撒嬌藉口，我將他們放到床上親親他們的臉蛋，然後搔向他們怕癢發笑的地方。他們瘦弱的小手臂緊緊環住我脖子。我被愛著，深深愛著，而且被強烈地需要。

雙胞胎不像五歲孩童，更像三歲。這不是指他們說話的方式，而是指他們抗拒事物時會噘著嘴，用小拳頭揉眼，還有他們會憋氣憋到臉色紅紫，逼你讓步給他們想要的。我比克里斯更容易屈服於這種手段，他理智地說任何人都不可能用這種方法悶死自己，可是看到他們臉色發青還是很嚇人。

「下次他們再這麼做的話，」他私下對我說道，「我要妳別管他們，甚至可以走進浴室把門反鎖。然後相信我，他們不會死的。」

他們的確逼我這麼做了，然後他們真的沒死。那是最後一次他們耍花招，只為了拒吃不喜歡的食物。事實上，他們幾乎什麼都不喜歡。

凱芮像許多小女孩一樣駝背，身體呈現一個大弧，她還喜歡在房間裡蹦來蹦去提著她的裙子露出荷葉邊內褲（她只願意穿有蕾絲荷葉邊的內褲）。如果內褲上有緞帶小玫瑰或是正面有繡花，你就得一天至少看個十幾次，稱讚她穿上那內褲看起來多迷人。

當然，克瑞跟克里斯一樣穿的是男用內褲，他對此很自豪。在他潛藏的記憶某處，沒多久之前他還穿著尿布。雖然他膀胱敏感，但柑橘類以外的水果凱芮只要吃一點點就會拉肚子。我真的很討厭那些送來桃子和葡萄的日子——因為親愛的凱芮很喜歡無子綠葡萄、桃子、蘋果……這三種水果都會造成同樣後果。相信我，只要送來水果我就臉色發白，知道要是沒有及時把凱芮挾在腋下迅如閃電奔向浴室把她放在馬桶上，我就得清洗那蕾絲荷葉邊內褲。在我沒來得及處理，或是凱芮太快拉出來的時候，克里斯就會笑開懷。他把那藍色花瓶擱在手邊備用，免得女孩鎖上浴室門時，克瑞卻內急得想哭。他不只一次尿濕內褲，然後他會將臉埋在我膝頭上，覺得很丟臉（凱芮從不覺得丟臉，錯在我動作太慢了）。

「凱西，我們什麼時候可以出去？」有次他尿褲子後小聲對我說。

「等到媽媽說我們可以出去為止。」

「為什麼媽媽不說我們可以出去？」

「樓下有個老人不知道我們在樓上。我們得等他再一次喜歡上媽媽，喜歡到能夠接受我們。」

「那個老人是誰？」

「我們的外公。」

「他跟外婆很像嗎？」

「嗯，我想是的。」

「為什麼他不喜歡我們？」

「他不喜歡我們是因為……因為，呃，因為他腦袋不清楚。我想他腦子跟心臟一樣都有病。」

「媽媽還喜歡我們嗎？」

這個問題讓我徹夜未眠。

過了好幾個星期，有個週日白天媽媽沒來。她沒跟我們待在一起實在令人難過，我們知道她不用去學校，也知道她就在這同一棟大宅裡的某個地方。

我趴在比較涼快的地板上讀哈代的《無名的裘德》，克里斯上閣樓找些新讀本，雙胞胎推著迷你小車和卡車爬來爬去。

時間漸漸到了傍晚，房間終於打開，媽媽溜了進來，她穿著網球鞋、白裙子、有船錨花紋和紅藍鑲邊穗帶的水手服白上衣。她的臉蛋在戶外晒成玫瑰色，看起來健康得生氣勃勃，快樂得令人難以置信，而我們在這悶熱房間裡卻精神萎靡。

水手服，我懂了，我心想，她就是在忙那些事啊？我不高興地瞪著她，渴望自己的皮膚也能讓太陽晒，我的雙腿也能有她那種健康膚色。她的頭髮被風吹亂，把她的美貌和性感放大了十倍。她看起來也更老，將近四十歲。

這個下午顯然是爸爸去世後她過得最開心的時刻。而且已經快五點了，樓下的晚餐時間是七點。意思是說她沒多少時間能跟我們在一起，然後就得回她房間沐浴，換上適合用餐的衣著。

我將書擱在一旁翻身坐起。我很難過，想要讓她也不好受：「妳去哪了？」我口氣惡劣地質問。她憑什麼玩得那麼開心，我們卻被關在這裡不能做我們年輕人有權做的事？我不會再有下一個十二歲夏天，克里斯也沒有他的下一個十四歲夏天，雙胞胎也沒有他們的下一個五歲夏天。

我聲音中暴躁控訴的口吻讓她欣喜的臉色一黯。她臉色蒼白，嘴唇顫抖，說不定後悔給了我們大本掛曆，所以我們才知道哪天是星期六或星期日。那本掛曆上滿是我們大大的紅色叉字標記我們被囚的日子，炎熱孤獨、猜疑又難受的日子。

她坐在椅子上翹起美腿，拿起一本雜誌替自己搧風。「讓你們等這麼久真的很抱歉。」她朝我那邊露出可愛笑容。「我今天早上想來看你們，但我父親需要我全心照顧，而且我下午早就有行程，不過我還是縮短行程，好跟我的孩子們在晚餐前共處一陣子。」她看起來沒流汗，卻舉起穿著無袖的手臂搧了搧腋下，好像這房間讓她很難受。「凱西，我去划了船，」她說道，「我哥哥在我九歲時教我划船，你們爸爸住進這裡時我也教過他。我們以前在湖上度過很多時光。航行就像飛翔一樣，一種美妙的樂趣。」她說到最後就心虛了，明白她的樂趣偷走了**我們的**樂趣。

「划船？」我幾乎尖叫。「妳為什麼不去樓下告訴外公我們的事？妳想讓我們在這裡關多久？一輩子？」

她藍色眼睛緊張地在房間裡游移，看起來想起身離開那張我們很少用的椅子，我們特地把那椅子留給她，算是她的寶座。要不是克里斯走下閣樓，手裡抱著一堆舊到沒收錄電視和飛機詞彙的百科全書，她可能就這樣離開房間了。

「凱西，不要對我們的母親吼叫，」他責備我。「嗨，媽媽。天哪，妳看起來棒透了！我愛死了妳穿的划船衣。」他將成堆書本放在當成桌子用的梳妝台上，然後走過來抱住她。我感覺被背叛了，不是被媽媽背叛而是我的哥哥。夏天都快結束了，但我們什麼也沒做，沒去野餐游泳或漫步樹林間，甚至沒看過帆船或穿上泳衣在後院泳池玩水。

「媽媽！」我起身大喊，準備為我們的自由而戰。「我覺得該是妳告訴妳爸爸的時候了！我已經住膩這房間，也玩膩閣樓了！我想讓雙胞胎出去外面呼吸新鮮空氣和陽光，我也想出去！我想去划船！要是外公原諒妳嫁給爸爸，那他為什麼不能接受我們？我們有這麼醜、這麼可怕、這麼笨？承認我們是他血親會讓他很丟臉嗎？」

她推開克里斯，然後無力地坐回她剛捨棄的椅子上，倚身向前把臉埋進她雙手裡。我直覺地猜想她要說出先前隱瞞的一些實情。我喚回克瑞和凱芮，要他們靠在我身邊坐著，好讓我的手能搭著他們。而我以為會留在媽媽身畔的克里斯也走過來坐在克瑞旁邊的床上。我們再一次跟之前一樣，像站在晒衣繩上的雛鳥等著被強風吹散。

「凱西，克里斯多弗，」她低著頭開口說話，雙手不安地在膝頭上抽動，「我沒有完全對你們開誠布公。」

好像我還沒猜到似的。

「妳今晚會留下來跟我們吃晚餐嗎？」我問道，不知怎地想晚一點再知道事情的所有真相。

「謝謝妳邀請我。我很想留，但我今天傍晚已經有行程了。」

這就是我們的一天，我們在天黑前能跟她在一起的時光。而且昨天她只跟我們共處了半小時。

「那封信，」她抬頭低聲說道，陰鬱將她的藍眼睛染成青色。「我們還在格拉斯通時我母親寫來的那封信。那封信邀我們來這裡住。我沒告訴你們的是，我父親在信末寫了一小段附注。」

「嗯，媽媽，繼續說吧。」我催促她。「不管妳要對我們說什麼，我們都能承受。」

我們的母親是個沉著的女人，冷靜自持。但有件事她從來克制不住，那就是她的手。她的雙手總是出賣她的情緒。她一手執著又反覆地抬向頸間顫動著，在那裡摸索尋找她能扭擰的珍珠串鍊，因為她沒戴項鍊，手指就在那裡不停摸索。而她擱在膝上的另一隻手，手指像在洗手般不安地摩挲著。

「你們的外婆寫了那封信還簽上署名，但我父親在信末加了一段他的話。」她躊躇地閉上雙眼一、兩秒，然後才睜開眼睛再次望著我們。「你們的外公說他很開心你們的爸爸過世了。他說邪惡和墮落都得到了報應。他說唯一慶幸的是我結婚沒生下惡魔後裔。」

我以前可能會問：那是什麼？現在我懂了。惡魔後裔就等同於惡魔之子，某種生來就會做壞事的邪惡墮落東西。

我坐在床上兩手抱著雙胞胎，我望向克里斯，他一定跟爸爸同齡時長得很像，我好像看見爸爸穿著白色網球衣、自信驕傲，還有金髮和古銅膚色。惡魔是矮小黝黑，屈身蹲著的，不會站得筆直，不會用從不說謊的澄澈天藍色眼睛對著你笑。

「我的母親在一頁信紙上寫了，打算把你們的事隱瞞起來，我父親沒看到那頁。」她臉紅心虛地說完。

「我們的爸爸只因為娶了半個姪女，就被認為是邪惡墮落的？」克里斯問道，他的口氣跟我們的母親一樣冷靜自持。「那是他唯一做錯的事？」

「對！」她叫喊出聲，欣喜著她所愛的人能理解。「你們的爸爸這一生唯一犯下不可饒恕的罪過，就是與我相愛。法律不允許叔叔和姪女結婚，即使他們只有一半的血緣關係。拜託不要責怪我們。我解釋過我們的情況了。在我們所有人裡，你們的父親是道德最高尚的……」她聲音顫抖得快哭出來，眼裡滿是懇求，而我知道，我知道接下來會怎樣。

「什麼是邪惡，什麼又是墮落，都是旁人的觀點，」她急著讓我們理解，很快往下說道。「你們的外公在天使身上也找得出缺陷。他那種人期望家中所有人都是完美無缺，而他自己遠遠不夠完美。但如果試著告訴他這些，他就會罵你一頓。」她焦慮地嘆了口氣，對她接下來得說的話顯得很懊惱。「克里斯多弗，我曾想過等我們到了這裡，我就告訴他你的事，說你是班上最聰明的男孩，成績總是全優，然後我也想過等他見了凱西，就能知道她有極高的舞蹈天分。我以為光是這兩件事絕對能讓他回心轉意，不需要等到看見雙胞胎多麼漂亮可愛——誰知道他們有什麼沒顯露的天分？我愚蠢地盼望他會輕易屈服，會說他犯了錯，不該堅持我們的婚姻是大錯特錯的。」

「媽媽，」我幾乎快哭出來地弱聲說道，「妳說的好像妳永遠不會告訴他一樣。不管雙胞胎多漂亮，不管克里斯多聰明，不管我舞跳得多好，他永遠都不會喜歡我們。對他來說都沒有差別。他還是會討厭我們，把我們看成惡魔之子，對不對？」

她起身走向我們，然後跪下來想把我們全摟進懷中。「我不是告訴過你們他活不久了嗎？他總要使盡氣力才能喘氣呼吸。要是他沒有很快過世，我會想辦法告訴他你們的事。我發誓我會。絕對要有耐心。要諒解我。你們現在失去的樂趣，我往後會上千倍地彌補你們！」

她含淚的眼裡滿是哀求。「拜託，拜託看在我的份上，因為你們愛我而我也愛你們，要有耐心。不用多久，不會很久的，我會盡我所能讓你們的日子過得開心。想想我們不用多久就會是有錢人了！」

「媽媽，不要緊，」如同爸爸會做的那樣，克里斯將她擁入懷中。「妳要求的不多，我們會獲得很多的。」

「對，」媽媽熱切說道，「只要暫時犧牲一點，多點耐心，你們就會有愉快美好的人生。」

我還能說什麼？我怎能提出異議？我們已經犧牲了不只三星期的時間，再多個幾天、幾星期，或甚至是再一個月又會怎樣？

8 讓花園生長茁壯

現在我們得知所有真相。

我們會待在這房間，直到外公去世那天。那天夜裡我心情低落憂鬱，心想也許她一開始就知道她父親不是那種會原諒的人。

「可是，」樂天派的克里斯多弗說道，「他隨時都可能會死。心臟病就是這樣。血塊剝落流進心臟或肺部的話，他就會像熄滅蠟燭般死去。」

我跟克里斯彼此談論著殘忍又大逆不道的事，但我們的心裡很痛，知道這是不對的，把無禮不敬當作撫慰我們淌血自尊的一種方式。

「瞧，」他說道，「既然我們還要在這裡待上好一陣子，應該更果斷地開始學做一些更有趣的事。然後等我們真的開始動手做，天啊，我們說不定可以想像出一些非常瘋狂美妙的計畫。」

當你有個裡頭滿是廢棄物的閣樓，還有大衣櫥裡塞滿破爛難聞卻非常華麗的衣著，你自然會有演戲的靈感。而既然有天我會登上舞台，我就能成為製作人、導演、編舞家，以及女明星。克里斯當然得擔綱所有男主角的角色，雙胞胎可以當配角。

可是他們不想演！他們想當觀眾，坐著看戲然後鼓掌。

這主意其實不壞，因為一齣戲不能沒有觀眾！可惜他們沒錢買票。

「我們把這當彩排，」克里斯說道，「既然妳什麼都會又懂舞台製作，那妳就寫個劇本吧。」

哈！好像我需要劇本似的。這是我扮演郝思嘉的好機會。有能穿在荷葉邊打褶的裙子底下的裙撐，有能緊緊束住身體的胸衣，有適合克里斯穿的衣服，還有上頭破了幾個洞的華麗陽傘。箱子和大衣櫥裡有很多服裝可選，我得從大衣櫥裡拖出最棒的戲服，然後從箱子裡找出貼身衣物和襯裙。我用碎布把頭髮上卷弄成螺旋鬈髮，然後在頭上戴了頂下垂的舊麥桿帽，帽上有褪色的絲花裝飾和綠緞帽帶，帶子邊緣都快變成褐色。我穿在裙撐外的打褶長禮服是某種像玻璃紗的輕薄布料。我想那禮服可能曾經是粉紅色的，現在很難斷定它到底是什麼色。

白瑞德穿著一身華麗戲服，有奶油色長褲、珍珠釦子的棕色天鵝絨夾克，裡頭還穿了件有汙漬的紅玫瑰綴飾緞質背心。「郝思嘉，來吧，」他對我說，「我們得在薛曼將軍到此放火燒城前逃離亞特蘭大。」

克里斯拉直繩子，繩上掛著我們用來當成舞台布幕的毛毯，我們那兩名觀眾不耐煩地跺腳，急著想看亞特蘭大起火燃燒。我跟在白瑞德後頭上「台」，準備對他數落戲弄、調情引誘讓他動情，再匆匆跑去找衛希禮。這時我過大又滑稽的舊鞋踩到裙子的破爛荷葉邊，我整個人摔得四腳朝天，露出裙下髒兮兮的燈籠褲，褲子上的片片蕾絲也破破爛爛的。觀眾站起來向我熱烈鼓掌，以為這是舞台效果和劇中情節。「戲演完了！」我宣布，然後脫下那些難聞的舊衣服。

「來吃飯吧！」凱芮大聲說道，只要能離開這討厭閣樓，她願意想盡辦法。

克瑞噘起下唇望向四周。「真希望我們可以再有一個花園，」他語氣中那股渴望讓人難受。「沒有花朵在風中搖擺，我就不喜歡邋遢骯髒。」他亞麻色的頭髮長度碰得到他衣領，頭髮彎曲成卷，而凱芮的頭髮已經垂到她背後，像波浪般的弧度。他們今天都穿藍色衣服，因為是星期一。我們為每天定下顏色，星期天是黃色，星期六是紅色。

克瑞祈求的話語讓克里斯腦中有了想法，因為他慢慢轉了一圈，估量檢視這龐大閣樓。「不可否認的是，這閣樓的確是個陰森恐怖的地方，」他若有所思地說道，「但為何我們不能積極發揮創意天分使它蛻變，讓醜陋的毛毛蟲變成一隻閃亮的振翅蝴蝶呢？」他對我和雙胞胎笑得迷人又令人信服，我馬上就被說服了。試著美化這個陰鬱地方一定很好玩，能給雙胞胎一個色彩繽紛的假花園在裡頭遢鞦韆，欣賞美景。當然，我們不可能把整個閣樓都裝飾起來，裡頭實在太大，而且外公隨時都可能會死，然後我們會離開這裡再也不回來。

我們迫不及待等著媽媽在傍晚到來，她來了以後，我跟克里斯熱切地描述裝飾閣樓的計畫，把閣樓變成令人開心的花園，雙胞胎就不會再怕。她眼中立刻閃著奇特至極的光芒。

「哦！那麼，」她爽朗地說道，「如果你們要讓閣樓變得好看，你們得先把裡頭弄乾淨。我會盡力幫忙。」

媽媽偷偷帶來拖把、水桶、掃把、硬毛刷，還有一盒肥皂粉。她跪在我們旁邊刷洗閣樓角落、牆邊，還有大型家具下方。我很訝異媽媽竟然懂得刷地和打掃。我們住在格拉斯通時，有個女僕兩星期會來一次，打理所有粗重乏味的家務，那些家務會讓媽媽的手發紅還弄斷她指甲。而她現在手腳跪地，穿著褪色的舊牛仔褲和舊T恤，把頭髮挽成髮髻。我真的對她十分激賞。這工作既粗重又悶熱低賤，可她從不抱怨，只是笑著閒聊，好像這件事非常好玩。

在一整週的粗重勞動後，我們把閣樓的大半地方盡可能清理乾淨。然後她帶了殺蟲劑除掉我們清掃時躲藏的害蟲。我們掃出一桶子死蜘蛛和會爬的生物，從後窗把牠們扔出去，落到屋頂的較低處。之後雨水會把牠們沖進屋頂的簷槽裡，鳥兒發現蟲屍後便能大吃一頓，我們四個就坐在窗邊觀賞。我們從沒看到老鼠，但我們見過牠們的排泄物。我們猜想牠們要等所有喧囂都平息後，才會從陰暗隱祕的地方跑出來。

現在閣樓很乾淨，媽媽帶了綠色植物給我們，還有一株會在聖誕節前後開花的帶刺孤挺花。她說起這件事時我皺起眉頭，因為我們不會在這裡待到那時節。「我們可以把花帶上，」媽媽伸手撫摸我臉頰。「我們離開時會把所有的植物都帶走，所以別皺眉不開心。我們不會把任何活著而且喜愛陽光的東西留在閣樓裡。」

我們把植物放在閣樓的教室裡，因為這房間有向東的窗戶。我們開心喜悅地走下狹窄的樓梯，媽媽清理好我們的浴室，疲憊地倒在她的專用椅上。雙胞胎爬上她膝頭，而我替午飯擺好餐具。那真是美好的一天，因為她一直待到晚餐時刻才嘆息著說她得走了。外公對她管得很嚴，想知道她每週六都去哪，為什麼去那麼久。

「妳可以在睡前偷溜上來看我們嗎？」克里斯問道。

「我今晚要去看電影，」她平靜地說，「不過我出門前會再溜上來看你們。我拿到幾小盒葡萄乾，你們可以在正餐間隔當零食吃。我忘了把它們帶過來。」

雙胞胎瘋狂熱愛葡萄乾，我也很喜歡。「妳要一個人去看電影嗎？」我問道。

「不是。有個跟我從小一起長大的女孩，她以前是我最好的朋友，現在結婚了。她家就在離這裡幾棟房子遠的地方。」她起身走向窗邊，克里斯關了燈，她就掀開窗簾指向她好友居住的房屋方位。

「愛蓮娜有兩個未婚弟弟，一個念哈佛法學院在考律師，另一個是職業網球選手。」

「媽媽！」我大叫。「妳在跟她的哪個弟弟約會嗎？」

她笑著放下窗簾。「克里斯，開燈吧。凱西，沒有，我沒有跟誰約會。老實告訴妳，我寧願現在就上床睡覺，我好累。而且我確實不喜歡音樂劇。我寧願跟我的孩子待在一起，但愛蓮娜堅持我該出去走走，我一拒絕她就不停問原因。我不想讓人質疑我為何每個週末都待在家裡，所以我有時才得去划船或看電影。」

要讓閣樓變得美麗似乎非常不可能，我想弄出一個漂亮花園，上頭懸著一道彩虹！這需要相當大量的粗重活兒和創造力，但我那可恨的哥哥相信我們總是能馬上做好。他很快就讓媽媽相信他的看法，然後她每天從祕書學校回家後都會帶著色本給我們，我們可以剪下著色本裡的花朵圖樣。她給了我們水彩盒、畫筆、一盒盒蠟筆、大量的多色牛皮紙、大罐白漿糊，還有四支安全剪刀。

「教雙胞胎怎麼著色，然後把花剪下來，」她教導著，「讓他們參與你們做的所有事情。我任命你們當他們的幼稚園老師。」

她從那一小時火車車程的城市回來，容光煥發，看起來十分健康，她的皮膚在外頭空氣的滋潤下呈現玫瑰色，她的衣服漂亮到讓我忘了呼吸。她有各種顏色的鞋子，新的珠寶飾品一點一滴地增加，她說那是「假」珠寶，但不知怎地，那些水鑽閃爍的光芒在我看來更像真鑽。她倒在專用椅上筋疲力竭，但開心地告訴我們她過得如何。「噢，我真希望那些打字機的按鍵可以標上字母。我連一排按鍵有哪些字母都記不住。我得一直抬頭看牆上的對照圖，然後打字速度就慢了，而且最下面那排我也記不熟。不過所有母音字母的按鍵位置我都知道。你知道的，那些字母更常用。我現在的打字速度是一分鐘二十字，這不太理想。而且那二十個字裡我還拼錯四個。還有那些很難看懂的速記……」她嘆了口氣，好像速記也讓她很受挫。「嗯，我想我終究會學會的，再怎麼說其他女人都做得到，既然她們可以，那我也沒問題。」

「媽媽，妳喜歡妳的老師嗎？」克里斯問道。

她像少女般地咯咯笑，然後才回答。「那我先講講我的打字老師。她的名字是海蓮娜・布萊迪女士。她的身形跟你們的外婆很像——都很高大。不過她的胸部更大！真的，她的胸部是我見過最壯觀的！而且她的胸罩肩帶一直從她肩頭滑下來，如果不是胸罩肩帶那就是她連身裙的肩帶，她得不斷把手伸進衣服胸口把肩帶拉回原位，班上的男同學一直偷笑。」

「男生也會上打字課？」我非常驚訝。

「是啊，班上有好幾個年輕小伙子。有的是記者、作家，或是有什麼好藉口來學打字。布萊迪女士已經離婚，對班上一個小伙子很有意思。她會對他眉來眼去，而他努力視而不見。她起碼大概比他大了十歲，而且他一直在看我。凱西，別又想歪。對我來說他太矮了。我不會嫁給不能把我抬起來跨過門檻的男人。我倒是能把他抬起來，他才一百六十公分高。」

我們全都開懷大笑，因為爸爸整整高了二十公分，而且他能輕鬆地抬起媽媽。我們已經看他做過好多次，尤其是他週五回家的晚上，他們對視的神情非常有趣。

「媽媽，妳不會想再婚吧，會嗎？」克里斯的語調非常緊張。她馬上抱住他。「寶貝，不會，當然不會。我深深地愛著你們的父親。那個人一定要非常特別才能取代你們父親的地位，目前為止我遇過的人連他一根小指也比不上。」

當個幼稚園老師很有趣，原本應該要很有趣的，要是我們的學生有一絲上課意願的話。只要我們一吃完早餐，清洗碗盤並且疊好，把食物存放在陰涼處，等著十點一過僕人都下樓，我跟克里斯就各自拽著哀嚎的雙胞胎到閣樓教室。我們會坐在學生桌椅上製造混亂場面，在多色牛皮紙上剪出花朵圖案，然後用蠟筆畫出條紋和點點來美化。我跟克里斯畫得最好，雙胞胎畫的就只是一團顏色。

「現代藝術。」克里斯將雙胞胎畫的花朵以此命名。

我們在暗淡發灰的木板牆上貼了我們巨大的紙花。克里斯再次爬上那個少了階梯的舊梯子，好讓他能把許多條長繩索繫在閣樓椽木上，接著我們在繩索上綁住七彩的花朵，這樣一來花兒就會隨風飄動。

我們的母親上來觀看我們的成果，她給了我們開心笑容。「對，你們做得真棒。你們真的把這裡弄漂亮了。」她若有所思地走近那些雛菊，好像在思考她還能帶什麼東西過來。隔天她帶了一個大扁盒，裡頭裝著七彩玻璃珠和金屬小圓片，這樣我們就能為花園增添閃亮和魅力。哦，我們真的拚命地做那些花朵，因為不論我們做什麼，我們都會勤奮熱忱地做。雙胞胎也感染了些許我們的熱忱，我們提起閣樓時他們不再哀嚎掙扎咬人。因為再怎麼說，雖然進度不快，閣樓確實慢慢轉變成令人開心的花園。閣樓改變得愈多，我們的決心就愈發堅定，要把大得無止盡的閣樓每面牆壁都貼滿。

當然，每天媽媽從祕書學校回到家後，都會來看我們當天的成果。「媽媽，」凱芮用她疲憊的小鳥吱喳嗓音說個不停，「我們今天就只有做這個，做花朵，有時候凱西還不想讓我們下樓吃午餐！」

「凱西，妳不能一心只想著裝飾閣樓然後忘記吃飯。」

「可是媽媽，我們做這個都是為了他們，這樣他們就不會害怕上樓。」

她笑著擁住我。「欸，真是個固執的孩子，妳跟妳哥都是。一定是遺傳到你們的爸爸，絕對不是我。我很容易放棄。」

「媽媽！」我忽然大叫，覺得很不自在。「妳還在上學嗎？妳的打字有進步了，對不對？」

「對啊，當然有。」她又笑了笑然後坐回椅子上，她抬起手像在欣賞手上戴的手鍊。我開口想問她為何去祕書學校需要戴那麼多首飾，但她卻開口說道。「你們的花園現在需要的是動物。」

「可是媽媽，如果連玫瑰花都做不出來，我們怎麼畫得出動物啊？」

她對我做了個鬼臉，笑了一下，將微涼的手指在我鼻上描繪。「凱西，妳真是個懷疑主義者。什麼都要問，什麼都懷疑，妳現在該明白，只要那件事妳非常想做，就一定能做得到。我要告訴妳一個小祕密，我早就知道了，在這世上只要有任何一件困難的事情，就一定有本書會告訴妳那件事其實很簡單。」

這我得弄個明白。

媽媽帶了好多藝術教學的書給我們。頭一本書教我們把所有複雜的設計簡化成最基礎的球體、圓柱體、圓錐體、長方體和立方體。一張椅子只不過是個立方體，我以前從不曉得。一棵聖誕樹只不過是倒立的冰淇淋圓錐體，我以前也不知道。人也不過是基礎形體的組合：頭是球體，手、脖子、腿和軀幹，上上下下都只是長形的立方體或圓柱體，然後腳是三角形。信不信，用這種基本方法加上一些簡單的裝飾，我們很快就做出兔子、松鼠、小鳥，還有其他友善的小動物，全都是我們親手做的。

的確，那些動物看起來有點奇特。我覺得古怪感讓牠們更加討喜。克里斯將他的動物都照實著色。我在我的動物上畫了點點、條紋格子和彩色格子，還在生蛋母雞上貼了蕾絲邊口袋。因為我們的母親在縫紉用品店買了東西，我們有蕾絲、各種顏色的線、鈕釦、小圓片、毛氈、小水晶和其他裝飾材料。有無窮的可能組合。她將那盒子遞進我手中，我知道那時我的雙眼一定流露著對她的愛。因為這確實證明，即使她外出也會想著我們。她沒有只想著自己的新衣服、新首飾和化妝品。她**真的**努力要讓我們遭到禁錮的生活盡量舒適。

在一個雨天下午，克瑞拿著一隻橘色紙蝸牛跑來找我，他忙了一整個早上和半個下午，連最喜歡的花生果醬三明治都只吃了一點點，又亢奮地回去做他的「作品」，做那個「把頭伸出來的東西」。

他自滿地退了一步，小腳張得開開的，注視我臉上閃過的每個表情。他做出來的東西看起來不過像是一顆歪一邊的沙灘球，上頭還有顫動的觸鬚。

「妳覺得這是隻好蝸牛嗎？」他問道，皺眉擔憂地望著不知該說什麼的我。

「是，」我很快回答，「這是一隻很棒很漂亮的蝸牛。」

「妳不覺得看起來像個柳橙？」

「不，當然不像，柳橙不會像這隻蝸牛一樣有螺旋，也沒有彎彎的觸鬚。」

克里斯走了過來檢視我手中那可憐的小生物。「妳不能說那是觸鬚，」他糾正我。「蝸牛屬於軟體動物門，身體柔軟沒有脊椎，那些小小的部位叫做觸角，跟蝸牛的腦部連結在一起，管狀的腸子連到口器上，靠著齒輪般的腹足移動。」

「克里斯多弗，」我冷冷說道，「要是我跟克瑞想知道蝸牛的管狀腸子，我們會發電報給你，拜託滾到一邊去等電報。」

「妳想要一輩子都那麼無知？」

「對！」我憤怒回應，「說到蝸牛，我寧可什麼都不知道！」

克瑞緊跟我後頭，我們去看凱芮正將一片片紫色的紙黏在一起。她幹活的方式很草率，不像克瑞那樣仔細勤奮。凱芮用剪刀無情地在她的紫色玩意上戳了個洞。然後在那個洞後方貼了一片紅紙。她把這個玩意拼好時，說是一隻蟲。那波浪狀的模樣像是一條紅尾蟒蛇，有一隻刻薄的紅眼睛和黑色蜘蛛腳般的睫毛。「它的名字是查理。」她說道，把四隻腳的「蟲子」遞給我。（一個東西沒有名字的時候，我們就會取個C字母開頭的名字，好讓它成為我們的一員。）

在有著紙花的美麗花園裡，我們在閣樓牆上黏貼那個有癲癇症的蝸牛，旁邊貼了隻凶猛可怕的蟲子。哦，牠們還真登對啊。克里斯坐下來用紅字大大地寫下告示牌：所有動物必須小心那隻蟲！我也寫下自己的告示牌，覺得克瑞那隻小蝸牛生命堪憂，這屋裡有醫生嗎？（克瑞將這隻蝸牛命名辛蒂·劉。）

媽媽看著這一天的成果，笑得開懷，因為我們都很開心。「有啊，這屋裡當然有醫生，」她說道，然後倚身親吻克里斯的臉頰。「我這個兒子向來都知道要怎麼照顧生病動物。至於克瑞，我喜歡你的蝸牛，她看起來……很……很靈巧。」

「妳喜歡我的查理嗎？」凱芮焦慮問道。「我把它做得很棒。我用了所有紫色的紙讓它變大隻。現在我們沒有別的紫色紙了。」

「這是隻很漂亮的蟲，真的很棒，」媽媽把雙胞胎抱到膝上，給予他們她偶爾漏掉的親吻和擁抱。「我特別喜歡妳在紅眼睛周圍加的黑睫毛，讓人印象深刻。」

她椅子上坐了三個人，克里斯倚在扶手邊，臉蛋跟媽媽靠得很近，這真是個愜意的景象。而我必須用我那討人厭的方式上前破壞。

「媽媽，妳現在一分鐘能打多少字？」

「我有進步了。」

「進步多少？」

「凱西，我盡力了，真的，我說過那鍵盤上沒有字母標示。」

「那速記呢？妳聽寫有多快？」

「我正在努力。妳得耐心點。沒有事情在一夜間就能學會。」

耐心。我將耐心塗上灰色，讓它籠罩著黑雲。我將希望塗上黃色，就像我們在清晨時分能短暫見到的太陽。太陽一下子在天上高高升起，消失在視線外，只留下失落的我們望著藍天。

當你長大成人，有無數件大人的事要做，你就忘了孩童時期的一天有多漫長。我們好像在短短七個星期內就活過了四年一般。然後又是一個可怕的星期五，我們得一早起床，像女僕般匆忙清理臥室和浴室裡證明我們存在的事物。我剝下床單，跟枕套毛毯一起捲成球狀，然後我將床罩直接套在床墊上，外婆叫我這麼做。克里斯在前一晚就將火車軌道一一拆解。我們發狂似地把房間和浴室整理得一塵不染，然後外婆帶著野餐籃走進來，要我們把籃子帶上閣樓在那裡吃早餐。我萬分小心地抹掉我們留下的所有指紋，桃花心木家具閃閃發亮。她看到以後狠狠責罵，說她得用吸塵器收集的灰塵在所有家具上再灑一層灰。

我們七點起就待在閣樓教室裡，吃加了葡萄乾的冰冷麥片和牛奶。我們能隱約聽見下方有女僕在我們的房間裡走動。我們踮著腳尖走到樓梯口，成團擠在最上端的台階聆聽下方的動靜，雖然我們無時無刻不害怕會被發現。

聽見女僕走動並嬉笑聊天，而外婆站在壁櫥門邊指揮她們清理鏡子，打上檸檬蠟，然後晾床墊，這讓我覺得萬分詭異。難道那些女僕沒有察覺哪裡不太對勁？我們不是已經留下氣味讓她們發現克瑞時常尿床嗎？這一切顯得我們其實**並不**存在，也沒有活在世上，我們僅有的氣味也不過是虛幻的想像。我們相互擁抱，緊緊地抱著。

女僕沒有走進壁櫥，她們也沒打開那扇高高的窄門，沒人沒看見或聽見我們。她們也沒有覺得奇怪，為何外婆在她們刷洗浴缸、清潔馬桶和刷洗瓷磚地板時，依舊寸步不離。

星期五確實對我們所有人造成某種奇妙影響。我相信我們都開始自我否定，因為後來我們都相對無言，無論玩遊戲和看書都不專心，只是默默地剪著鬱金香和水仙，等待媽媽造訪，將希望再次帶給我們。

不過我們還很年輕，希望依然根深蒂固，當我們回到閣樓裡看見我們茁壯的花園，還歡笑能夠假裝沒事。畢竟，我們在這世上留下了痕跡，我們確實把又醜又乏味的東西變得美麗。

現在雙胞胎像蝴蝶般飛舞在可動式的花朵間。我們把鞦韆上的他們推得好高，製造狂風讓花朵狂擺。我們躲在比克里斯還矮的紙板樹林間，坐在混凝紙漿做的蘑菇上，菌傘用多彩泡棉墊做成，老實講還比真蘑菇來得好，除非對吃蘑菇有興趣。

「好漂亮！」凱芮叫喊，她抓著荷葉邊短裙轉了又轉，好讓我們能瞧見媽媽昨天給她的新蕾絲內褲。所有新衣新鞋都得跟著凱芮和克瑞在床上睡過第一晚。（晚上醒來臉頰挨著運動鞋鞋底真的很可怕。）「我也要當芭蕾舞者。」她開心說著，然後轉了一圈又一圈直到跌倒，克瑞急忙上前看她有沒有受傷。她看到膝蓋有道傷口滲血就尖叫。「哦！要是當芭蕾舞者很痛，我就不當了！」

我不敢讓她知道那很痛。哦，天啊，很痛嗎！

恍如昨日，我曾在真正的花園和樹林裡漫步，感覺著裡頭的神祕氣息，就好像有什麼神奇又不可思議的東西藏在角落。為了讓我們的閣樓花園也有魔力，我跟克里斯在地上到處爬，用白粉筆在地板上畫雛菊，將花朵連成一個圓圈。在這個白花精靈環裡，所有邪惡事物都會被消滅。我們可以盤腿坐在地板上，只點一盞燭光，我跟克里斯可以編出好長好長的故事，故事裡有會照顧小孩的善良仙女和老是被打敗的邪惡女巫。

然後克瑞開口說話。他總是那個提出最難回答問題的人。「草都去哪了？」

「上帝把草帶去天堂了。」凱芮讓我可以不用回答。

「為什麼？」

「為了爸爸。爸爸喜歡割草皮。」

克里斯的目光對上我的，我們以為他們忘記爸爸了。

克瑞皺起他稀疏的眉毛，盯著克里斯做的紙板小樹。「大樹都去哪了？」

「一樣啊，」凱芮說道。「爸爸喜歡大樹。」這一次我的目光飛得老遠。我好痛恨對他們說了謊，哄騙他們這只是個遊戲，一場玩不完的遊戲，他們似乎得比我跟克里斯更有耐性才能忍受。而他們從來不問我們為何要玩這個遊戲。

外婆一次也沒有走上閣樓問我們在幹嘛，雖然她常常盡量小聲地打開臥室房門，希望我們沒注意到鑰匙在門鎖裡轉動的聲音。她會從門縫裡偷瞄，試圖逮到我們做出什麼「有罪」或「邪惡」的事。

在閣樓裡我們想做什麼就做什麼，不用擔心被懲罰，除非上帝揮動鞭子。外婆每次離開房間都要提醒我們，即使她不在場，上帝也在上頭注視我們。因為她從不走進壁櫥打開閣樓樓梯口的門，我就起了好奇心。我提醒自己等媽媽來了要問她，才不會又忘了問。「為什麼外婆不自己走上閣樓看我們在做什麼？為什麼她只會發問，然後以為我們會說實話？」

媽媽看起來疲憊沮喪，蜷縮在她的專用椅上。她那件新的綠色羊毛套裝看起來很昂貴。她找了美髮師，換了新髮型。她不加思索地回答我的問題，彷彿她腦中正思考著更有吸引力的事，「哦！我沒告訴過你們嗎？你們的外婆有幽閉恐懼症。那是一種心理上的折磨，讓她在狹小密閉的地方會呼吸困難。因為啊，她小時候常被她父母處罰關在壁櫥裡。」

哇！很難想像那個高大的老婦人也曾有過受處罰的年幼時期。我幾乎要因此為她感到可憐了，但我也明白她很樂意看到我們被關住。從她每次注視我們的眼神就看得出，能把我們俐落地關在這裡讓她洋洋得意十分滿足。不過，命運給了她這種恐懼症還真是奇怪，為此已經足以讓我跟克里斯親吻狹窄通道裡那可愛迷人又緊貼的牆面了。我跟克里斯時常猜想那些大家具是怎麼運上閣樓的，絕對不可能巧妙通過那個小壁櫥再運上樓梯，那樓梯不過三十多公分寬。儘管我們努力尋找閣樓是否有另一個較大的出入口，卻從沒尋獲。說不定就藏在某一座巨大衣櫥後頭，但衣櫥太重我們挪不動。克里斯認為最大的家具可能先吊到屋頂上，再從其中一扇大窗搬進來。

女巫般的外婆每天到我們的房間來，用她燧石般的目光刺著我們，用她那薄薄的彎唇咆哮。每天她都問同樣的老問題：「你們都做了什麼？你們在閣樓裡做什麼？你們今天吃飯前有沒有禱告？你們昨晚有沒有跪下來請求上帝原諒你們父母犯下的罪？你們有沒有教那兩個年幼孩子上帝的教誨？你們有沒有男女共用浴室？」天啊，她閃動的目光是那個意思嗎！「你們有沒有一直保持端莊？你們有沒有不讓異性看見自己身體的私密部位？除了必須清潔的時候，你們有沒有碰觸自己的身體？」

天啊！她將裸露肌膚形容得好下流。她離開後，克里斯大笑。「我想她胸罩一定是用黏的。」他開著玩笑。

「不對！她是用釘的！」我下了結語。

「妳有沒有留意到她很愛穿灰色衣服？」

留意？誰會沒注意到？她永遠都穿灰的。有時候灰色搭配紅色或藍色的條紋和小彩格圖案會很好看，要用很淺的灰色或是用提花機去織，可是她身上的布料永遠都是塔夫塔綢，高高的領口別上一只鑽石胸針，只有手工編織的衣領比較柔軟。媽媽已經對我們說過，有個住在鄰近村莊的寡婦會替人訂做像盔甲般的制服。「這位女士是我母親的密友。她都穿灰色衣服是因為採購整匹布料比按碼計價來得便宜，而且你們外公在喬治亞州某處有間工廠生產上等布料。」

天啊，連有錢人也得如此吝嗇。

九月的某個下午，我匆匆跑下閣樓樓梯，急著去浴室，然後我忽然撞上外婆！她抓住我肩膀，俯視著我。「女孩，要看路！」她斥責著。「妳為什麼匆匆忙忙的？」

隔著我藍色上衣的薄布料，她的手指觸感有如鋼鐵一般。是她先問話的，所以我可以回答。「克里斯在畫一幅最漂亮的風景畫，」我喘著氣解釋，「然後我得立刻帶清水回去，不然他那張大水彩畫就要乾掉。保持顏色清晰是很重要的。」

「為什麼他不自己下來拿水？為什麼妳要伺候他？」

「他在畫畫，而且他問我能不能幫他拿清水，我沒做什麼事只是在那裡看他畫畫，而且雙胞胎會把水弄翻。」

「愚蠢！永遠不要伺候男人！讓他自己做。現在講實話，你們**到底**在樓上做什麼？」

「是真的，我說的是實話。我們忙著將閣樓裝飾漂亮，好讓雙胞胎不害怕，而且克里斯是很出色的藝術家。」

她哼了一聲然後輕蔑地問著，「妳怎麼知道？」

「外婆，他有藝術天分，他所有的老師都這麼說。」

「他有沒有叫妳替他擺姿勢、脫衣服？」

我嚇呆了。「沒有。當然沒有！」

「那妳幹嘛發抖？」

「我……我很怕……妳，」我說話結結巴巴，「妳每天進房就問我們有沒有做邪惡有罪的事，而且說真的，我不懂妳以為我們在做什麼事。如果妳不講明白，我們如果不知道那是壞事，怎麼知道不能做？」

她低頭看著我赤裸的雙足，然後譏諷地笑出來。「問妳哥哥，他懂我的意思。所有雄性動物生來就明白一切邪惡事物。」

天啊，我又不是瞎子！克里斯不邪惡，他也不壞。有時候他很煩人，但那不是邪惡。我試著想告訴她這點，但她不想聽。

那天她後來又來了我們房間，並帶了個插著黃色菊花的陶罐。她直直走向我，把罐子放進我手裡。「給你們假花園用的真花。」她話中不帶一絲暖意。她做的這件事真的很不巫婆，讓我忘了呼吸。她是不是變了，開始用不同的眼光來看我們？她會學著喜歡我們嗎？我熱情地感謝她送花給我們，也許太過熱情，因為她轉身就走，好像覺得很尷尬。

凱芮跑過來將小臉埋進這一大簇的黃色花瓣裡。「好漂亮，」她說道，「凱西，這可以給我嗎？」當然可以。這盆花被滿懷敬意地放在閣樓東邊的窗台上吸收清晨陽光。那方向只能看到丘陵和遠處山脈以及山間樹林，上方都籠罩著一片藍霧。那盆真花跟我們一起過夜，這樣一來雙胞胎早上起床就能看見身旁有個正在生長的美麗事物。

當我回想起年輕時，我彷彿又再次見到那藍霧群山和丘陵，還有成排種在坡地的林木，接著我又聞到我們每天呼吸的汙濁乾空氣，看到閣樓中的影子跟我心中的黑影融合在一起，聽見那些沒說出口又沒有回應的問題。為什麼？什麼時候？還要多久？

愛……我是那麼地信賴。

實話……我一直相信鍾愛與深信之人口中傾吐的話語。

信念……全都連繫著愛和信任。一種信念將在何處終結，又將在何處開始另一種信念？我要如何才會知道愛何時會變成最最盲目的信念？

兩個月以上的時間過去了，外公依然活著。

我們或站或坐，躺在閣樓天窗的廣闊窗台上。我們渴切地望著樹梢從夏天的深綠一夜之間變成秋天燦亮的紅金橙棕。這觸動了我。我想我們所有人包括雙胞胎，看到夏去秋來都很有感觸。我們只能凝望著，永遠無法參與其中。

我的思緒狂亂奔放，只想逃離這個囚牢，任風吹動我頭髮，刺痛我皮膚，好讓我再次感覺自己活著。我羨慕所有外頭的小孩，能夠自由自在奔跑過變成褐色的草地，拖著腳步走在啪啦響的乾枯落葉上，就像我以前那樣。

為什麼我從未了解，我自由自在奔跑的時候正體驗著幸福。為什麼我那時總想著：幸福永遠都在未來的前方，我會變成大人，能夠自己做決定，走自己的路，做自己的主人？為什麼一個孩童永遠都不滿足？為什麼我覺得幸福是留給那個長大的人？

「妳看起來很悲傷。」克里斯說道，他緊緊擠在我旁邊，他另一邊是克瑞，而我的另一邊是凱芮。現在凱芮是我的小影子，我去哪她就跟到哪，我做什麼她就學我，還照著她心裡想的來模仿我的反應。克里斯身邊也有個小小的會模仿的小影子，就是克瑞。如果有四個兄弟姊妹比我們還親近，那一定是四胞胎的連體嬰。

「妳不回答我的話嗎？」克里斯問道。「為什麼妳看起來那麼悲傷？那些樹不是很漂亮嗎？夏天時我最喜歡夏天，不過現在秋天來了我又喜歡秋天，等冬天來臨那就會是我最愛的季節，等春天再次到來，我又覺得春天最好。」

沒錯，這就是我的克里斯多弗・瓷娃娃。他能夠屈就現況，不管周遭如何，永遠往最好的方面去想。

「我在回想年老的巴特蘭女士和她講得很無趣的波士頓茶黨事件。她讓歷史顯得好沉悶，那些人物都不太真實。不過，我寧願再無聊一回。」

「是啊，」他贊同說道，「我懂妳的意思。我也覺得學校很無聊，歷史課很煩悶，尤其是美國歷史，全都是印第安人和美國舊西部。不過至少我們在學校可以跟同年紀的人做一樣的事。現在我們只是在浪費光陰，什麼事也沒做。凱西，連一分鐘也別再浪費！替我們出去的那天做準備吧。要是沒在心中堅定立下目標而且努力去做，那就永遠無法達成。我要說服自己，要是我不能當醫生，我就什麼都不想買，或是不買任何超出預算的東西！」

他講得好認真。我想當個頂尖的芭蕾舞者，不過別的選擇也能滿足我。克里斯好像讀了我的心似地皺起眉頭。他將夏空般湛藍的雙眼轉向我，然後指責我到這裡生活後就沒有練過一次芭蕾。「凱西，我明天會在閣樓裝潢好的地方裝上練芭蕾的扶手，妳每天都要練習五、六個小時，就像在上芭蕾課一樣！」

「我不要！沒有人可以叫我做任何事！而且沒穿練芭蕾的衣服就做不出芭蕾舞姿勢的！」

「說什麼蠢話！」

「那是因為我很蠢！而你，克里斯多弗，腦袋全在你那裡！」我猛然大哭離開閣樓，跑過所有紙花和動物。奔、奔、奔向樓梯，跑、跑、跑下陡峭狹窄的木階，向跌倒的命運挑戰。跌斷腿、摔斷脖子、放進棺材死去。讓所有人感到遺憾，讓他們為了我原本能成為的舞者而泣。

我撲倒在床上，對著枕頭啜泣。我什麼都沒有，只有夢想和希望，卻不是現實。我會變老變醜，再也見不到很多人。那個樓下的老人卻可以活到一百一十歲！那些醫生全都會讓他永遠活下去。我會錯過萬聖節，不能搗蛋，沒人請客，沒有宴會，沒有糖果。哦！我可憐我自己，我發誓有人要付出代價，為這一切付出代價！

我的兩個兄弟和我的小妹穿著髒髒的白運動鞋下樓來找我，將他們珍藏的物品當作小禮物來安慰我：凱芮送了紅色蠟筆和紫色蠟筆，克瑞送《彼得兔》圖畫書，但克里斯只是坐在那裡望著我。我從未感覺如此渺小。

有天傍晚，已經很晚了，媽媽帶著一個大盒子過來，放進我手裡要我打開。裡頭的層層白紙間是芭蕾舞衣，一件是閃亮的粉紅色，另一件是水藍色，還有搭配薄紗舞裙的芭蕾緊身褲和芭蕾舞鞋。附帶的小卡寫著：「克里斯多弗贈」，還有芭蕾舞的音樂唱片。我緊緊環抱我的媽媽然後再抱向哥哥，開始哭泣。這一次不是沮喪或是絕望的淚水。現在我有可以努力的事了。

「我最想幫妳買的是白色舞衣，」媽媽說道，依然抱著我。「有一件很漂亮，但尺寸太大不適合妳，還附上一個白羽毛的頭飾會垂在耳際，跳天鵝湖用的。凱西，我替妳訂了一套。三件舞衣應該足以鼓勵妳，是吧？」

哦！是的！克里斯在閣樓的一面牆上牢牢地釘上扶手，我播放音樂，連續練習好幾個小時。扶手後方沒像我上過的芭蕾班那樣有大片鏡子，但我心中有一大片的鏡子，我把自己當成帕芙洛娃[1]在上萬的陶醉觀眾面前演出，我一再安可謝幕，然後鞠躬收下幾十束獻花，每一束都是紅玫瑰。媽媽及時買了每一張柴可夫斯基的芭蕾舞樂曲給我，能在唱片機上播放，那台唱片機接上幾十條延長線一路往下，沿著樓梯連接到我們臥室裡的插座。

隨著美妙樂音起舞能超脫自我，暫時忘卻我們正在流逝的人生。既然我能跳舞，那又有什麼關係？做高難度動作時最好旋轉腳尖假裝自己有個舞伴為我撐托。我會跌倒又爬起，然後繼續跳到喘不過氣，每條肌肉都發疼，我的緊身褲因汗水黏在身上，頭髮也濕了。我會平躺在地板上休息喘氣，然後再度起身走到扶手邊做下蹲訓練。有時候我是〈睡美人〉裡的奧羅拉公主，有時我也會跳王子的部分，高高躍向空中然後劈開雙腿。

有一次我跳完垂死天鵝掙扎的結束動作，然後抬頭看到克里斯站在閣樓暗處，他表情古怪至極地看我跳舞。他很快就要過十五歲的生日，他怎會已經不像男孩而是個大人？是否只有他漠然的眼神訴說他迅速脫離了童年？

我綳著腳尖踏出一連串小而平穩的行進動作，這動作會讓人覺得舞者像是在舞台上滑動，宛如一串珍珠。我就這樣翩翩滑向克里斯，伸出雙手。「來吧，克里斯，當我的男伴，我教你怎麼跳。」

他笑開了，似乎被逗樂了，但他搖頭說絕無可能。「芭蕾舞不適合我。不過我倒是很想學華爾滋，如果音樂能換成史特勞斯的話。」

他讓我大笑。在那時我們唯一擁有的華爾滋音樂（除了芭蕾樂曲）是史特勞斯的老舊唱片。我急忙跑向唱片機換下〈天鵝湖〉的唱片，然後放上〈藍色多瑙河〉。

1 譯注：安娜・帕芙洛娃（Anna Pavlovna），俄國芭蕾舞者，被後世譽為最完美的芭蕾伶娜。

克里斯很笨手笨腳。他笨拙地擁著我，好像很窘迫。他踩到我粉紅色的芭蕾舞鞋。不過他那奮力想跳好簡單舞步的模樣很令人同情，我不知道是否他所有天分都集中在他聰明腦袋和藝術家般的雙手裡，因為他的腿腳顯然一點天分也沒有。不過史特勞斯的華爾滋舞曲有種迷人討喜的感覺，好跳又浪漫，跟那些讓人流汗喘氣的競技芭蕾華爾滋大不相同。

等媽媽終於從那扇門走進來，帶著那跳〈天鵝湖〉用的超棒白色舞衣，一件美麗的羽飾短胸衣、頭飾、白色舞鞋，還有白色緊身褲薄到能透出我皮膚的粉色，我抽了口氣！

噢，只要真正在乎我的人送個繫著紫色蝴蝶結的白色綢緞盒，而且還有另一個真正在乎我的人給她這個念頭，似乎愛、希望和幸福就能降臨在閣樓。

跳吧，芭蕾舞者，跳吧，旋轉腳尖！
帶著心痛隨著旋律。
跳吧，芭蕾舞者，跳吧，不可忘卻！
舞者該跳的舞，
妳說他的愛要擱一旁，
妳要的是成名，我猜妳是這麼想，
我們學習成長……愛已不再，芭蕾舞者，已不再……

克里斯終於學會華爾滋和狐步舞。我想教他查爾斯登舞，他卻拒絕：「我不需要像妳一樣得學會所有舞步。我不用登台表演，我想學的只有怎麼挽著女孩走進舞池，然後不會讓自己出糗。」

我一直都在練舞，沒有一種舞步是不會或不想跳的。

「克里斯，有件事你得明白：你不能一輩子都跳華爾滋或狐步舞。每年流行的舞步會變，就像服裝流行一樣。你得跟上時代然後適應。來吧，我們來活動一下，好讓你活動那嘎吱響的關節，一直坐著看書，關節都僵硬了。」

我停下華爾滋舞步，跑去換上另一張唱片：〈你什麼都不是就是一條獵狗〉。

我舉起雙手，開始扭動臀部。

「搖滾吧，克里斯，你得學著跳。聽那節奏，要放得開，學著像貓王一樣轉動屁股，要是你不會，就沒有女孩會愛上你。」

「那就讓女孩都不愛我吧。」

那就是他說話的方式，完全平板又嚴肅。他不會讓任何人逼他做不符自己形象的事，我有點喜歡他這種自我堅持，強硬堅決，堅持做自己，就算他這種風格早就脫離時代潮流。我的克里斯多弗先生是個英勇騎士。

＊　＊　＊

我們就像上帝，任意替閣樓變換季節。我們取下花朵，掛上深棕、黃褐、緋紅和金色的秋葉。要是冬天雪花飄落時我們還待在這裡，為了保險起見，我們已預先剪好白色的花邊圖樣可以用來替換。我們用白灰黑的牛皮紙做了野鴨和鵝，將可動式的鳥群排成大大的人字形，向著南飛。鳥兒很好做，只要瘦長的橢圓形再加個頭部的球形，還有淚滴狀的翅膀。

克里斯沒埋頭閱讀時，他會畫水彩畫，畫出白雪覆蓋的丘陵和有人在溜冰的湖面。他畫下深埋在雪中的黃色和粉紅色房子，有煙霧從煙囪盤旋升起，遠方還有座朦朧的教堂尖塔。他畫好之後在這幅風景外描繪出深色的窗框。將這幅畫掛在牆上後，我們就擁有一幅窗景！

以前克里斯戲弄我時，我總是不開心，不過我們來這裡之後我的哥哥就改變了，如同我們改造閣樓一般。我們會肩併肩躺在一張髒汙難聞的舊床墊上，花好多時間交談，談論我們在得到自由又有錢得像麥達斯國王後要過什麼生活。我們要環遊世界。他會愛上最美麗性感的女人，她聰明體貼又迷人，而且跟她在一起會很愉快；她會是完美的家庭主婦、最忠貞的妻子、最棒的母親，而且她永遠不會嘮叨抱怨哭泣，也不會質疑他的決定，要是他在股市失利賠掉所有錢，她也不會失望氣餒。她會明白他盡力了，而且很快會用他的聰明才智再把錢賺回來。

天呀，他讓我心情好糟。我要怎樣才能符合像克里斯這種男人要求的條件？我莫名自知自己把他當成標準，用來衡量未來追求我的那些人。

「克里斯，那個聰明迷人有智慧又出色的女人，她絲毫不能有缺點嗎？」

「為什麼她會有缺點？」

「拿我們的母親當例子，你覺得她具備了所有條件，大概除了聰明以外。」

「媽媽不笨！」他激烈辯護。「她只是生長在錯誤環境裡。她小時候就被打壓，讓她覺得自己是女孩所以看低自己。」

至於我，我並不清楚在當了幾年的頂尖芭蕾舞者，準備好要結婚安頓時，自己到底想要什麼樣的男人，要是他比不上克里斯或我爸爸的話，會是什麼樣？我知道他要很英俊，因為我想生漂亮寶寶。他要很聰明，不然我可能不會尊敬他。在我收下他的求婚鑽戒前，我會要他坐下來玩遊戲，要是我一贏再贏，就會笑著搖頭，請他把戒指退回店裡。

當我們為未來訂定計畫，一盆盆的蔓綠絨垂頭枯萎，常春藤的葉子變黃死去。我們急忙奔走，給盆栽植物溫柔深情的照顧，對它們說話，懇求它們，要它們別再病懨懨而且振奮抬頭。再怎麼說，它們得到了所有最有益健康的日光，來自東邊的清晨陽光。

不過幾個星期，克瑞和凱芮就不再撒嬌說要去外面。凱芮不再用她的小拳頭拍打櫟木門扇，克瑞也不再試著用他的小腳徒勞地想踢倒門扇，只穿著柔軟的運動鞋踢門可不會讓他腳趾不瘀青。

他們現在柔順地接受他們先前所否認的現實，閣樓「花園」就是他們唯一能去的「戶外」。這實在可悲，他們不用多久就忘了我們被關住的地方之外，還有另一個世界。

我跟克里斯拖了好幾塊舊床墊到東邊的窗戶附近，我們可以將窗戶大開，不必透過骯髒窗玻璃就能直接沐浴到有益健康的光線。孩童的成長需要陽光。我們只要看著垂死的植物，就能明白閣樓的空氣是如何對待我們的綠色植物。

我們毫不怕羞地脫掉所有衣物，在日光短暫地經過窗口時做日光浴。我們看見彼此身體的差異，沒做多想，我們老實地告訴媽媽我們都做了些什麼，免得自己死於缺少日照。她望向克里斯又看著我，然後勉強笑了笑。「沒關係，可是別讓你們外婆知道。你們很清楚，她不會贊同的。」

我現在明白了，她看著克里斯然後又看我，是想知道我們仍然無知或是性意識已經覺醒。她一定看出了什麼讓她得以肯定，我們依舊只是孩子，但她早該明白的。

雙胞胎喜歡光著身子像嬰兒般玩耍。他們用類似《愛麗絲夢遊仙境》角色的「度度」和「哈啦嚐」名稱來稱呼彼此，歡樂地咯咯笑，喜歡盯著「度度」跑出來的地方，然後猜想為什麼克瑞的哈啦嚐跟凱芮的那麼不同。

「克里斯，為什麼？」凱芮指著那個我和她沒有而他和克瑞有的部位。

我繼續讀《咆哮山莊》，試著不去理會這種白痴對話。

不過克里斯試圖給出答案，盡可能與現實無誤，「所有雄性生物的性器官都在外面，雌性的塞在裡面。」

「端整地放在裡面。」我說道。

「是啊，凱西，我知道妳喜歡妳那端整的身體，而我喜歡我那不端整的身體，所以讓我們一同慶祝我們都有自己想要的。我們的父母像認同我們的雙眼和頭髮般接納我們光溜溜的身子。然後我忘了，雄鳥的器官是『端整地』塞在裡面，就跟雌鳥一樣。」

我好奇地問，「你怎麼知道？」

「我就是知道。」

「你在書上看到的？」

「不然呢？妳以為我抓了一隻鳥去研究嗎？」

「我相信你可能會這麼做。」

「至少我有讀書來增進腦力，不是純粹為了娛樂。」

「你一定會變成很乏味的人，我警告過你了。要是雄鳥的性器官塞在裡面，難道不會變成雌鳥嗎？」

「不會！」

「可是，克里斯多弗，我不明白，為什麼只有鳥類不一樣？」

「牠們為了飛行要保持身體的流線性。」

這是另一個令人費解的謎題，但他總是答得出來。我只知道最最聰明的人才會答得出來。

「好吧，可是為什麼雄鳥要長成那樣？流線性不列入考慮的話。」

他臉色變得通紅掙扎著，然後努力地修飾一番再將話說出口。「雄鳥可以讓自己情緒高昂，然後就能讓裡頭的東西跑到外面。」

「怎樣才能情緒高昂？」

「閉嘴看妳的書！也讓我看我的書！」

有幾天冷到沒辦法做日光浴，接著愈來愈酷寒，即使穿上我們最厚最保暖的衣服，若不跑動就會抖個不停。早晨的太陽一下子就從東邊溜走，留下我們孤單地盼望南邊也能開窗。但那邊的窗戶都裝了百葉板而且上鎖。

「沒關係，」媽媽說道，「早晨的陽光最有益健康。」

這些話沒有鼓舞我們，因為我們的盆栽植物即使吸收了最健康的晨光，還是一一死去。

十一月後，閣樓變得像北極那麼冷。我們的牙齒打顫，鼻水直流，常常打噴嚏，然後向媽媽抱怨我們需要一個有煙囪的火爐，因為教室裡的兩座火爐煙囪都不通了。媽媽提過要帶電氣暖爐或煤油暖爐過來。但她怕電氣暖爐接了太多延長線會走火，煤油暖爐又需要煙囪。

她帶了又長又重的內衣褲，厚重的滑雪連帽夾克，還有顏色鮮亮的羊毛內襯雪褲。我們穿上這些衣物後每天還是上了閣樓，在那裡我們能自由奔跑，逃離外婆極度敏銳的目光。

在我們擁擠的臥室裡，我們沒什麼走路空間，總是會撞上東西，搞得皮膚瘀青。我們在閣樓裡可以放肆嬉鬧，尖叫著追逐彼此，大玩躲貓貓、抓人、其他激烈的小遊戲。我們偶爾打架、爭吵、哭泣，然後又開始玩耍。我們特別喜歡捉迷藏，我跟克里斯喜歡讓這遊戲格外嚇人，但只稍微嚇唬雙胞胎，他們已經受夠來自漆黑閣樓暗處徘徊的好多「壞東西」的驚嚇。凱芮認真地說她看到怪物躲在被白布罩住的家具後面。

有天我們在北極般的寒冷閣樓裡找克瑞。「我要下樓。」凱芮說道，她的小臉憤憤不平，嘟著嘴巴。最好別試圖讓她留在這裡活絡身體——她太過頑固。她穿著紅色的小滑雪衣大搖大擺離去，留下我跟克里斯到處搜尋克瑞。一般來說，他實在太容易找到。他總是躲在克里斯上次躲的地方。所以我們相信只要直直走向第三座大衣櫥就會找到克瑞，他會蹲著身子躲在舊衣服下然後對我們咧嘴笑。我們想讓他玩得開心，故意不去探看那座衣櫥，過了一段時間我們才決定要「找到」他。天啊，我們找了，但他卻不在那裡！

「哦，慘了！」克里斯驚訝叫嚷。「他終於懂得創新，會自創躲藏的地方了。」

讀了太多書就是那樣，腦子裡塞滿艱深詞彙。我揉著流鼻水的鼻子，然後又找了一遍。如果真的是創新之舉，那這個許多廂房的閣樓就有無數個適合躲藏的地點。哦！我們可能得花上好幾小時才能找到克瑞。而我又冷又累也不耐煩，不想再玩這個遊戲，克里斯堅持為了活動身體，我們每天都得玩。

「克瑞！」我大喊。「不管你躲在哪，出來吧！該吃午飯了！」這應該能讓他跑出來。吃飯是件舒服愜意的事，將我們漫長的時間分割成片段。

然而，他還是沒有回應。我憤憤地望向克里斯。「是花生奶油葡萄果醬三明治，」我又加了一句。這是克瑞最愛的食物，應該能讓他飛奔而出。然而，沒有聲響，沒有哭聲，什麼都沒有。

我突然慌了。我不相信克瑞已經不再害怕廣大陰暗的閣樓，而且終於認真玩起遊戲，不過要是他試著模仿我或克里斯呢？天啊！「克里斯！」我大喊。「我們得找到克瑞，而且要快！」

他聽出我的驚恐，轉身奔跑大喊克瑞的名字，命令他別再躲了快出來！我們兩個都跑動尋找，不斷呼喚克瑞。「捉迷藏時間結束了！現在該吃午飯了！」沒有回音，雖然我穿上所有衣服還是快凍僵了。就連我的手也開始發青。

「哦！我的天，」克里斯喃喃說著，突然頓住，「要是他躲在某個箱子裡，闔上蓋子然後彈簧鎖不小心閂上了？」

克瑞會窒息。他會死！

我們瘋了般到處跑到處瞧，打開每個舊箱子的上蓋。我們懷著狂亂痛苦的恐慌丟出箱裡的燈籠褲、連衣裙、襯衣、襯裙、束腹和套裝。我邊跑邊找，不斷向上帝祈求別讓克瑞死去。

「凱西，我找到他了！」克里斯大喊。我轉過身看到克里斯從箱中抬起克瑞毫無生氣的小身體，是彈簧鎖閂住讓他出不來。我軟弱地鬆口氣，跪下來親吻克瑞那蒼白的小臉，他臉色因為缺氧變得古怪。他雙眼微開，目光渙散，已經快失去意識。「媽媽，」他小聲說著，「我要我媽媽。」

可是媽媽還在遠方學打字和速記。這裡只有無情的外婆，我們不知道怎樣才能找她求救。

「快去把浴缸裝滿熱水，」克里斯說道，「但是別太燙。我們不能讓他燙傷。」然後他抱著克瑞朝樓梯口狂奔。

我先到了浴室，接著朝浴缸跑去。我回頭瞥見克里斯將克瑞放在他床上。然後他彎腰捏住克瑞鼻孔，低頭將他的嘴覆上克瑞張開的發青嘴唇。我的心砰砰跳！他死了嗎？他停止呼吸了嗎？

凱芮朝這現況瞄了一眼，發現自己的弟弟臉色發青毫無動靜，然後她開始尖叫。

我在浴室裡把兩邊的水龍頭都轉到最大水量，讓龍頭洶湧噴水。克瑞要死了！我一直都夢見死亡和瀕死……而我大半的夢都會成真！我總覺得上帝不在乎也不理我們時，昏亂地攫緊信仰，禱告求祂別讓克瑞死去……**求求祢，上帝，求求祢，上帝，求求祢、求求祢、求求祢……**

也許我熱切的禱告幫上了忙，讓克瑞在克里斯的心肺復甦術下活了過來。

「他有呼吸了，」克里斯臉色蒼白，顫抖著把克瑞帶進浴室。「現在我們要做的就是讓他身子回暖。」

我們快速脫下克瑞的衣服，將他放進浴缸的熱水中。

「媽媽，」克瑞醒過來時他小聲說著，「我要媽媽。」他不斷反覆說著，我好想一拳打上牆面，這真是該死的不公平！他該有他的媽媽，而不是一個不知如何是好的假媽媽。我想離開這裡，即使得去街上乞討！

但我只是冷靜地開口說話，讓克里斯抬頭對我贊許一笑。「你為什麼不能假裝我就是媽媽？我會為你做出所有她會做的事。只要你吃些午餐喝點牛奶，我就會把你抱在膝上唱搖籃曲讓你入睡。」

我說話的時候跟克里斯一起跪在他旁邊。他按摩克瑞的小腳，而我握著他冰冷雙手試著讓它們回暖。他的膚色恢復正常以後，我們擦乾他身子，換上他最保暖的睡衣然後裹在毛毯裡，我坐在克里斯從閣樓拿下來的一張舊搖椅上，把我的小弟抱在膝上。我在他蒼白小臉印上親吻，在他耳邊小聲地甜言蜜語讓他咯咯發笑。

要是他笑得出來就能吃飯，我餵他小塊三明治，讓他喝幾匙微溫的湯，然後喝很多牛奶。我做著這些事，然後漸漸變老，在十分鐘內彷彿就老了十歲。我瞥向坐下來吃午餐的克里斯，看見他也有所改變。現在我們知道，除了缺乏陽光和新鮮空氣漸漸凋零之外，什麼才是閣樓中真正的危險。儘管我們盡量除掉所有努力求生的老鼠蜘蛛，我們都面臨著更可怕的威脅。

然後克里斯走上狹窄陡峭的樓梯到閣樓去，他走進壁櫥時面目猙獰。我搖著搖椅，把凱芮和克瑞都抱在膝上，唱著「乖乖睡」。突然從樓上傳來猛烈的鎚擊聲，可怕巨響大概會讓僕人聽見。

「凱西，」凱芮打盹熟睡時，克瑞小聲對我說，「我不喜歡沒有媽媽。」

「你有個媽媽啊！我就是你媽媽。」

「妳跟真正的媽媽一樣好？」

「是啊，我覺得我是。克瑞，我很愛你，真正的媽媽就是這樣。」

克瑞的藍眼睛睜得大大的仰頭看我，看我有沒有真心誠意，或者只是在哄他而已。然後他的小手環在我頸間，把頭擱在我肩上。「媽媽，我好睏，不要停止唱歌。」

克里斯帶著滿足神情下樓，我依然搖著搖椅輕聲唱著。「再也不會有箱蓋不小心門上了，」他說道，「因為我把每個鎖都敲掉，衣櫥現在也不會再門上了！」

我點點頭。

他坐在最近的床邊看著搖椅慢慢搖晃，聽我不停唱著孩子氣的曲調。他臉上慢慢浮現紅暈，好像很不好意思。「凱西，我覺得自己被孤立了。可不可以讓我先坐上搖椅，你們三個再疊在我身上？」

爸爸以前也會那樣。他會把我們所有人都抱在膝上，連媽媽也不例外。他的雙手又長又強壯，可以把我們全都抱住，給我們最棒最溫暖的愛與安全感。我不知道克里斯是否也做得到。

我們全都一起坐在搖椅上，克里斯在最下面。我朝對面的櫥櫃鏡子瞥了一眼，有種古怪感覺。這一切看起來好不真實，我跟他看起來就像洋娃娃的爸媽，是爸爸和媽媽的小號年輕翻版。

「聖經說凡事都有定期，」克里斯輕聲說著，不想吵醒雙胞胎。「生有時，栽種有時，拔出所栽種的也有時，死有時，以及等等，而現在是我們犧牲的時刻。我們歡笑的時刻以後就會來臨。」

我轉頭然後把頭擱在他男孩子氣的肩上，慶幸他永遠那麼樂天那麼快活。有他強健的年輕臂膀環繞著我，感覺真的很好，幾乎就跟以前爸爸的手臂一樣有安全感。

克里斯說得沒錯，等離開這房間、下樓參加葬禮時，我們的快樂時光就會來臨。

9 節日

那株孤挺花細長的花莖上長出一個花苞，它是個活日曆，提醒我們感恩節和聖誕節已經不遠。這是現在唯一存活的盆栽植物，也是我們目前最珍惜的物品。我們把花搬下閣樓一起度過溫暖夜晚。克瑞每天早上最先起床，急忙跑去看那花苞，想知道盆栽是否又活過一個晚上。凱芮也跟在他後頭，站在他旁邊欣賞這勇敢獲勝的耐寒植物，別的植物都死了。他們核對掛曆看日期上頭是否框著綠色，意味著植物需要施肥。他們摸摸泥土檢查是否要澆水。他們從不相信自身判斷，總會跑來問我，「我們要不要幫花澆水？妳覺得花是不是渴了？」

我們從未忘記為所有物取個名字，不管死物活物，而我們決定不替孤挺花另取新名。克瑞或凱芮都不相信自己有足夠力氣把沉重花盆搬上閣樓窗台，陽光會在窗邊短暫停留。我獲允許搬孤挺花上樓，但晚上就得換克里斯搬下來。每天晚上我們輪流用紅色的大叉叉畫掉掛曆上的一天。我們現在已經畫掉一百個日子。

冷雨來臨，狂風吹拂，有時濃霧會掩去清晨陽光。樹木的枯枝在夜晚刮擦大宅令我驚醒，屏息等待某種可怕東西吞噬我。

有天又下著雨，晚點可能會下雪，媽媽氣喘吁吁來到我們房間，帶著一盒漂亮的宴會裝飾，讓我們放在感恩節餐桌上製造節日氣氛。她還帶了有流蘇的鮮黃色桌布和橘色亞麻餐巾。

「我們明天中午有客人要來，」她說道，把那盒子放在靠門的床上，轉身就要離開。「要烤兩隻火雞，一隻給我們，一隻給僕人。可是火雞不會那麼早烤好，沒辦法讓你們外婆放進野餐籃裡。別擔心，我不會讓我的小孩度過一個沒有節日食物的感恩節。我會想辦法偷帶一些熱食上來，夠我們所有人都吃一些。我會說自己想替父親送餐，備餐時就能把食物裝進另一個盤子，然後帶上來給你們。等著期待我明天來吧。」

她像吹過門扉的一陣風，倏地颳來又去，留下我們欣喜期待著感恩節熱騰騰的大餐。

凱芮問道，「什麼是感恩？」

克瑞回答，「跟飯前禱告一樣。」

我覺得他說的有幾分正確。而且既然他有心回答，我如果出言挑剔反駁就太該死了。

克里斯坐在大躺椅上將雙胞胎抱在膝頭，告訴他們那久遠的首次感恩節由來。我像主婦般忙前忙後，十分開心地擺設節慶餐桌。我們的座位牌是四隻小火雞，尾巴攤成扇形弄出橘黃蜂巢紙的羽毛模樣。我們有兩個大南瓜蠟燭可以點燃，和兩個男性旅人、兩個女性旅人、兩個印第安人的蠟燭，不過要是我點了這麼漂亮的蠟燭然後看著它們融成一團就太過可恨。我點亮普通的蠟燭，擺在桌上，那些精美蠟燭留待我們離開這裡以後的感恩節大餐再用。我在我們的小火雞座位牌上小心寫下名字，然後將它們放在餐盤前一一攤開。我們的餐桌底下有個小橡膠架，我們將餐盤和銀餐具都放在那裡。每餐飯後我都會用浴室裡的粉色塑膠盆清洗它們。克里斯會擦乾碗盤然後疊好收在桌下架子裡，等著下回吃飯再用。

我謹慎非常地擺放銀餐具，叉子放左邊，刀子放右邊，刀刃朝向餐盤，然後刀子旁邊擺上湯匙。我們的瓷器是藍納克斯牌的，有藍色寬邊的盤緣和24K金鑲邊，盤底是這麼寫的。媽媽曾說這套餐具是舊的，僕人不會放在心上。我們今天還擺出了玻璃器皿，我忍不住退後欣賞自己的傑作，唯一缺少的就是花，媽媽應該會記得帶花過來。

一點來了又過了。凱芮大聲抱怨。「凱西，現在就吃午餐吧！」

「要有耐心。媽媽會帶特別的熱食給我們，火雞和所有配菜，這會是個正餐，不是中午便餐。」我的主婦雜務已經暫時告一段落，我開心地蜷在床上多讀幾頁布萊克莫爾的《我的蘿娜》。

「凱西，我的肚子沒有耐心。」克瑞說道，讓我從十七世紀中期回到現實。克里斯沉浸在某本福爾摩斯推理小說裡，就快看到最後破案的那幾頁了。要是雙胞胎能像我跟克里斯一樣靠著看書來安撫他們的肚子，空出一點容量，那不是很棒嗎？

「克瑞，吃幾顆葡萄乾吧。」

「沒有沒了。」

「正確的說法是：我吃光了，或是全都沒了。」

「沒有沒了，是真的。」

「吃花生。」

「花生全都沒了，我這樣說對嗎？」

「對，」我嘆了口氣。「吃核桃。」

「凱芮把最後一個吃掉了。」

「凱芮，妳為什麼不分妳弟弟吃？」

「他那時候不想吃。」

到了兩點，現在我們全都餓了。我們的胃腸已經習慣在中午十二點進食。媽媽被什麼事耽擱了？她是不是要自己先吃，然後再帶我們的食物回來？她沒這麼說啊。

剛過三點，媽媽匆匆到來，帶著一個裝滿食物的巨大銀托盤。她穿著一件長春花藍的羊毛針織洋裝，頭髮在她臉旁如波浪一般，頸側別上銀髮夾。天啊，她看起來好美！

「我知道你們餓了，」她立刻開口道歉，「但我父親改變主意，在最後一刻決定坐輪椅跟我們一起用餐。」她對我們露出困擾笑容。「凱西，妳把餐桌擺得很好看，妳做得恰到好處。我忘了帶花，很抱歉，我不該忘的。我們有九位客人，所有人都一直找我聊天，問我這麼多年都去哪了這種問題，你們不知道我得在約翰沒注意時溜進管家的備餐室，那有多困難，那個男人腦袋後面一定長了眼睛。你們也絕對沒看過任何人像我一樣到處亂竄；客人一定覺得我很無禮或是直率傻氣，但我努力裝滿要給你們的盤子然後藏好，衝回餐桌旁微笑吃了幾口，再假裝要擤鼻涕起身跑到另一個房間。我接了三通電話，是我自己從臥室專線打來的。我得掩飾自己的嗓音不讓人猜到，我真的很想帶幾片南瓜派給你們，可是約翰已經把派都切好放在點心盤裡，我還能怎麼辦？他會發現少了四片。」

她對我們拋了飛吻，草率地燦爛一笑，然後消失在門外。

玩得愉快啊！我們一定讓她的生活很混亂，好吧！

我們奔向餐桌吃飯。

克里斯低頭匆匆禱告，大概不會讓上帝在今天留下什麼印象，因為祂的耳朵一定聽了太多更好的禱詞：「上帝，感謝祢賜予這遲來的感恩節大餐。阿們。」

我心中發笑，因為這實在太像克里斯直截了當的作風，我們一一把盤子遞給他，讓他當主人為我們挾菜。他替「講究先生」和「挑剔小姐」各放一片白色火雞肉片和少許蔬菜，然後每份沙拉都排得很漂亮。那份中等菜量餐盤是我的，然後他當然最後才為自己挾菜，他的分量最多，因為用腦的人消耗大。

克里斯看起來餓壞了。他把幾乎冰冷的大塊馬鈴薯泥叉進嘴裡。所有食物都漸漸變冷，果凍沙拉開始軟化，底下鋪的萵苣葉變得乾巴巴。

「我們不喜歡冷掉的食物！」凱芮哭鬧著，她瞪著漂亮盤子裡分量小巧的菜餚，所有的菜整齊地擺成一圈。克里斯實在很一板一眼。

挑剔小姐對著餐盤皺眉，你可能會覺得她好像看到蛇還是蟲似的，而講究先生仿效他同胞姊姊那不悅神情。

老實講，我覺得有點對不起媽媽，她那麼努力要帶真正的好吃熱食給我們，把自己那餐弄得一團糟，還讓她在賓客面前看起來很蠢。而現在那兩個雙胞胎卻一點也不吃！抱怨了三小時，跟我們說他們有多餓！這些小孩！

對面的那位知識份子閉著眼睛品嘗不同食物的喜悅：調理過的佳餚，不是匆匆在早上六點前急忙塞進野餐籃裡的食物。不過我得替外婆說句公道話，她從沒忘了帶食物給我們。她一定得在廚師和女僕進廚房之前就摸黑起床準備。

然後克里斯做了一件令我震驚的事。他明知不該那麼做的，卻直接叉起一大片火雞肉然後整片塞進嘴裡。他在搞什麼？

「克里斯，不要那樣吃東西。會給『那兩個』留下壞榜樣。」

「他們沒在看，」他滿嘴食物，「而且我好餓。我這輩子沒這麼餓過，什麼東西都覺得好吃。」我講究地把火雞肉切成小塊，然後拿了幾塊放進嘴裡，讓對面的那頭豬瞧瞧什麼才是合宜吃法。我嚥下食物然後才說，「我真同情你未來的太太。她鐵定一年內就跟你離婚。」

他繼續吃個不停，除了享受用餐，對所有事打算裝聾作啞。

「凱西，」凱芮說道，「別對克里斯這麼壞，因為我們真的不喜歡冷掉的食物，所以不想吃。」

「我太太會很愛我，還會被我哄得連我的臭襪都會撿。凱芮，妳跟克瑞不是喜歡冷的麥片加葡萄乾嗎？所以吃下去！」

「我們不喜歡冷的火雞……而且馬鈴薯上面的褐色東西好奇怪。」

「那個褐色東西叫做醬汁，吃起來很棒。而且愛斯基摩人愛吃冷的食物。」

「凱西，愛斯基摩人喜歡冷的食物？」

「凱芮，我不知道。我想他們最好會喜歡，要不然就會餓死。」再怎麼說，我不知道愛斯基摩人怎麼過感恩節。「克里斯，你不會說點別的嗎？為什麼要提愛斯基摩人？」

「愛斯基摩人也是印第安人。印第安人也是感恩節習俗的一部分。」

「哦。」

「當然，妳知道的，過去北美大陸跟亞洲連在一起，」他吞下滿嘴食物，「印第安人從亞洲跋涉過來，有些人太喜歡冰雪就決定留下來，其他人比較有智慧，繼續南下。」

「凱西，那個凹凸不平長得像果凍的東西是什麼？」

「那是蔓越莓沙拉。凸的是一整顆的蔓越莓，坑坑洞洞的是核桃，那個白色的東西是酸奶。」天啊，好棒！裡頭還有小片鳳梨。

「我們不喜歡凹凸不平的東西。」

「凱芮，」克里斯說道，「我對妳喜歡什麼討厭什麼已經聽得很煩。吃！」

「凱芮，妳哥哥說得對。蔓越莓很好吃，堅果也是。小鳥愛吃莓果，妳喜歡小鳥，對不對？」

「小鳥才不吃莓果。牠們吃的是死蜘蛛和其他蟲子。我們有看過，真的。牠們從屋頂的簷槽裡啣起蟲子，然後不用嚼就吞下去。小鳥吃的食物我們不能吃。」

「閉嘴吃飯。」克里斯滿口食物地說道。

自從我們來到這可恨大宅的樓上生活，這是我們吃過最好的食物（雖然近乎冰冷），但雙胞胎只是瞪著餐盤一口也不吃！

還有克里斯，他不管眼前是什麼東西都一口吞下，像是農產博覽會裡的冠軍豬！

雙胞胎嘗了馬鈴薯泥和蘑菇醬汁。馬鈴薯「一粒一粒的」，醬汁「好奇怪」。他們吃了絕對好吃的菜餚，然後說食物「一塊一塊、一粒一粒、又好奇怪」。

「那就吃地瓜！」我幾乎快吼出來。「瞧瞧它們多漂亮。地瓜先攪成泥所以口感滑順，而且還加了棉花糖，你們很愛棉花糖，還加了柳橙汁和檸檬汁來調味。」上帝保佑，他們不會發現那「坑坑洞洞」的核桃。

我猜他們兩個面對面坐著然後挑剔地把食物攪成大雜燴，就為了試著把部分食物挑出來扔掉。克里斯渴望有點心可吃，像是南瓜派或碎肉餡餅，我開始清理餐桌。然後不知出於什麼特別原因，克里斯來幫我忙！我真不敢相信。他笑得讓我疑心全無，甚至還親了親我臉頰。天啊，要是好食物能讓男人變成這樣，我一定要學會怎麼煮好吃的菜。他還先撿起自己的襪子，然後才來幫我把那些碗盤、玻璃器皿，和銀餐具洗淨擦乾。

我跟克里斯把所有東西整齊存放在桌底，用乾淨毛巾蓋在上頭，十分鐘後雙胞胎同時聲稱：「我們好餓！我們的胃好痛！」

克里斯在他桌前讀書。我把《我的蘿娜》放到一旁，起身離開床鋪，我什麼話也沒說，從野餐籃裡各拿一塊花生果醬三明治給雙胞胎。

他們小口吃著三明治，我又倒回床上看著他們，真的很不解。為什麼他們那麼喜歡那垃圾食品？為人父母還真不像我以前想的那麼簡單，也沒有那麼喜悅。

「克瑞，不要坐在地板上。那裡比椅子冷得多。」

「我不喜歡椅子。」克瑞說道，然後打了個噴嚏。

* * *

隔天，克瑞得了重感冒。他的小臉發紅發燙。他埋怨說全身都痛，骨頭發疼。「凱西，我媽媽在哪？我真正的媽媽？」哦！他好想要他媽媽。終於，她現身了。

她一看到克瑞發紅的臉就開始緊張，衝出門去找溫度計。不幸的是，她回來時後頭跟著討人厭的外婆。

克瑞嘴裡插著溫度計，他仰頭望著他的母親，彷彿見到黃金天使前來將他從鬱悶日子拯救出來。身為他的假媽媽，我早被遺忘。

「甜心，親愛的寶貝，」她輕輕哼唱。她將他從床上抱起，帶他到搖椅上，她坐下來在他額上印下親吻。「寶貝，我在這裡。我愛你。我會照顧你，讓痛痛飛走。只要像個乖巧小男孩吃飯喝柳橙汁，你很快就會好。」

她把他再度放回床上，陪在他身邊，然後取了一片阿斯匹靈放進他嘴裡，拿水要他吞下藥片。她藍色雙眼盈著憂愁淚光，纖細素手緊張忙碌。

我瞇著眼看她閉上雙眼，雙唇像在無聲禱告地張合。

兩天後，克瑞旁邊的凱芮躺在床上也開始咳嗽打噴嚏，她的體溫飆升得可怕，足以讓我發慌。克里斯看起來也嚇到了。他們兩個蒼白無神地並排躺在那張大床上，手指抓著拉高蓋到他們圓潤下巴的被單。

他們看起來好像是瓷做的，蠟一般地白，隨著他們愈來愈消瘦，藍色眼睛似乎愈來愈醒目。他們的眼睛出現深深黑眼圈，看起來好像鬼娃娃。我們的母親不在時，他們就雙雙用目光無聲地向我跟克里斯懇求，希望我們做點什麼讓他們脫離痛苦。

媽媽向祕書學校請了一星期的假，好讓她能盡量陪著她的雙胞胎孩子。我討厭外婆每次來了之後都覺得有必要到處檢查。總是要管不歸她管的事，說著我們根本不需要的勸告。她總是說我們不存在，不該活在上帝的這個塵世，這地方是留給那些神聖又純潔的人，像是她。她來這裡是否僅僅為了讓我們更加沮喪，取走我們從母親那裡得來的慰藉？

她那可怕灰洋裝布料磨擦的聲音，她說話的嗓音，她沉重的腳步聲，看見她那柔軟又脹大的蒼白大手，上頭戴滿了鑽戒閃閃發亮，有著沉澱色素的褐色斑點……哦！一看到她就討厭。

然後我們的母親來了，時常急急跑向我們，盡她所能讓雙胞胎恢復健康。她也有黑眼圈，她會給雙胞胎阿斯匹靈和開水，然後晚一點喝柳橙汁和熱雞湯。

有天早上媽媽帶著一大罐保溫瓶，裡頭裝著她剛榨好的柳橙汁。「這比冷凍和罐裝的好，」她說道，「富含維他命C和維他命A，對感冒很有幫助。」然後她列了張清單要我跟克里斯去做，要我們常常讓他們喝柳橙汁。我們把保溫瓶放在閣樓樓梯上，在冬天這跟冰箱一樣好用。

一瞥見從凱芮嘴裡拿出的溫度計，媽媽嚇得冷靜盡失。「哦！天啊！」她苦惱大叫。「將近攝氏四十度！我得帶他們去看醫生，去醫院！」

我一手輕靠那個沉重的櫥櫃做腿部訓練，我每天都得做，現在閣樓太冷不適合在上頭活動身體。我飛快瞟了外婆一眼，試圖看出她對這件事的反應。

外婆對失去理智惹麻煩的人毫無耐性。「柯琳，別傻了。所有小孩生病都會發高燒。那沒什麼。妳現在應該懂的。不過是個感冒。」

克里斯從他苦讀的書本中抬起頭來。他堅信雙胞胎得的是流感，但他也不知道他們是如何感染到病毒的。

外婆繼續說道：「醫生，他們知道怎麼治感冒嗎？跟我們懂的應該差不多。只有三件事要做：臥床，大量補充液體食物、吃阿斯匹靈。還有別的嗎？我們不是都做了？」她對我暴躁一瞪。「女孩，別再晃妳的腿。妳讓我心煩。」然後她又望向我們的媽媽開口說道，「我母親有句格言，感冒三天來，三天留，三天走。」

「要是他們得的是流感呢？」克里斯問道。外婆轉過身去沒理會他的問題。她討厭他的臉；他長得太像我們的父親。「對年長有智慧的人不該質疑，我最討厭人們該懂卻不懂。所有人都知道感冒的慣例：六天發病生病，再三天痊癒。就是這樣，他們會好起來的。」

正如外婆所料，雙胞胎痊癒了。不是九天，而是十九天。只靠臥床休息、阿斯匹靈和液體食物來應對，沒有醫生開處方讓他們更快恢復健康。白天時雙胞胎待在同張床上，晚上我跟凱芮睡，克瑞跟他哥哥睡。我不知道我跟克里斯為什麼沒被傳染。

我們一整晚都忙東忙西，跑去拿水，跑去拿放在閣樓台階冷藏的柳橙汁。他們嚷著要吃餅乾，要媽媽，要他們的鼻水停下來。他們翻來覆去焦慮不安，虛弱不適，為了困擾的事心煩卻說不出口，只有他們的驚惶大眼透露出來，我看了好心痛。他們問了好多問題，只有生了病才問，平常都不問，這不是很怪嗎？

「為什麼我們要一直待在樓上？」

「樓下是不是不見了？」

「太陽躲到哪去了？」

「媽媽是不是『再不』喜歡我們？」

「不再。」我更正語法。

「牆壁為什麼很模糊？」

「有嗎？」我反問。

「克里斯看起來也很模糊。」

「克里斯累了。」

「克里斯，你累嗎？」

「有一點。我希望你們兩個可以睡覺，別再一直問。而且凱西也累了。我們都想睡覺，也想看到你們兩個都呼呼大睡。」

「我們睡覺才不會呼呼叫。」

克里斯嘆了口氣，抱起克瑞帶他到搖椅上，很快地我跟凱芮也在他膝上就定位。我們在那裡搖啊搖，搖啊搖，在凌晨三點講故事，有好幾晚講到四點。要是他們哭著要媽媽而且哭鬧不停，我跟克里斯就會扮演媽媽和爸爸，盡我們所能用搖籃曲來安撫他們。我們太常用搖椅，結果地板開始有裂痕，樓下的人絕對會聽見的。

我們一直聽著風聲吹過山間。風刮擦著只剩枝條的樹木，吹得大宅嘎吱響，低訴著死亡與垂死，在縫隙和裂口發出呼嘯、呻吟，和嗚咽的聲音，用盡手段讓我們警覺自己並不安全。

我們大聲念了太久的故事，唱了太多搖籃曲，我跟克里斯都疲憊不已聲音嘶啞，病懨懨的。我們每晚都禱告，跪著請求上帝讓我們的雙胞胎好起來。「上帝，拜託，讓他們恢復原本的模樣，回到我們身邊。」

然後有一天咳嗽終於緩和下來，不眠的眼皮垂落，終於闔上進入平靜睡夢中。冰冷的死亡之手不情願地放手鬆開我們的小不點兒，雙胞胎正緩慢曲折地從死亡那頭返回。等他們「好起來」，已不再是過去那強健活潑的兩個孩子。克瑞以前本就寡言，現在說得更少。凱芮以前喜歡自己吱喳不停的聲音，現在變得幾乎跟克瑞一樣。現在我得到夢寐以求的安寧，我卻情願回到過去，聽見那對著洋娃娃、卡車、火車、小船、枕頭、盆栽、鞋子、洋裝、底褲、玩具、拼圖，和喋喋不休如小鳥的嘮叨。

我檢查她的舌頭，看起來淡而白。我惶恐地挺直身體，俯看並排在同個枕頭上的兩張小臉。為什麼我曾希望他們長大，行為舉止符合年紀？這場漫長病痛帶來剎那成長，在他們藍色大眼下留了黑眼圈，偷走他們健康的血色。高燒和咳嗽留給他們聰慧的眼神，有時甚至像是老人或疲倦的人才會有的陰沉眼神，彷彿只想躺著不理會日升日落，太陽不再升起也不在意的人。他們嚇到我了，兩張似鬼的臉龐帶我進入死亡夢魘。

而風一直不停吹著。

終於他們能夠起床慢慢走幾步。曾經肥胖又紅潤能蹦蹦跳跳的雙腿，現在虛軟得像細麥桿。現在他們慢慢走路而不是飛奔，微笑取代了開口大笑。

我消沉地倒在床上，想了又想，我跟克里斯要怎樣讓他們孩子氣的魅力恢復原貌？

沒有任何事是我和他能做的，儘管我們願付出自己的健康來換。

「維他命！」我跟克里斯痛苦地指出雙胞胎病態異常時，媽媽這麼宣布。「維他命正是他們需要的，你們兩個也是，從現在開始，你們每個人一天都要吃一粒維他命膠囊。」她一邊說著話，一邊抬起纖細優美的手整理她吹整過的閃亮秀髮。

「新鮮空氣和陽光能從膠囊攝取到嗎？」我往旁邊的床一坐，奮力瞪著眼前這位不願正視哪裡不對勁的母親。「我們每個人一天吞一粒維他命膠囊，就能讓我們重返正常生活，恢復從前在戶外度過大半時間的健康氣色嗎？」

媽媽穿著粉紅色衣服，她穿粉色很好看。她臉頰如玫瑰般紅潤，頭髮閃亮著玫瑰般的光澤。

「凱西，」她藏起雙手，施捨似地看了我一眼，「為什麼妳要一直那麼固執，讓我生活很不好受？我盡力了，我真的盡力了。而且，要是妳想聽實話，吃維他命確實能跟戶外活動一樣帶來健康，所以才會有那麼多維他命產品。」

她默不關心的態度讓我的心更痛。我將目光投向克里斯，他低頭聽著所有的話，卻沒說一句。

「媽媽，我們還要被關多久？」

「凱西，沒多久，只要再一陣子，真的。」

「再一個月？」

「大概。」

「妳能不能試著想辦法溜上來，把雙胞胎帶到外面坐妳的車兜風？妳可以想辦法不讓僕人看到。我想這樣會大有起色的。我跟克里斯不用去。」

她轉身望向我哥哥看他是不是是共謀，但他臉上驚訝神色徹底否決這種可能。「不行！當然不行！我擔不起這種風險！這大宅裡有八名僕人，雖然他們住的地方跟主宅有點遠，總是有人會往窗外瞧，他們會聽見我發動車子。他們會好奇地看我往哪個方向去。」

我的語氣變得冰冷。「那麼請妳看看是否能帶新鮮水果上來，尤其是香蕉。妳知道雙胞胎有多愛香蕉，自從我們來到這裡他們就沒吃過。」

「明天我會帶香蕉來。你們的外公不喜歡香蕉。」

「這跟他有什麼關係？」

「因為他不喜歡，所以大宅不會採購香蕉。」

「妳平日都要往返祕書學校，可以順便買點香蕉，還有花生和葡萄乾。而且他們為什麼不能偶爾來盒爆米花？那絕對不會蛀掉他們的牙齒！」

幸好她點點頭，口頭上同意。「那妳自己想要什麼？」她問道。

「自由！我想出去。我厭倦被關在房間裡。我想讓雙胞胎出去，讓克里斯出去。我想要妳找個房子不管是租是買還是偷，只要讓我們離開這棟房子！」

「凱西，」她開口央求，「我盡力而為了。我每次來這裡不是都帶了禮物給你們？除了香蕉還缺什麼？說吧！」

「妳得保證我們只要再待一陣子，已經好幾個月了。」

她兩手一舉擺出哀求姿態。「妳希望我殺了我父親嗎？」

我默默搖頭。

「妳別再煩她了！」克里斯在他的女神關上門後就整個人大爆炸。「她真的努力做了！別再挑她毛病！她來看我們就已經很好了，妳幹嘛要壓到她頭上一直問個不停，好像很不相信她。妳知道她忍受多少事嗎？妳真的以為她明知自己的四個小孩被關在房內只能在閣樓玩耍，她會開心嗎？」

很難對一個深愛媽媽的人談論這些。她的神情永遠冷靜鎮定，雖然她時常看起來很累。她的衣服都是新的，而且所費不貲，我們很少看她重複穿同一套衣服，她也帶了很多昂貴新衣給我們。我們穿什麼並不重要，除了外婆沒有人會看到，要是我們穿得破破爛爛，說不定還真能讓她臉上浮現愉悅笑容。

縫發出呼嘯聲。下雨或下雪的時候我們就不上閣樓。即使在晴朗日子裡也有狂風吹過猛烈咆哮，穿過老房子的裂

有天晚上克瑞醒來然後呼喚我。「凱西，叫風走開。」

我起身離開床鋪，床上的凱芮側身熟睡，我鑽到被子下躺在克瑞旁邊緊緊抱著他。可憐的瘦弱小身體，那麼想要他真正的媽媽愛他，他卻只有我。他感覺起來好小好脆弱，好像一陣狂風就能吹走他。我低下頭在他乾淨好聞的金色鬈髮落下一吻，我在他還是小嬰兒時也這麼做過，活生生的小嬰兒取代了洋娃娃。「克瑞，我不能叫風走開。只有上帝做得到。」

「那就跟上帝說我不喜歡風，」他發睏地說道，「告訴上帝，那陣風想吹進來把我抓走。」

我挪近身子把他摟得更緊。我永遠不會讓風帶走克瑞，永遠不會！但我懂他的感受。

「凱西，跟我講個故事，讓我把風忘掉。」

有個虛構故事是我編來逗樂克瑞的，他很喜愛，故事是關於奇幻世界裡有個住在小巧舒服房子裡的小孩，家中有高大強壯的爸爸媽媽可以把可怕東西都嚇跑。他們有一家六口，房子後面有花園，花園裡有大樹吊著鞦韆，有真的花朵綻放，會在冬天枯萎，春天再萌芽。有隻寵物狗叫克洛夫，一隻貓咪叫凱莉可，有隻黃色小鳥在金籠裡整日歌唱，每個人都相親相愛，沒有人會揮鞭子、打人耳光、叱罵，也沒有一扇門會上鎖，窗簾也不會闔上。

「凱西，唱歌給我聽。我喜歡妳唱歌哄我睡覺。」

我把他抱在懷裡，開始唱那首歌，歌詞是我自己寫的，那旋律我聽克瑞哼了又哼，是來自他心中的音樂。這首歌是為了帶走他對風的恐懼，也許也帶走了我的恐懼。這是我第一次試著填詞。

我聽見風聲從山丘吹來
寂靜夜裡它對我訴說

在我耳邊低喃
從未聽懂的話語
雖然風聲不遠

我感覺微風從海洋吹來
吹起我的髮，給我輕撫
從未執起我的手
告訴我它明白
從未輕柔地碰觸我

我知道有一天我會爬到那山丘上
會有那麼一天
我會聽見其他聲音訴說那話語
若我能活過，又一年……

我懷中的小不點兒睡著了，呼吸平穩感到安全。在他頭顱後方，克里斯睜大眼睛盯著天花板。我唱完歌時，他轉頭過來看向我。他十五歲的生日來了又過，他獲得一個糕餅鋪的蛋糕和冰淇淋慶祝那特別日子。禮物，幾乎每天都有。現在他有個拍立得相機，一只更好的新表。很好，很棒。為什麼他這麼容易取悅？

難道他看不出媽媽已經改變？他沒注意到她不再每天都來？他真的這麼好騙，相信她說的所有藉口？

平安夜。我們在佛沃斯大宅待了五個月。我們從來不曾下樓去到這廣闊大宅的一樓，戶外更不用說。我們遵守著規矩，每餐飯前都禱告，每晚都跪在床邊睡前禱告，在浴室很端莊，我們也隨時讓自己的思想保持純真……然而，在我看來，我們的食物一天比一天更糟。

我說服自己，錯過一次聖誕狂歡算不了什麼。等我們有錢、很有錢、非常有錢後會有更多的聖誕節，我們會去店裡買下任何想要的東西。我們穿上華美衣服會多麼漂亮而且風度翩翩，還有柔和動人的嗓音，讓全世界知道我們不是平凡人物，我們是特別的，被愛而且被需要渴求的重要人物。

我跟克里斯當然明白聖誕老人是假的。但我們很想讓雙胞胎相信有聖誕老人，不錯過那些令人愉快的魔法，有個胖胖的開心老人會飛遍全世界為每個小孩送上他們最想要的東西，雖然要等他們拿到了才知道自己想要的是什麼。

不相信聖誕老人的童年會是怎樣的？我不想讓雙胞胎有這種童年！

即使遭到囚禁，聖誕節也是個忙碌時刻，就算人們心裡開始絕望懷疑。我跟克里斯偷偷地準備禮物給媽媽（她真的什麼都不缺）和雙胞胎，絨毛填充動物玩偶，我們沉悶地花了好長時間用手工反面縫著，然後再塞棉花。我在沒塞棉花之前繡上所有動物玩偶的臉孔。我偷偷在浴室裡替克里斯織一頂緋紅色的毛線帽，愈織愈大、愈織愈大，我想媽媽一定忘了教我怎麼估尺寸。

然後克里斯提了個絕對愚蠢又可怕的建議。「我們也送個禮物給外婆吧。沒送她禮物實在不太對。她帶食物和牛奶給我們，而且說不定一個象徵性的禮物就足以讓她感動。而且要是她願意承認我們，日子就會更好過。」

我蠢到以為這可能行得通，我們花了好幾個小時準備禮物給那個討厭我們的老巫婆。一直以來她從未叫過我們的名字。

我們在一個木框貼上染色的亞麻布，黏上不同顏色的石頭，然後小心地用金線和棕線編織花紋。

一旦編錯，我們就不辭辛勞地重編更正，好讓她不會發現。她肯定是那種追求完美的人，會看見最細微的瑕疵，眉頭皺起。除了我們努力做出的東西，我們永遠送不了她任何其他東西，

「瞧，」克里斯再次開口，「我真的相信我們有機會讓她改變心意。再怎麼說，她是我們的外婆，人們會變。沒有人是不變的。媽媽努力討好外公，我們就得努力討好外婆。而且即使她拒絕看我，至少她看著妳。」

她沒有看著我，不算有看，她只是看著我的頭髮，不知為何我的頭髮讓她看得入迷。

「凱西，記得嗎？她給過我們一盆黃色菊花。」他說的沒錯。那真是根牢靠的救命稻草。

在下午接近黃昏的時候，媽媽來到我們的房間帶了種在小木盆裡的聖誕樹。一棵活生生的香膠冷杉，還有什麼比這更有聖誕味？媽媽的毛線洋裝是亮紅色的針織衣；合身衣服顯露出我希望未來能有的身體曲線。她開懷笑著，讓我們也很開心，她留下來幫我們用她帶的小飾品和燈泡布置那棵樹。她給了我們四隻襪子掛在床柱上等著聖誕老人裝滿。

「明年這個時候我們就會住在自己的家裡。」她笑容燦爛地說道，而我也相信。

「沒錯，」媽媽笑著，我們所有人心裡充滿喜悅，「明年這個時候，我們所有人的生活都會很棒。我們會有很多錢買棟自己的大房子，你們想要的東西都會擁有。不用多久，你們就會忘了這房間和閣樓。所有你們勇敢忍受的日子也會被拋在腦後，好像從沒發生過。」

她親吻我們，然後說她愛我們。我們望著她離去，不再像之前那樣覺得失落。

媽媽在晚上我們睡著時來過了。我早上醒來，看到襪子裝到快滿出來。放在小桌上的聖誕樹下堆滿好多禮物，房間裡閒置的每個空地方都放著給雙胞胎的玩具，因為太太件不便包裝成禮物模樣。

我的目光對上了克里斯。他眨眼咧嘴一笑，然後從他床上一躍而起。他抓起綁在紅色塑膠繩上的銀鈴，然後活力十足地在他頭頂上搖動起來。「聖誕快樂！」他大聲喊著。「大家都起床！克瑞！凱

芮！你們這兩個愛睡鬼！起床睜開眼睛瞧瞧啊！看聖誕老人帶了什麼！」

他們慢慢從睡夢中轉醒，揉著黏得睜不開的眼，不敢置信地盯著那一大堆玩具和上頭寫著名字的精美包裝禮物，還有條紋襪裡塞得滿滿的餅乾、堅果、糖果、水果、口香糖、薄荷棒棒糖，和聖誕老人造型巧克力。

真的糖果終於來了！硬硬的糖果是教會和學校在宴會上分發的那種彩色糖，最容易讓人牙齒蛀出黑洞的糖果。噢，可是看起來和吃起來都好有聖誕味！

克瑞眼花撩亂地坐在床上舉起小拳頭揉搓眼睛，顯然愣得說不出話來。

但凱芮總是有話要說。「聖誕老人是怎麼找到我們的？」

「哦！聖誕老人的眼睛有魔力。」克里斯抱起凱芮讓她坐在他肩頭，然後又伸手朝著克瑞如法炮製。他在做爸爸會做的事，我眼裡湧現淚光。

「聖誕老人永遠不會故意漏掉哪個小孩，」他說道，「何況他知道你們在這裡。我保證他一定知道，因為我寫了一封好長好長的信給他，還附上我們的住址，我列出我們想要的東西寫了一公尺長的清單。」

真可笑，我心裡想著。因為我們四個人的願望清單明明很簡短：我們要出去，我們要自由。

我在床上坐起身望向四周，覺得喉頭有塊又酸又甜的東西。媽媽很努力，是啊。從這些東西看來她真的盡力去做了。她真的愛我們，她真的在乎。欸，她一定花了好幾個月採買這全部的東西。

我對自己心裡那些刻薄醜惡的念頭覺得很愧疚，滿是悔意。我知道自己什麼都想要而且馬上就要，沒有耐心、沒有信念才會生出那些念頭。

克里斯轉過頭來質疑地看著我。「妳還不起床嗎？想坐在那裡坐一整天？妳不喜歡禮物了？」

克瑞和凱芮在拆禮物包裝，克里斯走向我伸出手來。「凱西，來吧，享受妳十二歲獨有的聖誕節。讓這次成為特別的聖誕節，跟我們未來會經歷的截然不同。」他藍色眼睛懇求著。

他身上的白色滾邊紅睡衣變得皺巴巴，一頭金髮蓬得很亂。我穿著紅色羊毛睡衣，我的長髮比他的更加亂糟糟。我的手搭上他溫暖的手，然後笑了。聖誕就是聖誕，依舊是個歡樂的日子。我們拆掉所有包裝，在吃早餐前把糖果塞進嘴裡，試穿我們的新衣服。「聖誕老人」留了張字條叫我們要把糖果藏起來別讓「那個人」看到。再怎麼說，糖果還是會讓人蛀牙。即使是聖誕節也不例外。

我穿上一件新的綠絲絨漂亮睡袍。克里斯拿到一件新的法蘭絨紅睡袍，跟他的睡衣很搭。我幫雙胞胎穿上他們的寶藍色睡袍。我覺得今天一早沒有任何小孩比我們四個更幸福。巧克力棒宛如上帝所賜，吃起來更加香甜，因為我們被規定不准吃。簡直就像天堂，我把巧克力放進嘴裡慢慢讓它融化，緊閉雙眼專心品嘗。當我睜眼一瞧，克里斯也閉著眼睛。真有趣，雙胞胎吃巧克力時睜大眼睛，一副很驚奇的神情。他們是不是不記得糖果這東西了？似乎是這樣，因為他們看起來好像嘴裡有一座樂園一般。我們忽然聽見門鎖喀啦響，便連忙把糖果藏在附近的床邊。

是外婆。她拿著野餐籃，靜靜走進來。她把野餐籃放在遊戲桌上。她沒對我們說「聖誕快樂」，也沒說早安，甚至沒有笑容，沒表現出今天是個特別日子。而我們在她先開口說話前，不能對她說話。

帶著不甘與恐懼，也帶著極大期盼，我拿起那個長形禮物，外頭的包裝紙是從媽媽送我們的禮物拆下來的。那精美包裝紙裡是我們四個人完成的拼貼畫，描繪出小孩心中的完美花園。閣樓裡的舊箱子提供我們上等素材，像是用來做出盤旋在亮光紗花朵上的蝴蝶所用的薄絲布料。凱芮非常想做有紅圓點的紫蝴蝶，她好愛紫色搭紅色！克瑞做的黃色蝴蝶更棒，有著綠色和黑色斑點，還有小小的紅石子眼睛。樹木是用棕線編織的，還用小小的褐色水晶做出樹瘤模樣，優雅交纏的樹枝讓鮮亮色彩的鳥兒能棲在上頭，或是在枝葉間飛翔。我跟克里斯從一個舊枕頭取出雞毛，用水彩染色然後弄乾，還用了一支舊牙刷把亂毛梳回原本好看的模樣。

若說我們的畫作表露出真正的藝術可能有點自誇。我們的構圖很平衡，卻有種韻律感和風格，還有種魅力。我們把畫拿給媽媽看時，她眼中浮現淚水。她得轉過身去，好讓我們不會跟著哭起來。

哦！是的，目前看來這幅拼貼畫是我們迄今完成的最佳作品。

我顫抖害怕，等待外婆雙手空出來的時機，好讓我上前接近。因為外婆從來不看克里斯，雙胞胎一看到她就嚇得發抖，所以得由我來送她禮物，要是我能挪動雙腳的話。克里斯突然用手肘推我。「去啊，」他小聲說道，「她很快就要走出去了。」

我的腳好像釘在地上。我用兩手捧著那個長型的紅色包裝盒。從某個角度看來，這像是在獻祭，因為她只對我們付出敵意，而且伺機等候給予我們痛苦，要送她東西並不容易。

那個聖誕節早晨，她成功地讓我們感到痛苦，就算沒用鞭子也沒說話。

我想用得體的方式向她問候然後說，「外婆，聖誕快樂。我們想送妳一點小東西。真的，不用謝我們。這一點也不麻煩。只是一點小東西想表達出我們的謝意，謝謝妳每天帶食物給我們而且讓我們有地方住。」不行不行，如果我這麼說，她會以為我在挖苦她。最好說點像這樣的：「聖誕快樂，希望妳會喜歡這個禮物。我們大家一起做的，包括克瑞和凱芮，妳可以收著這個，等我們離開這裡妳就會明白我們很努力了，真的。」

光是看到我朝她走近還拿著禮物，就讓她很吃驚。

我慢慢抬起雙眼大膽直視著她，遞出我們的聖誕獻禮。我不想用眼神求她。我想要她收下而且喜歡這禮物，然後說聲謝謝，即使說得冷淡也好。我想要她今晚上床睡覺時會想起我們，思考著也許我們也沒那麼壞。我想要她看懂而且欣賞我們在她禮物裡付出的心力，然後我想要她懷疑自己這樣對待我們是對是錯。

她那冰冷輕蔑的目光令人畏縮，她垂眸看著我們包裝成紅色的長盒子。盒子上有個人造的冬青樹枝和大大的銀色蝴蝶結。蝴蝶結上繫了張卡片，寫著：「給外婆，克里斯、凱西、凱芮、克瑞贈。」

她灰石般的雙眼停留在卡片上久到能讀完上面的文字。然後她抬起頭直視我盼望的雙眼，彷彿懇切乞求，保證自己不是像我偶爾害怕成真的邪惡。她轉回目光瞟了一眼盒子，然後刻意背過身去，沒說一句就走出門外，用力闔上門，然後上鎖。我被留在房間中央，拿著追求盡善盡美花了好多小時做出的成品。

傻瓜！就是我們！該死的笨蛋！

我們永遠不能讓她回心轉意！她永遠把我們看作惡魔後裔！在她看來，我們真的不存在。

這好傷人，當然好傷人。我整個人都好痛，我的心變成一顆中空子彈在我胸口發射痛楚。在我身後，我聽到克里斯憤怒地吸吐空氣，雙胞胎開始抽泣。

這是我該像個大人的時候，像媽媽運用熟練又有效地保持鎮靜。我的動作和表情都仿效著我的母親。我學著她雙手的姿勢。我笑得像她一般，緩慢又迷人。

而我做了什麼來證明我的成熟？

我把那禮物往地上摔！我破口大罵，罵出我以前不曾大聲說過的字眼！我一腳踩中禮物，聽到那硬紙板盒被壓扁的嘎吱聲。我大聲尖叫！我憤怒地用雙腳踐踏，瘋狂地在盒子上頭蹦跳跺腳，直到我聽見那漂亮舊木框發出破裂聲，我們在閣樓裡找到這木框，重新上膠修整得幾乎又像是新的一樣。我恨克里斯說服我，說我們可以讓一個鐵石心腸的女人回心轉意！我恨媽媽讓我們陷入如此處境！她應該更懂她母親的，她應該去百貨公司上班賣鞋子，絕對有什麼事是她能做卻沒做的。

在猛烈狂亂的攻勢之下，那個風乾底紗碎成片片，我們所有的勞作都沒了，毀了。

「不要！」克里斯大喊。「我們可以自己留著！」

雖然他很快跑來想阻止畫作全毀，那脆弱畫作已經毀了。永遠毀滅。我流下眼淚。

然後我彎著身哭泣，撿起那些克瑞和凱芮煞費苦心做好的薄絲蝴蝶，耗費許多努力讓翅膀的顏色繽紛燦爛。我想把這些粉色蝴蝶收藏一輩子。

克里斯迅速將哭泣的我擁進他懷中，試著用宛如爸爸的口吻來安慰我：「沒有關係。她做了什麼都不要緊。我們沒有錯，她才不對。我們試過了，她從來不試。」

我們現在無言地坐在地板上，旁邊都是我們的禮物。雙胞胎很安靜，他們藍色大眼滿是不解，想玩他們的玩具卻猶豫不決，因為他們是我們的鏡像，會反映出我們的情緒——無論他們原先如何。哦！見到他們的同理心讓我再度心痛。我十二歲。我應該學會人的行為舉止偶爾要符合自己年紀，保持鎮定，不要老像隨時準備炸開的火藥。

媽媽來到我們房間，笑著祝賀我們聖誕快樂。她帶了更多禮物來，包括一個巨大的娃娃屋，那以前是她的，和她那可恨母親的。「這個禮物不是聖誕老人給的，」她非常小心地把娃娃屋放在地上，現在我能發誓，房間裡沒有一個地方不整潔。「這是我給克瑞和凱芮的禮物。」她擁住他們，然後親親他們臉頰，告訴他們現在能玩「扮家家酒」和「假扮爸媽」還有「假扮主人和女主人」，就像她還是個五歲孩童時玩的那樣。

如果她其實注意到沒人真的對娃娃屋感到興奮，她也沒多說。她仍然笑得愉悅迷人，跪坐在地板上告訴我們她以前有多喜歡這個娃娃屋。

「而且這個娃娃屋很值錢，」她慇勤地說著。「拿去對的地方賣，可以換來好大一筆財富。光是那些活動式關節的迷你瓷人偶就很珍貴，臉部五官都是手工繪製的。那些人偶的大小符合那娃娃屋，屋裡的家具畫作也是，事實上所有東西都有正確的縮小比例。這個娃娃屋是一個住在英國的藝術家親手做的。所有的桌椅、床鋪、燈具和燭台，全都是古董的複製版真品。據我了解，那個工匠花了十二年才完成這個作品。」

「瞧瞧這些小門都能打開關上，組裝得真好！比起你們現在住的大宅好太多了，」她繼續說道。「而且所有的抽屜都能開關。有一把小鑰匙能鎖住桌子，而且有好幾扇門會滑進牆壁裡，他們說那叫拉門。我真希望這大宅也有這種門；我不知道他們為什麼這麼跟不上時代。而且看看靠近天花板那些手工雕刻嵌板，飯廳和圖書室還裝了護牆板，書架上有好小好小的書。信不信？要是用顯微鏡還能讀出書上的文字！」

她詳熟仔細地用手指比畫著娃娃屋所有迷人之處，這種娃娃屋只有極其富有的小孩才會想擁有。克里斯當然已經拿出一本小書，貼在他瞇起的眼前近看，親自瞧瞧要用顯微鏡才能寫下的字跡（他希望有天能擁有一種非常特殊的顯微鏡，而我希望自己是那個送禮的人。）

我忍不住欽佩起做出這麼小的家具要付出的技藝和耐心。這棟維多利亞時期風格的房子裡，前廳擺了一架大鋼琴。鋼琴上鋪了一條流蘇絲織方巾。飯廳餐桌的中央擺了小巧的絲質花朵。蠟做的小水果放在餐具櫥裡的銀缽中。兩座水晶吊燈垂掛著，真的蠟燭插在燈上托座裡。廚房裡有穿著圍裙的僕人在準備晚餐。一個管家穿著白制服站在前門邊迎接來訪的賓客，前廳裡有很多穿著美麗禮服的淑女們僵硬地站在面無表情的男士們身旁。

樓上的幼兒室裡有三個小孩，嬰兒床裡有個小寶寶伸手等著被人抱起。主屋旁有個靠近主屋後方的側建築，裡頭有個大馬車！馬廄裡有兩匹馬！天啊！誰會想到有人可以把東西做得這麼小！我的目光移到窗戶上，欣賞那白色窗簾和窗幔，飯廳桌上有碗盤和銀餐具，廚房櫥櫃裡有鍋子和平底鍋，全都比大豌豆仁還小。

「凱西，」媽媽的手攬著我。「瞧瞧這個小地毯。是真的波斯地毯，純絲做的。飯廳裡的地毯是東方地毯。」她滔滔不絕地讚揚這出色玩具的長處。

「怎麼能看起來這麼新，可是年代又那麼久啊？」我問道。

一片黑雲飄了過來讓媽媽的臉變得陰沉。「這娃娃屋還屬於我母親時被放在一個大玻璃箱裡。她可以看卻不能碰。等到娃娃屋傳到我手上，我父親拿鎚子敲破玻璃，他允許我把玩任何東西，條件是我得把手放在聖經上立誓，發誓不會弄壞任何東西。」

「妳發了誓然後弄壞東西？」克里斯問道。

「是啊，我發了誓，而且沒錯，我弄壞了東西，」她的頭垂得好低，我們看不到她的眼睛。「裡頭有個男人偶，是個很俊美的年輕人，我試著脫他外套時手臂斷掉了。我受了鞭刑，這不僅是懲罰我弄壞人偶，還懲罰我竟然想看衣服底下的東西。」

我跟克里斯默默坐著，但凱芮抬起頭好像對那些穿著繽紛華麗衣著的稀罕小人偶很有興趣。她特別偏愛那個嬰兒床裡的小寶寶。因為她很感興趣，克瑞也跟著走過去研究娃娃屋。

然後媽媽把注意力轉到我身上。「凱西，我進房時妳為何看起來那麼嚴肅？妳不喜歡拿到的禮物嗎？」

因為我不答話，克里斯就替我回答。「因為外婆不收我們送她的禮物，凱西很難過。」媽媽拍拍我肩膀，卻避開我目光。克里斯繼續說道，「還有謝謝妳送的所有東西，聖誕老人該帶的妳都沒漏掉。尤其要謝謝妳送的那個娃娃屋。我想跟其他東西相比，雙胞胎有了這個會玩得更開心。」

我把目光焦點放在給雙胞胎的兩輛三輪車，可以在閣樓裡騎車，踩踏板能讓他們瘦削無力的雙腿更強健。還有給我跟克里斯的四輪滑冰鞋，只能在閣樓教室裡頭玩。那教室有灰泥牆壁隔絕而且鋪了硬木地板，隔音好過閣樓其他地方。

媽媽起身不再跪坐，她離開之前笑得很神祕。她走到門外說她很快回來，然後她真的送了我們最棒的禮物：一台手提小電視機！「我父親給了我這個，讓我放在臥室裡。我立刻想到誰有了電視會最開心。現在你們有個真正的窗口可以一覽世界。」

這些話正足以讓我的盼望高高飛向天際！「媽媽！」我大喊。「外公送妳很貴的禮物？是不是表示他現在喜歡妳了？他原諒妳嫁給爸爸了嗎？我們現在可以下樓了嗎？」

她藍色眼睛又變得陰鬱煩憂，然後毫無喜色地告訴我們，她父親的態度是比較和善了沒錯，他原諒她犯了對不起上帝和社會的罪行。接著她說的話讓我的心快要蹦出喉嚨。

「下個星期，我父親會讓他的律師把我寫進遺囑。他要把全部財產都留給我；我母親死後這棟大宅也會歸到我名下。他不打算給她財產，因為她已經從她父母那裡得到遺產。」

我一點也不在意錢。我只想出去！我突然非常開心，開心地用雙手抱住媽媽親她臉頰，緊緊抱著她。天啊，這會是我們來這大宅後最棒的一天。然後我才想起來，媽媽沒說我們可以下樓。可是，我們離自由更近了。

我們的母親坐在床上，薄唇微笑，但眼裡沒有笑意。她對著我跟克里斯說的蠢話發笑，笑聲冷淡生硬，完全不是她平常的笑法。「是啊，凱西，我已經變成你們外公一直想要的孝順聽話女兒。他說什麼我就做。他一下令我就跳起來。我非常努力地取悅他。」她的話猛然一頓，然後望向雙層窗和窗外微弱的光線。「事實上，我讓他非常開心，他今晚要為我辦個宴會，把我重新介紹給我以前的朋友和地方社交圈。那會是個盛大場面，因為我父母只要心情好就想把每件事都弄得很隆重。他們自己不喝酒，但不介意提供酒飲給那些不怕下地獄的人。所以，當然會有宴客餐席，還有小型樂隊來演奏跳舞的音樂。」宴會！聖誕宴會！有小型樂隊奏樂！還有宴席！而且媽媽要被寫到新的遺囑裡。以前曾有這麼開心美妙的日子嗎？

「我們可以去看嗎？」我跟克里斯幾乎同時喊了出來。

「我們會很安靜。」

「我們會躲起來不讓人看見。」

「媽媽，拜託，求求妳，我們已經好久沒有見到別人，而且我們從來沒去過聖誕宴會。」

我們求了又求，然後她終於不再反對。她將我跟克里斯拉到房間角落讓雙胞胎不能偷聽，然後她小聲說道，「有個地方可以讓你們兩個躲藏又可以看得到外面，但是我不能冒險讓雙胞胎去。他們年紀太小不能信賴，你們也知道他們連兩秒都待不住，凱芮大概會高興大喊引來所有人注意。所以你們要發誓，不會把這件事告訴他們。」

我們保證。不，我們當然不會跟他們講，無需發誓就能讓我們閉口不說。我們很愛那兩個小不點兒，不想讓他們知道自己被排除在外，這會讓他們難過的。

媽媽離開後我們唱了聖誕歌曲，這一天過得夠開心了，雖然野餐籃裡沒什麼特別的餐點：雙胞胎不喜歡的火腿三明治，和還很冰的火雞肉片，好像剛從冰箱裡拿出來似的。像感恩節的剩菜。

傍晚很快到來，我坐在那裡望著那娃娃屋好久好久，凱芮和克瑞快樂地把玩瓷人偶和那些珍貴的迷你物品。

還真奇怪，沒生命的物品能讓人學會很多事，一個小女孩曾擁有那些東西，可以看卻不能摸。然後出現了另一個小女孩，於是娃娃屋給了她，然後那個玻璃箱被敲破，讓她能摸到裡頭的東西，接著她被處罰，因為她弄壞東西。

令人戰慄的想法襲來：我納悶著凱芮或克瑞不知道會不會弄壞什麼，又會受到什麼懲罰。

我往嘴裡塞了口巧克力，讓自己徘徊不去的酸澀邪惡思想變甜一些。

10 聖誕宴會

媽媽信守承諾，雙胞胎睡熟沒多久她就溜進我們房間。她看起來好漂亮，我心中充滿自豪仰慕，還有一絲嫉妒。她的晚禮服正裝下擺是飄逸的綠色雪紡紗；禮服本身是較深的綠天鵝絨，領口開得很低露出大半乳溝。飄揚的亮綠色雪紡紗嵌條底下有閃亮的禮服吊帶。鑽石和祖母綠寶石耳環長條垂墜而且閃閃發亮。她身上的氣味讓我想到異國東方某地裡月光照耀夜晚中如麝香般芬芳的花園。難怪克里斯發愣地盯著她看。我渴望地嘆了口氣。**哦！上帝，拜託讓我有一天長得像那樣，讓我擁有男人欣賞的所有那些鼓脹曲線。**

她走動時雪紡紗嵌條就像翅膀般飛揚，引領我們首次踏出那偏僻昏暗的地方。我們緊跟著媽媽銀色的高跟鞋，走過所有北側黑暗寬闊的走廊。她小聲說道，「有個地方我小時候常躲，我父母不知道我躲在那裡偷看大人的宴會。你們兩個人會有點擠，但那是唯一能讓你們躲藏又瞧得見宴會的地方。現在再跟我保證一次，你們要安靜，要是睏了就偷溜回房間，要記好怎麼走回來。」她對我們說不能看超過一小時，因為雙胞胎要是醒來發現只剩他們兩個，他們可能會嚇壞。然後他們很有可能會晃到走廊上找我們——然後天知道要是這樣會發生什麼事。

我們藏在一張深色的矩形大檯櫃裡，檯櫃下方有櫃門。裡頭很不舒服而且很悶，不過我們可以從背板上的網狀隔板往外看得很清楚。

媽媽悄悄溜走。

在我們下方很遠的地方有個巨大房間，三座巨大的五層金色水晶吊燈懸在天花板上，吊燈插著蠟燭把房間照得燈光燦爛，天花板高到我們看不見。我從沒見過這麼多蠟燭同時點燃！有蠟燭燃燒的味道，搖曳燭光映在閃閃發亮的水晶稜柱上將女士們佩戴的珠寶折射出虹彩光束，讓這場面有如夢境。不，比夢境更好，更像部好看易懂的電影，灰姑娘和白馬王子會在裡頭跳舞的舞會大廳！

上百位打扮華麗的賓客談笑打轉。大廳角落矗著一棵令人難以置信的聖誕樹！那棵樹一定超過六公尺高，上千盞金色裝飾燈閃閃發亮，照亮樹上多彩的裝飾品讓人目眩神迷！

數十位身穿紅黑色制服的僕人在大廳裡進出穿梭，端著裝滿美味宴會餐點的銀餐盤，然後把餐盤放在長桌上，桌上有座巨大的水晶酒泉裝置，淡琥珀色的酒液從噴泉淌出然後流進下方銀缽裡。許多男女拿著高腳杯去裝那氣泡酒。另外還有二個銀質調酒缸和成套小酒杯，兩個酒缸都大到能讓小孩洗澡。好漂亮、好迷人、好興奮、好高興！能知道我們那上鎖門外的世界依然幸福快樂，真是太好了。

「凱西，」克里斯在我耳邊小聲說道，「我情願把靈魂賣給魔鬼，只要能讓我在那水晶銀噴泉喝上一口！」

我也這麼想！

我從沒覺得如此飢渴貧困。可是我們兩個都被巨大財富耗資展示的一切壯觀事物給迷住了，簡直陶醉得目眩神迷。成對跳舞人們腳下的地板鋪著馬賽克圖案，上過蠟的地板像玻璃般反光閃亮。牆上有巨大的金框鏡子映出舞動身影，難以分辨現實與鏡像。牆邊有許多鑲著金邊的椅子和沙發，坐墊和背墊是紅色天鵝絨或白色錦緞。當然是法式椅，一定是路易十五或十六時代的，真是個棒透的華麗時代！

我和克里斯望著成雙成對的人們，他們多半年輕漂亮。我們評論他們的衣著髮型，猜測一對對舞伴之間的關係。但我們更常望著媽媽，她是全場焦點。她多半時間都跟一個有八字鬍的高大英俊黑髮男子跳舞。他幫她拿高腳杯和餐點，他們同坐在一張天鵝絨沙發上吃開胃菜和小點心。我覺得他們坐得太近。我隨即移開視線望向長桌後方的三名廚師，他們還在準備看來像是美式鬆餅的食物，還有等著填料的小香腸。香味往上朝我們飄來，讓我們的口水不停分泌。

我們的三餐是一成不變的無趣東西：三明治、湯，和一成不變的炸雞與馬鈴薯沙拉。樓下有美食筵席，食物是熱騰騰的，我們的食物連保持微溫都很難。我們得把牛奶放在寒冷的閣樓台階以免變酸，有時牛奶表面甚至結了冰。但要是我們把野餐籃的食物放在閣樓台階，老鼠會溜下來全部啃光。

媽媽不時會跟那個男子一同失去蹤影。他們去哪，在做什麼？他們在接吻？她戀愛了嗎？就算我人在這麼遙遠又高處的檯櫃裡，我還是能看出那男子對媽媽很著迷。他的目光離不開她的臉，他的手黏在她身上。他們隨著慢拍音樂起舞時，他會擁著她與她臉頰相貼。就算他們沒在跳舞，他的手還是放在她肩上或腰間。有一次他甚至大膽想碰她胸口！

我以為她會往他俊俏臉龐打一巴掌，要是我就會！但她只是笑著轉身把他推開然後說了些什麼，一定是警告他別在大庭廣眾下這麼做。然後他笑著執起她的手放到唇邊，他們的目光意味深長地對視良久，也許是我自己這麼想。

「克里斯，你有沒有看到媽媽跟那個男人？」

「我當然有看到他們。他跟爸爸幾乎一樣高。」

「你有沒有看到他剛才做了什麼？」

「他們只是喝酒吃東西，然後談笑跳舞，就跟其他人一樣。凱西，想想看，等媽媽繼承所有財產，我們也能在聖誕節和生日時辦這種宴會。哎，以後我們可能還會見到一些現在我們看到的賓客。我們寄邀請函回格拉斯通給我們的朋友吧。天啊，他們看到我們繼承了什麼肯定會很吃驚！」

就在此時，媽媽跟那男子從沙發上起身然後離去。所以我們把著迷目光移向下方場地中第二號引人注目的女子身上然後對她很是憐憫，因為她怎能比得過我們的母親？

然後我們的外婆走進大廳，她不左顧右盼也不對人笑。她的洋裝不是灰色，這點就足以令我們震驚。她身上的晚禮服正裝是鮮紅色天鵝絨，禮服正面很貼身而背面則是飄逸設計，頭髮高高盤在頭頂，做出精巧弧度，她脖子、耳朵、手臂、和手指上的紅寶石和鑽石首飾閃閃發光。誰會想到下方那個相貌莊嚴、引人注目的女子會是每天去看我們的可怕外婆？

我們小聲交談，很不甘願地承認，「她確實看起來很出色。」

「是啊，令人印象深刻。像個亞馬遜女人，身形太巨大。」

「刻薄的亞馬遜女人。」

「對啊，亞馬遜女戰士，只要用她憤怒的目光隨時都能作戰。她真的不需要別的武器。」

就在那時我們看到他了！我們陌生的外公！

往下看到一個長得與我們父親如此相像的人令我屏住呼吸，宛如爸爸活得夠久，變得年邁虛弱一樣。他穿著晚禮服坐在一張擦亮的輪椅上，他的正式襯衫是鑲黑邊的白衣。他那稀疏的金髮幾乎全都發白，在燈下閃耀銀光。他皮膚沒有皺紋，至少從我們這麼高又遠的藏身處看起來是如此。我跟克里斯既嚇呆又著迷，一瞄到他就沒辦法挪開目光。

他看起來很虛弱，但以一個六十七歲高齡又瀕死的男子而言，他依然英俊得不合常理。突然間他令人驚嚇地抬頭往上瞧，直接看向我們的藏身處！在那糟糕可怕的瞬間，彷彿他知道我們就在這裡，躲在格狀隔板後面！他嘴邊出現一絲微笑。天啊，這笑容是什麼意思？

不過他看起來沒有跟外婆一樣那麼無情。他真的如我們推測那般，是個殘酷獨斷的暴君嗎？人們上前向他問好握手和拍肩，而他對那些人投以溫和笑容，看起來親切十足。不過就是個坐在輪椅上的老人，看起來沒有病得很重。不過，他卻下令要我們的母親脫掉衣服然後她脖子以下都遭受鞭打，而他在一旁監督。所以我們怎麼可能原諒他？

「我不知道他會長得像爸爸。」我小聲對克里斯說道。

「為什麼不會？爸爸是比他年幼許多的異母弟弟。外公在我們的父親出生前就已長大成人，而且還結了婚生了兩個兒子，然後才有爸爸這個異母弟弟。」

下方那個人就是麥爾坎．尼爾．佛沃斯，把他年輕繼母和她幼子趕出家門的人。

可憐的媽媽。如果一個叔叔像我們爸爸一樣年輕英俊又迷人，我們怎能怪她會愛上他？有她描述的這種雙親，她**的確**必須找個人愛，也**的確**需要有人愛她。她愛了，而他也愛了。

愛情，不請自來。

當你墜入情網，你不由自主，丘比特的箭準頭很差。我和克里斯悄聲交談評論。

然後我們突然噤聲，有腳步聲和交談聲朝我們藏身處而來。

「柯琳一點也沒變，」有個我們看不見的男子說道，「只變得更漂亮也更神祕。她真是個迷人非凡的女人。」

「哈！艾爾，那是因為你一直都對她很垂涎，」他的女伴回答，「可惜她眼中只有克里斯多弗．佛沃斯，沒有你。現在有另外一個出色男人出現了。不過我很驚訝，樓下那兩個心胸狹窄的頑固傢伙會允許自己原諒柯琳嫁給她那半個叔叔。」

「他們非得原諒她。三個小孩裡只剩一個活著，所以被迫要把剩下那個接回來。」

「事情變成這樣不是很奇怪嗎？」那女伴問道，她喝了太多酒，口齒不清喉音又重。「三個小孩，只有那個最受鄙視又令人懊惱的小孩留下來繼承一切。」

那個半醉半醒的男子咯咯笑。「柯琳沒有一直被鄙視。還記得那個老人有多喜愛她？在她跟克里斯多弗私奔之前，他眼中的她做什麼都對。可是她那個巫婆般的母親從沒對女兒有一絲耐心。大概是嫉妒吧。可是那樣性感又有錢的上等貨就這麼落入巴特洛繆．溫斯洛手中。真希望那個人是我！」看不見的那個艾爾渴望地說道。

「我想你可以的！」那女人譏諷嘲弄，她把某個聽起來像放了冰塊的玻璃杯擱在我們藏身處的檯面上。「年輕貌美又有錢的女人確實讓任何男人垂涎不已。艾爾伯特．唐恩，像你這種笨蛋是無福消受的。柯琳．佛沃斯永遠也不會考慮你，現在不會，就算你年輕時候也不會。再說，你也擺脫不了我。」

爭吵的男女走到我們聽力範圍外。隨著漫長時間經過，其他聲音來來去去。我跟我哥哥現在看膩了，而且我們兩個都很想上廁所。再加上我們都很擔心留在臥室的雙胞胎。要是有哪個賓客晃進那偏僻房間然後看到睡夢中的雙胞胎？然後全世界，以及我們的外公，就會知道我們母親生了四個孩子。

一群人聚集在我們藏身處附近談笑飲酒。他們待了好久才離開，我們趁機極度謹慎地打開櫃門，沒看見任何人。我們倉皇蹦出然後朝我們的來時路忙亂狂奔。我們喘得上氣不接下氣，膀胱滿到要爆開，終於抵達我們安靜又與世隔絕的住處，沒人看見也沒人聽見。

就跟我們離開時一樣，雙胞胎各自在床上躺著熟睡。他們看起來像是一模一樣的孱弱蒼白娃娃，像是歷史課本圖片上很久以前年代的孩童模樣。他們一點也不像現代孩童，但他們曾是精神奕奕的。他們會恢復原貌的，我發誓！

接下來，我跟克里斯爭論誰要先用浴室，這很好解決，他只要把我往床上一推，走向浴室，然後關門上鎖。我惱怒著他廁所好像永遠上不完。天啊！他怎麼能忍這麼久？

內急解決，爭吵結束，我們靠在一起討論剛才目睹和聽聞的事。

「你覺得媽媽打算嫁給巴特洛繆．溫斯洛嗎？」我將自己無時無刻的焦慮扭成麻花辮。

「我怎麼知道？」克里斯的口吻十分隨便。「雖然確實似乎每個人都認為她會，而且他們當然也比我們更熟悉媽媽的那一面。」

講得真怪。我們是她的小孩，比起任何人應該都更了解媽媽啊？

「克里斯，你為什麼這麼說？」

「什麼？」

「你為什麼說其他人比我們更懂她？」

「凱西，人都有好幾面。對我們來說，她就只是我們的媽媽。對其他人而言，她是漂亮性感的年輕寡婦，可能會繼承一筆財產。難怪飛蛾全都成群圍著她這樣的明亮光芒打轉。」

哇！他這些話講得好輕鬆，好像對他來說一點也不要緊，但我知道並非如此。我想我很了解我哥。他一定像我一樣心裡很難受，因為我知道他不希望媽媽再婚。我用最直覺的眼神望著他。啊，他其實沒像看起來那麼不在乎，這讓我很開心。

但我嘆了口氣，我很想成為一個永遠的樂天派，像他一樣。在我心裡深處，我覺得人生絕對永遠讓我進退兩難，總是讓我別無選擇。我得讓自己改頭換面成為更好的人，像克里斯那樣——永遠開懷。我難過時就得學著像他一樣掩飾。我得學會帶著笑容永不皺眉，不再只是個眼神犀利的人。

我們已經討論到媽媽再婚的可能，我們都不希望這件事發生。我們覺得她依然屬於爸爸，我們希望她守著他的回憶，永遠是他忠貞的初戀。要是她再婚，我們四個要何去何從？那個有英俊臉蛋和八字鬍叫溫斯洛的男人，他會想要四個不是他親生的孩子嗎？

「凱西，」克里斯沉吟出聲。「妳明白這是探索這棟大宅的最佳時機嗎？我們的門沒上鎖，外婆在樓下，媽媽很忙——這是盡我們所能去探查這大宅的最好機會。」

「不行！」我驚嚇大叫。「要是外婆發現呢？她會剝了我們的皮！」

「那妳跟雙胞胎留在這裡，」他堅決得令人訝異。「要是我被逮到就受鞭刑，承擔所有責罵，不過我不會被逮到。這樣想吧，有天我們可能需要知道怎麼逃出這棟大宅。」他嘴唇彎出頑皮笑意才繼續說道，「不過我要變裝一下，要是我被人看見的話。」

變裝？怎麼做？

但我忘了閣樓裡有那堆珍藏的舊衣物。他不過上了閣樓幾分鐘就下來，穿著一件略大的舊式黑西裝。克里斯以他年紀來說個頭很大。他戴了頂破爛的黑色假髮蓋住金髮，假髮是他在一只箱子裡找到的。要是燈光夠暗，他也許會被誤認為小個子男人，一個可笑的怪男人！

他得意洋洋地在我面前走來走去，身子往前傾，昂首闊步，拿著一根看不見的雪茄，一副喜劇演員格魯喬．馬克思的模樣。他在我正前方佇步，忸怩地咧嘴用十足紳士的尊敬姿態深深鞠躬，脫下一頂隱形禮帽。我不得不笑出來，他也笑了，而且不是只有眼裡帶笑，接著他直起身然後說道，「現在老實告訴我，誰會認出這個又黑又陰險的小個子男人是佛沃斯家族的一員？」

誰也不會！因為誰看過像他這樣的佛沃斯？一個笨拙瘦削的人，輪廓鮮明又有鳥窩般的黑髮，再加上油膩膩的二撇八字鬍？閣樓裡沒有一張相片裡的人會這樣大搖大擺地賣弄自己。

「好吧，克里斯，別再演了。去吧，找你能找的，可是別去太久。我不喜歡待在沒有你的地方。」

他用淘氣陰險的舞台悄悄話口吻走過來對我耳語，「我美麗的小姐，我很快就回來，等我回來時會帶著這巨大老舊屋宅裡的所有詭譎祕密。」然後他突然出其不意地抱住我，低頭在我臉頰種下一吻。

祕密？而且他把「我」講得好誇張！他是怎麼回事？他難道不知道**我們**就是大宅的祕密嗎？

我已經洗好澡換上睡衣，我當然不會在聖誕夜穿舊睡衣上床，我有好幾件「聖誕老人」送的新睡衣。我穿的是一件很好看的白色睡衣，長袖腕部有皺褶和成串的藍色緞結，睡衣滿是蕾絲花邊，正面和背面都有刺繡，別緻的粉色玫瑰繡花旁還有精心繡出的綠葉來襯托。這是一件做工精巧的漂亮睡衣，光是穿上這睡衣就讓我覺得自己漂亮美麗。

克里斯的目光從我頭髮一路下移到長睡衣下隱約可見的光裸腳趾，他的眼神從未像現在這般能言善道。他望著我的臉，看著我長及腰間的頭髮，因為我每天梳理所以頭髮閃閃動人。他看起來觸動極深而且看得入迷，就像之前他對媽媽的綠天鵝絨禮服鼓起的胸口看了好久一樣。

難怪他會自動自發地親我，因為我像個公主一般。

他遲疑地站在門口，依然望著穿新睡衣的我，我想他一定很開心能表現騎士風範，保護他的美麗佳人、幼小孩童，和所有仰賴他無畏行為的人。

「我回來之前好好照顧自己。」他輕聲說道。

「克里斯多弗，」我也小聲回應，「你缺的只有白馬和盾牌。」

「不對，」他又低聲說道，「是獨角獸和長矛，矛尖還要串著綠龍頭顱，我會穿著閃亮盔甲在八月風雪和日正當空奔馳回來，等我下馬妳就會看到一個六公尺高的人，所以對我說話要滿懷敬意，凱瑟琳女士。」

「是，我的閣下。前去斬殺那遠方巨龍吧！但別去太久，因為這冰冷硬石城堡裡所有威脅吾輩之物會將我摧毀，而這城堡吊橋已收，柵欄已落。」

「再會，」他輕聲說道。「無需害怕。我很快會回來照顧汝與汝輩。」

我咯咯笑著爬上床躺在凱芮身邊。在那一夜，睡夢就像難以捉摸的陌生人，我想著我母親和那個男子，想著克里斯，想著所有男孩和男人，想著浪漫與愛情。樓下奏著音樂，我輕輕溜進夢中，我抬手摸向那小小心型石榴石戒指，那是我父親在我七歲時戴在我手指上的。那戒指我早已戴不下。是我的試金石，是我的護身符，現在掛在一條很細的金鍊上。

爸爸，聖誕快樂。

11 克里斯多弗的探索和後果

突然有雙粗暴的手抓住我肩膀將我搖醒！我慌亂驚恐，受驚地瞪著那幾乎不像我媽媽的女人。她生氣地瞪著我然後口氣憤怒地質問，「妳哥哥在哪？」

她如此失控的言行讓我措手不及，她的指責令我退縮，我轉頭看向離我床鋪一公尺遠的那張床，空的。哦，他去太久了。

我該撒謊嗎？替他掩護，說他在閣樓？不，這個人是愛我們的媽媽，她會理解的。「克里斯去瞧瞧這樓層的其他房間。」

誠實為上策，不是嗎？而且我們從沒對母親說過謊，彼此之間也沒有。只有對外婆和必要時刻才會。

「該死，該死，該死！」她紅著臉怒罵，新一波的怒氣現在衝著我而來。她珍愛的長子，她最喜愛的小孩，要是我沒帶壞他，他是絕對不會背叛她的。她一直搖晃我搖到我覺得自己像個碎布娃娃，目光渙散暈眩不已。

「就憑這點，無論什麼原因、什麼特殊場合，我永遠不會讓妳跟克里斯多弗再踏出房間一步！你們兩個都對我發過誓，但你們沒遵守！我現在怎能再相信你們任何一個？我以為我可以相信。我以為你們愛我，你們永遠不會背叛我。」

我的眼睛睜得更大。我們背叛了她嗎？我也很震驚，她竟然會露出這副模樣——我覺得她才背叛了我們。

「媽媽，我們沒做任何壞事。我們待在檯櫃裡很安靜。好多人在我們附近來來去去，可是沒人知道我們躲在裡面。我們**真的**很安靜。沒人知道我們在那裡。妳不可以說不會再讓我們出去。妳得讓我們離開這裡！妳不能把我們一直關在這裡永遠藏著。」

她用一種古怪而煩擾的眼神瞪著我，沒有回話。我以為她可能會打我一巴掌，但是她沒有，她鬆開我的肩膀然後轉身打算離去。她身上那件名家設計晚禮服的華麗雪紡紗嵌條看起來像瘋狂飛舞的翅膀，散發出甜美花香的香水味，但她狂暴的舉動卻毀了這一切。

就在她打算離開房間顯然要親自去逮住克里斯時，那扇門打開了而我哥哥悄悄偷溜進來。他小心翼翼地關門，然後轉身看向我這邊。他打開嘴巴正要說話。然後就在此時他看到我們的母親，他臉上表情古怪至極。

不知為何，他看見我們的母親時雙眼不像平常那般發亮。

媽媽意圖明顯地迅速走向他那邊。她揚起手在他臉頰重重地激烈掌摑！然後在他還沒從震驚中平復過來，她抬起左手讓他另一邊臉頰也嘗到她憤怒的力道！

現在克里斯慘白又震驚的臉龐印上兩個大大的紅痕。

「克里斯多弗．佛沃斯，要是你敢再做出這種事，我就親自鞭打你，凱西也不例外。」

克里斯白得不自然的臉上血色盡失，蒼白臉頰上只剩那紅色的耳光痕跡，像是髒汙的血手印。

我覺得自己的血液全都流到腳底，耳後有種刺痛感而且全身愈來愈虛軟，我盯著那個現在像是陌生人的女人，像個我們不認識的女人而且是我不想認識的那種。那是向來只帶著和善與愛意對我們說話的媽媽？那是深切明白我們長久監禁悲慘處境的母親？這大宅是不是已經對她做出「一些事」，讓她變了個人？變得突如其來？是了，把所有瑣碎小事都加起來，她**確實**變了。她不再像過去一樣常來看我們，絕對沒像一開始那般每天或每兩天就來。哦，我好害怕，彷彿所有使我深深仰賴的事物從我們腳底開始撕裂，剩下的只有玩具遊戲和其他禮物。

她一定從克里斯震驚的神色看出什麼，她猛烈的怒火才忽然平息。她將他拉向自己敞開的胸懷，在他蒼白有紅印的八字鬍臉上連番輕吻，想撫平她造成的傷害。親吻，親吻，親吻，梳他頭髮，摸他臉頰，將他的頭靠在她柔軟鼓起的胸口，讓他感受到緊偎著奶油色肌膚的感官刺激，就算他還沒長大也一定會因此亢奮。

「寶貝，對不起，」她輕聲說著，眼裡和語氣中都帶淚，「原諒我，拜託原諒我。別看起來那麼驚嚇。你怎能怕我？我不是有意要說什麼鞭打的。我愛你。你知道的。我永遠不會鞭打你或凱西。我打過嗎？我有點反常是因為現在一切事情都得掌控在我手中，我們手中。為了我們所有人，你不能做出任何會破壞這點的事。我打你只是為了這個原因。」

她雙手捧住他的臉，在他那被她雙手擠壓噘起的嘴唇上親吻。那些鑽石和祖母綠寶石不斷閃爍、閃爍，像信號燈般意味著什麼。我坐在那裡望著，困惑又感受著自己感覺……哦！我不知道自己除了困惑糊塗還有什麼感覺，我覺得自己如此稚嫩，而我們周遭的世界睿智又老成。

他當然會原諒她，就跟我一樣。而我們當然得知道她和我們的事進展如何。

「媽媽，拜託，告訴我們怎麼回事。拜託。」

「下回吧，」她得在有人發現前急忙趕回宴會場地。給了我們更多親吻。然後我心裡想著，我的臉頰從未能抗拒得了她柔軟胸口。

「下回，也許是明天，我會告訴你們一切，」她匆匆給我們更多的吻，然後說些安撫話語消除我們的焦慮。她俯身越過我然後親吻凱芮，接著又朝克瑞彎下身親他臉頰。

「克里斯多弗，你原諒我了嗎？」

「是的，媽媽。媽媽，我明白了。我們該待在這房間。我不該出去亂探。」

她笑著說，「聖誕快樂，我很快會再來看你們。」然後她走出門外，關門上鎖。

我們在樓上生活的第一個聖誕夜過去了。樓下大廳裡的鐘敲響午夜一點。我們有滿房間的禮物、一台電視機、我們討來的棋組、紅色和藍色的三輪車各一輛、又厚又暖和的新衣、還有很多甜點可以吃，而且我跟克里斯還參加了一場華麗宴會，可以勉強這麼說。然而，新的事物進入我們的生活裡，我們未曾感受過我們母親的另一種性格。在那短暫的片刻裡，媽媽看起來就像外婆！

在黑暗中的同一張床上，凱芮躺在我旁邊而克里斯在我另一邊，我跟他彼此相擁。他聞起來跟我很不一樣。我的頭擱在他男孩子氣的胸膛，他變瘦了。我能聽見他心臟鼓動的聲音，微弱樂音仍在我們耳邊響著。他把手放在我頭髮上，手指一直卷著我一撮頭髮把玩。

「克里斯，長大真的複雜得可怕，對不對？」

「大概吧。」

「我一直以為變成大人就懂得處理所有事情。永遠不會迷惑什麼是對什麼是錯。我從沒想過大人也會像我們一樣做事倉皇。」

「如果妳指的是媽媽，她不是有意那麼說那麼做的。雖然我不確定，但我相信當妳長大成人又回父母家住，出於某種奇怪原因妳又變回孩子而且不再獨立自主。她的父母把她往一邊扯，而我們把她往另一邊拉，現在她又有那個八字鬍男人。他一定也會把她往他那邊扯。」

「我希望她永遠不會再婚！我們比那個男人更需要她！」

克里斯什麼也沒說。

「還有她帶來的那台電視機，她一直等到她父親送了一台，可是她好幾個月前就可以自己買給我們，而不是買一堆她自己的衣服。還有首飾！她老是戴新戒指、新手鍊、新耳環、新項鍊。」

他非常緩慢地仔細解釋我們母親的行為動機。「凱西，從這角度來看吧。要是她在我們來這裡的第一天就給我們電視機，我們就會一整天坐在電視前面。然後我們就不會在閣樓造花園讓雙胞胎能開心玩耍。我們除了坐著看電視，什麼也沒做。再看看我們在這段漫長日子裡學會多少事情，像是怎麼做花和動物。我現在比以前畫得更好，而且我們讀了很多書讓自己進步。還有妳，凱西，妳也變了。」

「有嗎？我哪裡變了？說說看。」

他的頭在枕頭上左翻右轉，表達出他窘迫地無可奈何。

「好吧。你不用對我講什麼好聽話。可是你回自己床鋪前得對我說出你的發現，所有事情。不要有任何保留，包括你的想法。我要你讓我覺得自己就在你身旁一起去探索，和你見到的一樣，感受也相同。」

他轉過頭來與我對視，他用非常古怪的口氣說道，「妳**有**跟我一起去。我覺得妳就在那裡，抓著我的手在我耳邊小聲說話，而我全都努力地看，好讓妳能目睹我所見到的。」

樓下那病重食人怪統治的這棟大宅令他害怕，我從他語氣聽得出來。「凱西，這是一棟非常大的房子，就像飯店。裡頭有好多好多房間，全都擺設著漂亮昂貴的物品，可是看得出很多房間從來沒人用。光是這個樓層我就數了十四個房間，而且我想我還漏數了一些小間的。」

「克里斯！」我失望大喊。「不要用這種方式講！要讓我覺得自己就在你旁邊。從頭開始，從你離開我視線那秒開始講。」

「哦。」他嘆了口氣，好像他很不甘願。「我沿著這翼廂房的昏暗走廊悄悄前進，我奔向這條走廊跟中央圓形大廳相通的地方，我們之前躲的櫺子就在大廳外凸平台附近。我不想費心去看北側廂房的任何房間。我一走到人們可能會看到我的地方就得小心。宴會正要進入高潮。樓下的喧鬧聲變得更大，每個人好像都醉了。事實上還有個男人唱歌唱得很蠢，唱著他想要他掉了的那兩顆前牙。聽起來實在很好笑，我偷溜到欄杆邊俯瞰底下的所有人。他們看起來好怪又好扁，我想我得記住這點，這樣一來當我用俯視角度畫人時，就會畫得很自然。觀點會讓畫作的一切都不同。」

要我說的話，我會說觀點讓世上所有事都不一樣。

「當然，我找尋的是媽媽，」在我催促下他繼續說道，「樓下我唯一認得的人是我們的外公外婆。我們外公開始顯得疲憊，我看到有個護士來將他推走。我一直注視他們直到消失在我視線外，因為這能讓我知道大致方位，知道他在圖書室後方的房間怎麼走。」

「她有穿白制服嗎？」

「當然。要不然我怎麼知道她是護士？」

「好吧，繼續。一件事也別漏。」

「嗯，外公離開沒多久，外婆也走了，然後我聽到有聲音從其中一道樓梯傳來！妳從沒見過有人可以像我動作那麼迅速！我躲進那檯櫃前就會先暴露自己，所以我縮著脖子躲到角落，那裡有一具立在台座上的盔甲裝。妳知道那盔甲一定是給成人穿的，我跟妳賭一百美元我一定穿起來很不合身，但我還是很想穿穿看。至於走上樓梯的是誰，是媽媽和那個有八字鬍的黑髮男人。」

「他們在幹嘛？為什麼要上樓？」

「我猜他們沒發現我躲在暗處，因為他們太專注於彼此。那男人想看媽媽房裡的床鋪。」

「她的床？他想看她的床？為什麼？」

「凱西，那是個造型特殊的床。他對她說，『別這樣，妳已經堅持很久了。』他的語氣聽起來像在挑逗。然後他又說，『該是時候讓我見識那令人驚嘆的天鵝床，我已經久仰多時。』顯然媽媽擔心我們還躲在那檯櫃裡。她瞟向那方向，看起來很不自在。但她同意了，然後說，『好吧，巴特！可是我們只能待一會兒，你知道要是我們離開太久大家都會起疑。』他咯咯笑著逗弄她，『不，我猜不到大家會怎麼想。告訴我他們會懷疑什麼。』在我聽來這像個挑戰，想讓所有人猜想他們會怎樣。他這麼說讓我覺得很生氣。」克里斯在這節骨眼停頓下來，他的呼吸變沉又加快。

「你瞞著一些事，」就像一本讀過上百次的書，我再了解他不過。「你在掩護她！你看到一些不想告訴我的事！這不公平！你明知來這裡的第一天起，我們就同意永遠要對彼此誠實而且完全信賴。現在告訴我你看到什麼！」

「哎呀，」他侷促不安地別過頭，不願與我對望，「不過是幾個吻，能有多大差別？」

「幾個吻？」我發怒咆哮。「你看到他對媽媽親了不只一次？哪種吻？是飛吻——還是嘴對嘴真正的吻？」

他胸膛變紅發燙，我的臉頰就靠在上面。熱度透過睡衣傳了過來。「是激情的吻，對不對？」我脫口而出，他沒說出口我卻已確信。「他吻了她，她讓他吻，說不定他還碰她胸口摸她屁股，就像我有次看到爸爸做的，他不知道我在房間裡都看到了！克里斯多弗，你看到的是那樣嗎？」

「有什麼差別？」他的聲音有點哽咽。「不管他做了什麼，她看起來都不介意，但我覺得很難受。」

我也覺得很難受。媽媽守寡不過才八個月。不過有時候八個月感覺起來比八年還久，而且再怎麼說，當現實如此令人興奮愉悅，過去還有什麼重要……因為你知道的，我能猜到接下來還發生了很多克里斯不願對我說出口的事。

「凱西，我不知道妳在想什麼，不過媽媽有叫他住手，要是他不肯就不帶他去看她臥室。」

「天啊，我猜他做了什麼下流事！」

「親吻，」克里斯望向那聖誕樹，「只是親吻和一些撫摸，但她眼睛水汪汪的，然後那個巴特問她那張天鵝床是否曾屬於一個交際花。」

「行行好，什麼是交際花？」

克里斯清了清喉嚨。「是我在字典上看到的詞語，意思是一個女人把她所有恩寵都留給貴族或皇室中人。」

「恩寵？哪種恩寵？」

「有錢人支付金錢的那種，」他把手放在我嘴上叫我閉嘴，飛快回答後就往下說。「當然，媽媽不承認這大宅裡會有那種床。她說那種名聲不道德的床無論多漂亮也一定要連夜燒毀並禱告替它贖罪，而那張天鵝床是她祖母的，她小時候非常想要她祖母的臥室套房。但她父母不准，害怕她會被她祖母的鬼魂玷汙，而她祖母既不是聖人也不是交際花。然後媽媽笑了，笑得有點難過痛苦，她告訴巴特她父母堅信她現在已經如此墮落，再沒有任何東西能讓她比現在更糟。妳知道，這讓我感覺好糟。媽媽沒有墮落，爸爸愛她，他們有結婚，已婚人士私底下的事跟其他人一點關係也沒有。」

我屏住呼吸。克里斯總是什麼都懂！絕對都懂！

「嗯，媽媽說，『巴特，快快看一眼然後就回去宴會。』他們走向燈光柔和又吸引人的一間廂房，這當然也讓我知道她房間的方位。我先謹慎地往所有方向都瞄了瞄，然後才離開藏身處，從那盔甲裝那兒奔向我看見的第一扇緊閉房門。我衝進房裡，心想既然裡頭很黑而且門又關著，這房間一定沒人用。我輕聲關上身後的門然後靜靜站在原地，吸入氣味探查這地方，就像妳說妳會做的那樣。我有帶手電筒，但我想學會能像妳一樣那麼有直覺，小心又多疑，我卻覺得一切都很正常。而該死的，妳是對的。要是燈光亮著或是我有開手電筒，也許我就不會發現房間裡充斥著極其古怪的氣味。那氣味讓我很不自在，有點害怕。然後天啊，我嚇得差點脫了層皮！」

「什麼？什麼？」我推開他擱在我嘴上的手。「你看到什麼？一隻怪物？」

「怪物？沒錯，我看到了怪物！幾十隻怪物！至少我看到牠們的頭懸掛在牆上。在我眼前那些眼睛閃爍著——黃褐色、綠色、黃玉色、和淡黃色的眼睛。天呀，嚇死人了！從窗外映進來的光因為下雪而泛著藍色，光線把動物牙齒照得閃閃發亮，映出一個張開大嘴沉默吶喊的獅子利齒。那獅頭有一圈黃褐色鬃毛讓牠的頭看起來更巨大，無聲地表達出痛苦或是憤怒。不知怎麼地我替牠覺得難過，被人斬首掛在牆上做成標本，只是個裝飾品，牠應該要在外頭過牠的生活，自由地在草原上漫步。」

是啊，我懂他的意思。我的痛苦總是像堆積如山的怒氣。

「凱西，這是一間戰利品展示室，巨大房間裡有許多動物的頭顱。有隻老虎，還有一隻揚起象鼻的大象。所有來自亞洲和非洲的動物展示在房間一側，來自美洲的大獵物在另一邊牆上，一隻灰白色的熊、一隻棕黑色的熊、一隻羚羊、一隻山貓，還有很多。裡頭沒有魚類和鳥類，好像牠們不足以展現一個獵人的狩獵戰果，不能用來裝飾這房間。這是個毛骨悚然的房間，可是我很想讓妳來看看。妳一定得去瞧瞧！」

哦，真討厭！我管那展示室幹嘛？我想知道的是人和他們的祕密，那才是我想要的。

「另一頭有窗戶的牆面有個起碼六公尺寬的石砌壁爐，壁爐上方掛了一張等身大小的油畫肖像，畫中人是個很像我們父親的年輕男人，讓我好想哭。不過那不是爸爸的肖像。當我走得更近，我看到的是一個很像我們父親的男子，只有眼睛不像。他穿著一件卡其色的打獵背心，裡頭是件藍襯衫。那個獵人倚在他的來福槍上，抬起一腳踏在橫臥在地的樹幹。我對藝術所知其微，但足以看出這幅畫是大師手筆。那個畫家確實捕捉到那獵人的神韻。妳從沒看過那麼嚴厲冰冷、殘酷又無情的藍眼睛。不需要看釘在金色畫框底下的小金屬牌，光是這對眼睛就讓我知道這不是我們爸爸。這是我們外公麥爾坎．尼爾．佛沃斯的畫像。畫中的日期顯示畫這幅肖像時爸爸已經五歲大。妳也知道，爸爸在三歲時就跟他母親愛莉西亞被趕出佛沃斯大宅，然後他們母子倆從此落腳在列治文。」

「繼續說。」

「嗯，我運氣真的很好，沒人看見我到處蹓躂，因為我真的每間房間都看過了。我也終於找到媽媽的套房。雙層門下還有兩階台階，天啊，當我往房間裡頭張望，我以為自己看到一間宮殿！其他房間都是我預料中的富麗堂皇，但她的房間絕對令人難以置信！而且這一定是媽媽的房間，因為床頭櫃上放著爸爸的相片，房裡也滿是她的香水味。在房間中央的高台上就是那令人驚嘆的天鵝床！哇！好棒的床！妳從沒見過這種東西！那張床有光滑的象牙天鵝鳥頭，鳥頭轉向側邊，似乎正要把頭埋進一隻抬高羽翼的蓬鬆下方。鳥頭上有呆滯的紅色眼珠。兩側羽翼優美地彎曲攏成近似橢圓形床鋪的前端——我不知道他們怎能找到尺寸適合的床單，除非找人訂製。設計床鋪的人讓翼尖羽毛如指狀般托住半透明的精巧床幔，床幔是顏色濃淡不一的粉紅和玫瑰紅，紫蘿蘭色，和紫色。這真的是一張驚人的床，還有那些床幔……她睡在上頭一定覺得自己像個公主。淺紫色的地毯厚到會讓你連腳踝都陷下去，床邊還有一大張白色的毛皮地毯。然後在那張大天鵝床的床尾——深呼吸，因為妳不會相信的——還有一張小天鵝床！想像一下！就放在床尾，在通道口上。我不得不站著猜想為何有人會需要一張大床然後在床尾又放一張小小的窄床。這一定得有個好理由，例如只想小睡又不想弄亂大床時就能用小床。凱西，妳真的得來親自瞧瞧這張床才會相信！」

我知道他還見識了很多他沒提的東西。更多等著我自己後來親眼目睹。我也理解了很多，知道他為何回來講這麼多那張床的事卻沒告訴我一切。

「這棟大宅比我們在格拉斯通的房子還棒嗎？」我問道，因為對我來說我們那間只有八個房間和兩個半浴室的平房才是最好的。

他遲疑了。他花了點時間找到合適的字詞來敘述，因為他不是那種說話草率的人。那一晚他仔細衡量用詞，僅僅如此就表明了很多事。「這不是棟很棒的房子。這大宅很堂皇、很大、也很漂亮，但我不會說它很棒。」

我想我知道他的意思。比起堂皇富麗和漂亮巨大那些詞語，舒適跟很棒這兩個詞還比較有關聯。現在除了晚安沒什麼要說的，還有別被床上臭蟲咬。我親了親他臉頰然後把他推離床鋪。這回他沒發牢騷說親吻這件事是給小寶寶、娘娘腔，和女孩兒的。很快地，他依偎在克瑞身邊，在離我一公尺遠的床上。

在黑暗中，那棵活生生的六十公分高小聖誕樹上的七彩小燈泡一閃一閃，像是我在我哥眼裡看到的閃爍淚珠。

12 漫長的冬天、春天和夏天

媽媽說現在我們有扇真正的窗戶可以觀看其他人生活，這話說得再對不過。那年冬天，電視機接管了我們的生活。就像其他殘疾、生病，和年老的人們一樣。我們吃完飯、洗好澡、換了衣服，坐下來觀看其他人虛假的生活秀。

在一月、二月、和大半三月裡，閣樓冷到讓人不想上去。冰霧懸在閣樓上方的空氣中，將所有東西罩上可怕的朦朧感，這真的很嚇人。而且看起來很淒涼，這點就連克里斯都得承認。

這一切讓我們甘願待在較暖和的臥室，擠成一團然後對電視看了又看。雙胞胎很喜歡電視，他們從來不想關電視；連晚上睡覺他們也想開著，知道電視會在早上把他們叫醒。就連深夜節目收播後的雜訊畫面，對他們來說好過什麼都沒有。克瑞特別喜歡醒來看到在桌子後頭念新聞談天氣的小小人影；比起那掩蓋住的朦朧窗戶，電視裡的人聲絕對更愉悅地歡迎他邁向新的一天。

電視將我們塑造成形，教導我們怎麼拼讀一些困難字彙。我們學會保持乾淨無味是很重要的，而且絕對不能讓廚房地板的蠟堆積起來；永遠不能讓風吹亂頭髮，而且要是有頭皮屑連上帝也難容！然後全世界都會嘲笑你。到了四月我就要滿十三歲，快要長痘子的年紀！每天我都會檢查皮膚看看是否有可怕東西隨時會冒出來。是真的，我們完全接受廣告詞，相信那些廣告像書本裡的規矩一樣有意義，能讓我們平安度過生活中的危險。

每過一天就會為我跟克里斯帶來改變。我們的身體出現了不尋常的事。我們原本沒長毛髮的地方現在長毛了，看起來很怪的黃褐色毛髮，顏色比我們頭上的毛髮還深。我不喜歡那些毛髮，只要毛髮一長出來我就拿鑷子拔掉，可是它們就像雜草一樣，拔得愈多，長得愈快。有天克里斯看到我舉高手臂，勤奮地尋覓想要逮住一根鬈曲的黃褐毛髮然後無情地使勁一扯。

「妳在搞什麼？」他喊道。

「我不想刮腋毛，也不想用媽媽在用的脫毛霜，那好臭！」

「妳的意思是妳身體只要一長出毛妳就拔掉？」

「當然。我喜歡我的身體可愛又端整，就算你不喜歡。」

「妳在打一場注定會輸的仗，」他笑得很討人厭。「那些毛髮該長在哪裡就一定會長，所以別再管了，別再想著孩子氣的端整模樣，把毛髮想成是很性感的。」

性感？大胸部很性感，又卷又硬的毛髮一點也不性感。但我不會把這件事說出口，因為我胸口那兩粒又小又硬的東西開始往外凸了，我希望克里斯沒注意到。

我很開心我的前胸開始鼓起，當我一個人私底下獨處時，但我不想讓別人發現。我必須放棄這無謂的希望，因為我看到克里斯時常瞥向我胸口，不管我穿再怎麼寬鬆的毛衣或上衣，我想我那小山丘已經出賣了我的端莊羞怯。

我變得很敏感，感覺得到以前不曾感受的事。心裡癢得很怪，渴望。想要某種東西，不知道是什麼讓我在夜裡醒來，悸動抽搐又興奮，知道有個男人跟我在一起，做著某種我想要他做到底的事，而他從未能……未能……我總是醒得太快沒達到巔峰，我知道他終究會領我攀上的，要是我沒醒來壞事的話。

然後還有另一件令人不解的事。每天早上在我們起床著衣後和那巫婆帶著野餐籃進房之前，整理床鋪的人是我。我一直在床單上看到汙漬，那些汙漬不大，不像是克瑞又在夢裡上廁所留下的。那些汙漬出現在克里斯睡的那一側。「克里斯，看在上帝的份上。我真希望你不會躺在床上睡覺時夢見上廁所。」我簡直不敢相信他那荒謬的謊話，說那叫「夢遺」什麼的！

「克里斯，我想你應該跟媽媽講，好讓她帶你去看醫生。你得的可能是傳染病，會傳染給克瑞，他已經把床弄得很麻煩了，別再弄得更糟。」

他輕蔑地看了我一眼，臉色變紅。「我不需要看醫生，」他的語氣非常生硬。「我以前在學校廁所就聽過年長男生在談論，我的狀況非常正常。」

「這不正常。這太骯髒了，怎麼會正常。」

「哈！」他出言嘲笑，眼裡有著隱約笑意在閃動。「很快就換妳弄髒床單了。」

「什麼意思？」

「問媽媽。她差不多該告訴妳了。我已經注意到妳開始發育，那是明確的徵兆。」

我討厭他懂的事情總是比我多！他從哪學來這麼多男生廁所裡的下流無聊對話？我也在女生廁所聽過一些下流無聊的對話，但我連一個字也不會信。那些全都太噁心了！

雙胞胎很少坐在椅子上，他們也不能在床上亂躺因為會把床鋪弄亂，而外婆堅持我們必須讓所有東西保持「整齊潔淨」。雖然他們也喜歡肥皂劇，不過他們還是繼續玩耍，只有最吸引人的片段才會偶爾瞄幾眼。凱芮有那個娃娃屋和裡頭的小人和有趣小玩意兒，可以讓她單調又輕快地吱喳個不停，令人聽到心煩。我時常往她那邊惱怒瞟去，希望她可以閉嘴個幾秒讓我專心看電視，但我從沒對她說什麼，因為這只會帶來哭號，比她小聲喃喃自語說個不停更糟。

凱芮把小人偶挪來挪去跟它們說話，而克瑞則擺弄他那一堆拼裝組合玩具。他拒絕用克里斯教他怎麼拼接的方向去玩。克瑞會組裝出最適合他需求的模型，而他拼出的東西總是讓他能拍打出音符。有電視能製造噪音而且不斷播放不同畫面，有娃娃屋和屋裡迷人小東西能取悅凱芮，還有能讓克瑞開心度過時間的組裝玩具，雙胞胎努力讓他們囚禁的生活過得很好。小孩子的適應力強，光看他們我就知道。他們當然會抱怨，最常埋怨的事有兩件。為什麼媽媽沒像以前那麼常來看我們？那讓人難過，真的很難過，因為我能對他們說什麼？然後是關於食物的抱怨，他們從來就不喜歡那些食物。他們想要在電視上看到的冰淇淋甜筒，還有電視裡的孩童總是在吃的熱狗。事實上，他們想要的東西都是小孩普遍的愛好，像是甜食和玩具。玩具是有了，甜食卻沒有。

當雙胞胎在地板上爬來爬去或是盤腿坐著製造他們特有的煩人喧鬧，我跟克里斯試著讓自己的心神專注在我們眼前開展的複雜劇情。我們看到外遇的丈夫欺騙忠誠的妻子或嘮叨的妻子，或是只顧著小孩卻沒給丈夫應有關注的妻子。也有情節相反的情況。有好丈夫或壞丈夫的妻子會外遇。我們學會愛情就像肥皂泡泡，前一天還閃亮燦爛，隔天就破滅。然後是眼淚和悲傷神情與痛苦，跟一個自己也有煩惱的男性或女性摯友坐在廚房桌邊喝著喝不完的咖啡。然而，一段愛情才剛結束告終，另一段愛情就開始，閃亮的肥皂泡再度飄起。噢，那些俊男美女總是那麼努力想找到完美愛情並且藏好妥善保管，而他們從來就無法成功。

三月下旬的某個下午，媽媽腋下夾著一個大盒子走進房間。我們已經習慣看到她進門時帶著一堆禮物而不是一個，最奇怪的是她朝克里斯點點頭而他似乎很明白，因為他起身離開原本坐著看書的地方，然後牽著雙胞胎的小手帶他們上閣樓。我到最後還是沒弄懂。閣樓還很冷，這是什麼祕密嗎？她只帶了個禮物要給我？

我們肩併肩坐在我跟凱芮共用的那張床上，在我還沒來得及朝那特別送給我的「禮物」瞄上一眼，媽媽說我跟她得來個「女人」對話。

看了不少「安迪．哈弟」系列電影的我聽過所謂的男人對話，我知道那些特別的討論話題都跟成長和性議題有關，所以我更加關切又試著不露出很感興趣的模樣，那樣會太不淑女。雖然我其實非常想知道。

她對我說了那些我等了好多年想知道的事？沒有！我嚴肅地坐在那裡等待一切邪惡有罪的事情揭露開來，那些男孩一出生就懂的事，這是巫婆般的挑剔外婆說的。我卻難以置信地僵坐在那裡，而媽媽向我解釋哪天我可能會開始流血！

不是因為傷口而流血，而是因為上帝的安排，那是女人身體該有的運作。而且讓我驚上加驚的是，從現在開始直到我變成五十歲老女人，不僅每個月都要流血，而且要流上至少五天的血！

「直到我五十歲？」我虛軟地小聲問道，好害怕她不是在開玩笑。

她給我一個甜美又溫柔的笑容。「有時候會在五十歲之前就停經，有時候也會再持續好幾年，沒有一定標準。不過在那個年紀左右妳就可以等著迎接『人生的變化』。那就叫做更年期。」

「會很痛嗎？」這是我現在最想知道的事。

「妳的月經？可能會有點痙攣痛，不過不會太嚴重，我可以用我自己和其他認識女人的經驗來告訴妳，妳愈怕就愈痛。」

我就知道！從來沒有見血不會痛的——除非是別人的血。而這一切麻煩，痛苦和痙攣正是因為我的子宮已經準備好能接納會長成小寶寶的「受精卵」。然後她給了我那個盒子，裡頭裝滿所有我在「每個月的那時候」會需要的東西。

「媽媽，別再講了！」我嚷著，想到一個避開這一切的辦法。「妳忘了我打算當個芭蕾舞者，舞者不該生小孩。塔妮拉老師總是告訴我們最好別生小孩。而且我也從來就不想生。所以妳可以把這些東西都退回店裡把錢拿回來，因為我不要這每個月的麻煩！」

她咯咯笑，然後抱緊我在我臉頰上一吻。「我想我一定是忘了告訴妳一件事——因為妳沒辦法做任何事讓月經不來。妳得接受所有改變妳身體的自然運作，讓妳從小孩變成女人。妳絕對不想一輩子都當個小孩，對吧？」

我好掙扎，我好想成為成熟女人，有她那樣的身體曲線，但我沒準備好會面臨這種麻煩事的打擊。而且是每個月一次！

「還有凱西，拜託不要覺得羞恥或不好意思，或是害怕那一點點的不適和麻煩——懷孕是非常值得的。有一天妳會談戀愛然後結婚，妳會想要生下妳丈夫的小孩，要是妳夠愛他的話。」

「媽媽，有些事妳沒告訴我。要是女孩得經歷這種事才能變成女人，那克里斯又要忍受什麼才能成為男人？」

她像少女般地咯咯笑，然後與我臉頰相貼。「他們也有變化，不過他們不會流血。克里斯很快就得刮鬍子，而且每天都要。而且絕對還有一些事是他必須學著做到和自制，妳不用擔心。」

「是什麼？」我問道，好希望和男性共享成長的痛苦。而她不回答，我又問她，「是克里斯叫妳來教我這些，是不是？」她點頭承認，不過她很久以前就想告訴我，但樓下每天都有麻煩事讓她不能做她該做的。

「克里斯得做什麼來忍受那些痛苦的事？」

她大笑，看起來被逗樂了。「凱西，改天吧。現在把妳的東西收好，等妳需要時拿出來用。要是在晚上或妳跳舞時開始流血，不要慌。我的初潮是在十二歲的時候，那時我在外面騎腳踏車，我來回起碼騎了六趟回家換褲子，後來我母親終於發現然後抽空跟我解釋那是怎麼回事。我很憤怒，因為她沒事先提醒過我。她從沒告訴我任何事。信不信由妳，妳很快就會習慣而且對妳生活作息也不會造成任何差別。」

儘管我希望我永遠不需要用那盒討厭的東西，因為我不打算有小寶寶，然而這確實是我跟媽媽共有過的一段溫馨談話。

不過，當她叫克里斯和雙胞胎從閣樓下來，然後她親吻克里斯又揉亂他金髮，那不久前才共享的親密感開始消散。凱芮和克瑞現在似乎對她現身很不安。他們朝我跑來爬上我膝頭，我雙手緊緊環抱他們，而他們僅僅呆望著克里斯接受媽媽撫摸親吻和討好。她對待雙胞胎的方式讓我十分困擾，好像她不喜歡直視他們。我跟克里斯進入青春期開始朝成年邁進，而雙胞胎停滯不前，哪兒也沒去。

漫長寒冷的冬天轉換成春天。閣樓裡漸漸暖和。我們四個上閣樓取下紙做的雪花，然後再次用我們燦爛的春天紙花朵讓閣樓遍地開花。

我的生日在四月到來，媽媽沒有忘記帶來禮物、冰淇淋，和糕餅鋪的蛋糕。她坐下來跟我們共度星期日下午，教我怎麼做針鏽和一些絨繡針法。有了那些她給我的針線組，我又有足以打發時間的道具了。

我的生日之後，緊接著是雙胞胎的六歲生日。媽媽再次帶了蛋糕、冰淇淋和好多禮物過來，包括讓克瑞藍眼一亮的玩具手風琴，他著迷地看了許久，拉了一、兩下風箱同時按著琴鍵，歪頭凝神傾聽發出的樂音。然後天啊，他一下子就能用那玩意兒彈出曲調！我們全都不敢置信。然後我們再次嚇傻了，因為他改拿凱芮的玩具鋼琴然後依樣畫葫蘆。「祝妳生日快樂，親愛的凱芮生日快樂，祝妳和我生日快樂。」

「克瑞對音樂很有天分，」媽媽看起來悲傷又充滿思念，終於把目光放到她的幼子身上。「我的兩個哥哥都是音樂家。遺憾的是我父親絲毫不能容忍藝術和藝術工作者，不僅包括音樂家，還有畫家、詩人等等都是。他覺得那些人能力差又沒男子氣慨。他逼我大哥去他名下的一間銀行工作，不在乎他兒子是否討厭那一點也不適合他的工作。我大哥的名字是照著我父親取的，但我們都叫他麥爾。麥爾是個很英俊的年輕人，在週末假期會騎機車上山逃避讓他厭惡的生活。他自己蓋了間木屋當成他個人休息的場所，在那裡作曲。有天他在雨中過彎速度太快。他翻車衝出路面然後墜落山谷。他才二十二歲就死了。」

「我的二哥叫約爾，他在大哥葬禮那天離家出走。他和麥爾感情很好，我猜他一想到自己會取代麥爾地位而且成為他父親商業帝國的繼承人，他就無法承受。我們只接到一張巴黎來的明信片，約爾告訴我們他在一個巡迴歐洲的管弦樂團找到工作。接下來大概是在三星期後，我們聽到的消息是約爾在瑞士死於滑雪意外。他去世時才十九歲。他跌進滿是白雪的深谷裡，直到今天依然沒找到他屍體。」

哦天啊！我的心好亂，有點嚇呆了。這麼多意外。兩個哥哥死亡，還有爸爸也去世，全都是意外。我陰鬱的目光對上克里斯。他沒有笑容。我們的母親一離開，我們就逃往閣樓和那些書本裡。

「我們已經把每本該死的書都讀過了！」克里斯深惡痛絕地說，對我投以惱怒目光。他幾個小時就能看完一本書難道是我的錯？

「我們可以再看一遍莎士比亞的書。」我提議。

「我不喜歡讀劇本！」

天啊，我好愛讀莎士比亞和尤金．歐尼爾，還有戲劇化又充滿幻想，緊張又情緒激烈的東西。

「來教雙胞胎讀寫吧！」我提議，我發狂地想做點不一樣的事情。用這種方式我們也能讓他們獲得另種方法來娛樂自己。「而且，克里斯，我們得挽救他們的大腦，以防他們因為看太多電視變成爛泥，而且也要防止他們看到眼睛瞎掉。」

我們兩個帶著決心走下樓梯直接走向雙胞胎，他們的目光黏在電視裡唱歌的兔巴哥。

「我們要教你們兩個讀寫。」克里斯說道。

他們大聲哭號抗議。「不要！」凱芮怒吼。「我們不想學讀寫！我們不要寫字母！我們想看《我愛露西》[2]！」

克里斯抓起她，而我抓住克瑞，我們得用拖的才能將他們兩個拽上閣樓，就像試圖抓住滑溜溜的蛇一樣。而他們之中還有人會像猛衝的發瘋公牛般吼叫！

克瑞沒說話也沒尖叫，也沒用他的小拳頭試圖對我造成傷害。他只是使勁抓住他手邊觸手可及的任何東西，還用腳纏住東西。

從未有兩名業餘教師碰上這麼不情願的學生。不過總算，經過哄騙威脅和童話故事的引誘，我們開始讓他們產生興趣。也許是同情我們，他們很快就願意苦讀書本然後沉悶地記誦字母。我們拿了麥加菲的第一級初學者讀本給他們臨摹。

我和克里斯從未熟識任何和雙胞胎同樣年紀的其他孩童，然而我們認為這兩位六歲孩童做得非常出色。雖然媽媽現在沒像一開始那樣天天來看我們，她一星期還是會來個一兩次。我們多麼焦急地等著將克瑞和凱芮用印刷體寫的小字條拿給她，還確認他們寫的字數一樣多。

他們用起碼三公分大而且非常歪扭的印刷體文字寫著：

親愛的媽媽

我們愛妳
也愛糖果

再見
凱芮和克瑞

他們如此勤勉地成功寫出自己的想法，我跟克里斯都沒特別指導。那是他們希望媽媽能明白的訊息，但她不會答應。

會蛀牙，那還用說。

然後夏天造訪了我們。又是高溫悶熱的夏天，可怕得讓人透不過氣，不過奇怪的是，這次沒像去年夏天那麼難受。克里斯推論這是因為我們的血液現在變稀了，所以我們較能耐得住熱。

我們用書本填滿夏天。顯然媽媽沒仔細看標題就從樓下書櫃拿書上來，沒想過那些書是否合乎我

2 譯注：《我愛露西》（I Love Lucy），一九六〇年代美國知名電視情景喜劇。

們興趣或年輕心智是否讀得懂。真的沒關係，我跟克里斯什麼都讀。

那個夏天我們喜愛的其中一本書是歷史小說，比學校教的歷史更好。我們讀了很驚訝，舊時代的女人生小孩不用去醫院。她們躺在家裡又小又窄的行軍床上，比起又大又寬的床更能讓醫生方便接生。而且有時候只有「助產士」在場接生。

「小天鵝床，生小嬰兒時用的。」克里斯自言自語，抬頭望向虛空。

我翻了個身趴著，不懷好意地對他笑。我們在閣樓裡一起躺在窗邊那張髒汙的舊床墊上，開著窗戶讓溫暖微風吹入。「國王和女皇會像書裡說的，在臥房，或叫寢宮的地方裡面接見訪客，而且還大到光著身子就從床上坐起。你覺得書裡寫的全都是真的嗎？」

「當然不是！可是大多都是真的。再怎麼說，人們以前不會穿連身睡衣或睡衣褲睡覺。他們只戴睡帽讓頭顱保暖，其他身體部位就管它去吧。」

我們兩個都大笑，想像著國王和女皇在貴族和外國顯貴面前赤裸身體也毫不尷尬。

「那麼裸露皮膚不邪惡，是嗎？在中世紀的時候？」

「大概吧。」他回答。

「那麼是光著身子做事才邪惡，是嗎？」

「也許吧。」

這是我第二次面對讓我變成女人的自然可恨天性，第一次來的時候真的很痛，我整天躺在床上。而且痙攣讓我大受折騰。

「我身上發生的事，你不覺得很噁心嗎？」

他低下頭埋進我髮間。「凱西，我不覺得人體和人體的運作會令人噁心。我想這是我心裡的醫生意識抬頭。我用這種方式看待妳的特殊情況……要是一個月得花個幾天讓妳像媽媽一樣成為女人，那我完全沒意見。至於痛的方面讓妳不喜歡，那就想想跳舞吧，因為妳對我說過跳舞也很痛。再不然，妳就想著妳付出的代價會有等值的回報。」我的雙手緊緊抱著他，他頓了頓。「而我也為了成為男人付出代價。沒有男人能跟我談話，而妳有媽媽。我自己一個人處在棘手狀況中非常挫折，有時候我不知道該往哪走，要怎麼遠離誘惑，而且我好怕自己永遠都當不成醫生。」

「克里斯，」我開口說話，然後明白自己有如失足踩上流沙一般，「你從沒對她有過懷疑嗎？」

我看到他皺起眉頭，在他還沒憤怒地開口反駁前，我又說道，「難道你不覺得很……很奇怪，她怎能把我們關在這裡這麼久？克里斯，她有很多錢，我知道她有。那些戒指和手鍊都不像她說的是仿冒品。我知道不是！」

我一提到「她」，他就抽身拉開距離。他崇拜他心中那位完美的女神，不過他又抱住我然後臉頰貼在我頭髮上，他激動得口齒不清。「有時候我不是妳說的那種永遠無可救藥的樂天派。有時候我也跟妳一樣會懷疑她在做什麼。但我回想我們來這裡之前的日子，覺得自己必須相信她、信賴她，像爸爸一樣。記得他以前會說，『每件看似古怪的事都有充分理由？而每件事總是會有好結果。』就是那句話讓我相信，她有充分的理由才讓我們待在這裡，而不是送我們去什麼寄宿學校。凱西，她知道她在做什麼，而且我很愛她。我就是情難自禁。不管她做了什麼，我覺得我還是會愛她。」

他愛她勝過愛我，我苦澀地想著。

媽媽現在來去不定。有陣子一整個星期她都沒來。等她終於現身，她告訴我們外公病得很重。聽到這消息我狂喜不已。

「他病情加重了？」我覺得內心受到罪惡感折磨。我知道希望他去世是不對的，但他的死亡意味著我們的救贖。

「對，」她嚴肅說道，「很糟。現在可能哪天隨時會死，凱西，哪天隨時都會。妳不會相信他臉色那麼白，那麼痛苦，只要他走了，你們就自由了。」

啊呀，一想到我希望那老人馬上過世實在太邪惡了！上帝請寬恕我。可是一直把我們關在這裡是不對的，我們需要到外面處在溫暖陽光下，而且我們沒跟別人接觸，十分寂寞。

「隨時都有可能。」媽媽說完就起身離去。

「輕搖，可愛的馬車，輕搖著來接我回家……」我整理床鋪時哼著歌，我正等著接到外公已經離開人世的消息，若他的金子有用就會上天堂，要是魔鬼不收賄他就會下地獄。

「如你比我先達到那個地方……」

然後媽媽神情疲憊地又出現在門邊，只探頭進來。「他脫離險境了……這一次，他會好起來。」門關上，而我們留在原地，希望破滅。

那一晚我把雙胞胎塞進床上，因為媽媽很少出現並做這件事。親吻他們臉頰，聽他們禱告的人是我。克里斯也包括在內。他們愛我們，從他們大大的憂愁藍眼睛就能輕易看出。在他們睡著後，我們走到掛曆前再次畫上一個叉字記號。八月再度來臨。我們現在已在這囚室裡住滿了一年。

第二部

等到天起涼風、日影飛去的時候。

雅歌第二章十七節

13 成長茁壯

一年又過去了，卻跟頭一年沒什麼兩樣。媽媽愈來愈少來看我們，但總一再向我們保證，讓我們心懷希望，相信自己只要再待幾週就能解脫。我們每晚睡前都要在掛曆的日期上畫個大大的紅色叉叉。

現在我們已經有三本帶著紅色叉叉的掛曆。第一本掛曆上只有半數日期畫叉，第二本掛曆從頭畫到尾，現在第三本也超過一半日期都畫上了叉。而垂死的外公現在六十八歲，我們在囚牢中等待時他總是喘著最後一口氣繼續延續生命，看起來他能繼續活到六十九歲。

每逢星期四佛沃斯大宅的僕人就會去鎮上，那時我跟克里斯會偷跑到黑瓦屋頂上，躺在陡峭的屋頂斜坡享受日光浴，在星月下吐息。雖然屋頂很高又很危險，卻是真正的戶外，我們飢渴的皮膚能接觸到新鮮空氣。

在兩側廂房交會的轉角地方，我們可以把腳撐在堅固煙囪邊，覺得這樣就很安全。我們在屋頂上身處的位置不會讓地上的人看見。

因為外婆的懲罰還未真正施行過，我跟克里斯變得掉以輕心。我們在臥室沒有一直保持端莊，也沒有總是穿著整齊。實在很難日復一日永遠不讓異性看到身體的私密部位。

而且說實在的，我們沒人在意看到了什麼。

我們該在意的。

我們該小心翼翼的。

我們該牢記媽媽在我們面前清楚露出的血腥鞭痕，永遠牢記在心。但她遭到鞭打的那天似乎已是好久好久以前的事。像永恆般久遠。

我是個青少女，從沒瞧過自己全裸的模樣，因為浴室的藥櫥門太高所以沒辦法看個清楚。我從沒見過赤裸的女人，連照片也沒見過，而畫作和大理石雕像也沒有刻畫得很仔細。所以我等了好一陣子才終於等到臥室裡沒人的時機，在櫥櫃鏡子前脫個精光並注視自己，滿意地欣賞。荷爾蒙帶來的變化真是不可思議！我顯然比住進大宅前美多了，我的臉蛋、頭髮、雙腿都是如此，凹凸有致的身體就更不用說了。我將身體扭來擺去做芭蕾舞姿時，雙眼仍緊盯自己的鏡中倒影。

脖子後方忽然有股漣漪般的感覺，讓我警覺有人在近處注視。我猛然轉身逮到克里斯站在壁櫥昏暗的陰影處。他悄聲下了閣樓。他在那裡待多久了？他是不是看見我做出的所有可笑不端莊舉動？天啊，希望沒有！

他宛如僵住般站著。他藍眼裡閃著古怪神色，彷彿沒見過我裸體，但他明明早就看過好多次了。也許是因為我們和雙胞胎一起做日光浴之際，他只想著手足之情，心思純潔，而且也沒有正眼瞧。

他的雙眼從我發紅臉蛋一路往下瞟向胸部，然後繼續往下注視到我雙足部位才更加緩慢地往上移。

我發抖站立，徬徨失措，不知該做什麼才不會讓自己的哥哥認定我是個假正經的蠢女人，而他很擅長挖苦我，要是他真想這麼做的話。他看起來有如陌生人，比平時更年長，也更脆弱茫然又困惑，當時，我若遮起身體就像會奪走他向來渴望目睹的東西一般。

時間似乎靜止了，他站在壁櫥那邊，而我在櫥櫃前躊躇，他也能看到我背對他的另一側，因為我看到他雙眼移向櫥櫃鏡子，望著映出的倒影。

「克里斯，求你走開。」

他好像沒聽見。

他只顧盯著瞧。

我滿臉發紅，覺得腋下開始出汗，而且脈搏開始跳得古怪。我覺得自己像個小孩，就在伸手進餅乾罐時被逮個正著，像犯了某些重大罪行，然而事實上幾乎沒做什麼事就被嚴厲懲罰。可是他的目光和眼神讓我又活了過來，我心臟開始遽烈瘋狂鼓動，飽受驚嚇。我為什麼要怕？該覺得怕的是克里斯。

我頭一次為了自己現下的模樣感到尷尬羞愧，我很快伸手想拾起剛脫下的衣服。隔著衣服我就能掩蓋自己，我也能叫他走開。

「別穿。」我手裡拿著衣服時他開口說道。

「你不該……」我結結巴巴，抖得更厲害。

「我知道我不該看，可是妳看起來好美。好像我從來沒見過妳一樣。我一直都在這裡，可妳是怎樣才長成這麼迷人的？」

該怎麼回答這種問題？我只能望著他，用目光懇求。

就在這時，我身後的門鎖孔有鑰匙轉動。我飛快地試著在她進門前把衣服套進頭頂往下拉。噢天啊！我找不到袖子。我頭上蓋著衣服，但身體其他部位都是赤裸的，然後**她**已經在這裡了。外婆！我看不見，但我**感覺**得到！

最後我終於找到袖子開口，迅速將衣服往下拉。但她已經看到我光著身子了，用那雙閃動的堅石灰眼。她從我身上移開雙眼，然後用尖利目光盯著克里斯。他還在發愣，一步也沒挪動。

「終於！」外婆罵道。「我總算逮到你們了！我就知道遲早能逮到！」

她先對我們開了口。這宛如是我噩夢中出現過的場景……在外婆和上帝面前赤身裸體。

克里斯不再發愣，他舉步向前開口反擊，「妳逮到我們了？逮到什麼？什麼也沒有！」

沒有……

沒有……

沒有……

這字眼不斷迴響。在她眼中，她自認已經逮到我們什麼都做了！

「罪人！」她殘酷雙眼又移到我身上，嗤聲說道。那雙眼毫不留情。「妳覺得自己很漂亮？妳覺得那些青春曲線很吸引人？妳喜歡妳梳得鬈曲的金色長髮？」然後她笑了，那是我見過最駭人的笑容。

我的雙膝緊張地併攏打顫，雙手也是。我沒穿貼身衣物，而且背後有一大條仍敞開的拉鏈，覺得自己好脆弱。我朝克里斯瞥了一眼。他慢慢前進，閃動雙眼，四下搜尋找武器。

「妳讓妳哥哥用妳身體用了多少次？」外婆咆哮。我只是佇在那裡說不出話，無法理解她在說什麼。

「用？妳指的是什麼意思？」

她雙眼瞇成細縫倏地轉頭望著克里斯臉上窘迫的紅暈，就連我也能明白看出他知道她在說什麼，儘管我不懂。

「我是說，」他的臉變得更紅，「我們真的沒有做出什麼不好的事。」他現在有副低沉有力的男人嗓音。「繼續用妳那可憎多疑的眼神看我啊！妳就相信妳想信的吧！但我跟凱西從沒做出任何邪惡有罪或不道德的事！」

「你妹妹光著身子，讓你看她的身體，所以你們做了錯事。」她眼中閃著憎恨，用目光鞭打我，然後才轉身踱出房間撇下顫抖的我。克里斯對我大發雷霆。

「凱西，妳幹嘛在房裡不穿衣服！妳明知她監視我們就是希望能逮到我們做出什麼！」他抓狂煩躁的模樣讓他顯得年長又暴戾。「她會來懲罰我們。她什麼也沒做就離開，並不表示她不會再回來。」

我知道的，我知道。她會回來，而且帶上鞭子！

雙胞胎發睏又煩躁地走下閣樓。凱芮在娃娃屋前坐了下來。克瑞蹲坐在自己腳後跟上，看著電視拿起他昂貴的專業吉他開始彈奏，克里斯坐在他床上望向門邊。我心存戒備，準備在她回來時逃跑。我會衝進浴室把門鎖上……我會……

鑰匙在門中轉動。門把扭動。

我一躍而起，克里斯也是。他開口，「凱西，去浴室待著。」

我們的外婆走進房裡，如樹木般矗立，她拿的不是鞭子而是一把大剪刀，用來裁布做衣服的那種。剪刀是鉛灰色的，又亮又長，而且看起來很利。

「女孩，坐下！」她厲聲說道。「我要把妳的頭髮齊根剪掉，這樣一來也許妳照鏡子的時候就不會那麼洋洋得意。」

她看見我驚愕神色時，笑得輕蔑又殘忍，這是我頭一次看到她笑。

這是我最怕的事！我寧可被鞭打！皮膚會痊癒，但要蓄回一頭漂亮長髮得花上好多年，自從爸爸說我頭髮漂亮而且他喜歡小女孩留長髮，我就一直很寶貝這頭長髮。天啊，她怎麼知道我幾乎每晚都夢見她在我睡覺時溜進房間，然後把我像綿羊一樣般剃去毛髮？而且有時候我不只夢見自己早上睡醒時禿頭又難看，還夢見她連我胸部都切掉了！

她每次看著我時，總是只關注某些特定部位。她沒把我當人來看，只是盯著一些似乎會引發她怒火的部位，而且她打算毀掉所有令她生氣的事物！

我試著想跑向浴室然後把浴室門上鎖。但不知為何我那訓練有素的舞者雙腿不肯挪動。我嚇得渾身癱軟，因為那閃亮長剪刀，以及在剪刀上方，外婆鉛色雙眼裡閃著的憎惡、輕蔑，和不屑。

這時克里斯用強壯男子的嗓音開口說話。「外婆，凱西的頭髮妳一根也不能碰！再往她那邊走一步，我就用這椅子往妳臉上打下去！」

他高舉一張我們吃晚餐用的椅子，打算把他的威嚇付諸實行。在她目光投射憎意時，他藍色雙眼也閃著怒火。

她苛刻地瞥他一眼，彷彿他的威脅沒什麼大不了，彷彿他那微弱氣力永遠無法撼動她山一般的堅決意志。「好啊，隨便你。女孩，我讓妳選：是要剪掉頭髮？或是一整個星期沒食物沒牛奶？」

「雙胞胎沒做任何錯事，」我哀求著。「克里斯也沒有。他從閣樓下來時不知道我沒穿衣服，全都是我的錯。我一整個星期沒食物沒牛奶也沒關係。我不會挨餓，而且媽媽也不會讓妳這麼做。她會帶食物給我們。」

不過我說這些話時一點自信也沒有。媽媽已經很久沒來了。她並不常來，我一定會挨餓。

「選吧！要保留妳的頭髮？或是一整個星期沒食物？」她重申，絲毫沒有動搖或退縮。

「老女人，妳這麼做是不對的，」克里斯舉著椅子走得更近。「我沒料到會撞見凱西。我們沒做什麼有罪的事，從來沒有。妳靠間接證據就把我們定罪。」

「選妳的頭髮？或是**所有人**一整個星期沒食物？」她對我再次說道，一如往常地不理會克里斯。「要是妳把自己鎖在浴室或躲進閣樓裡，那你們所有人兩星期都沒飯吃！要不然妳就得光著頭從閣樓走下來！」接著，她帶著算計的冰冷目光移向克里斯，令人難受地看了良久。「我想，剪下你妹妹那頭寶貝長髮的人會是**你**，」她說這話時笑得神祕。她把剪刀擱在櫥櫃頂板上。「等我回來看到你妹妹沒了頭髮，你們四個就有飯吃了。」

她把我們鎖在房裡就走了，留下陷入窘境的我們，我跟克里斯對望著。

克里斯笑了，「凱西，別這樣，她只是嚇唬我們！媽媽隨時都會來。我們會告訴她……沒事的。我永遠不會剪妳頭髮。」他走過來用雙手抱著我。「我們在閣樓上藏了一盒餅乾和起司還真夠好運啊？而且我們還有今天的食物，那個老巫婆忘了這個。」

我們一向吃得不多。那天我們吃得更少，就怕媽媽沒來。我們省下柳橙和一半牛奶。最終那天媽媽還是沒來。我一整晚翻來覆去，夢裡夢外都很苦惱。我夢見我跟克里斯在昏暗森林裡迷失方向，到處找凱芮和克瑞。我們在無聲夢境中叫喚他們的名字，雙胞胎從未回應。我們只能在一片漆黑中驚恐奔走。

然後突然間，黑暗中隱約出現一棟薑餅做的小屋！起司也是建材，屋頂是奧利奧餅乾做的，硬硬的聖誕糖果鋪成一條彩色小徑通往好時巧克力片做成的門。尖籬笆是薄荷棒棒糖做的，而灌木是七種口味的冰淇淋甜筒。我朝克里斯示意：不行！這是陷阱！我們不能進去！

他則回應：我們得進去！我們得救雙胞胎！

我們迅速偷溜進屋裡，看到熱呼呼的麵包捲坐墊上淌著金黃色奶油，沙發是剛烤好的麵包，也塗了奶油。

巫婆就在廚房裡！她有鷹勾鼻、凸下巴，和沒牙的內凹嘴巴，頭上有灰色的拖把布條髮，而且狂野地往四面八方豎得直直的。

她抓著雙胞胎的金色長髮把他們高高舉起，他們就要被扔進她的熱烤爐裡了！他們已經被灑上粉色和藍色糖霜，他們的皮膚還沒烹調就開始變得像薑餅，藍色眼珠變得像黑色葡萄乾！

我大聲尖叫！不停尖叫！

那巫婆轉頭用她灰色的燧石雙眼瞪著我，她內凹的嘴巴薄得像刀畫出的紅色血痕，那嘴巴張得開開地笑著！她歇斯底里地不停笑著，我跟克里斯嚇得縮成一團。她仰起頭，大張的嘴巴露出尖牙般的扁桃腺。令人驚訝害怕的是，她的樣貌開始變化，不再是外婆。我們只能呆望她像毛毛蟲變成蝴蝶……接著從那恐怖東西中出現的是我們的媽媽！

媽媽！她的金髮像流絲緞帶般飄垂，然後在地板上向前蠕動如蛇般想纏住我們！她滑順的髮捲纏繞在我們腳邊，往我們的喉嚨愈靠愈近，想勒斃我們，讓我們再無聲息，並且再也不會威脅到她的繼承權！

我愛你們，我愛你們，我愛你們，她無聲輕訴著。

我醒了過來，但克里斯跟雙胞胎都還在睡。

睡意想將我再次帶走時我更加絕望。我試著跟足以使人溺斃的睡意搏鬥，我又沉入深深睡夢中，噩夢，我瘋狂奔入黑暗中掉進血池，那血黏稠如瀝青，聞起來也像瀝青。鑽石般閃亮的魚有著天鵝狀的頭和紅色眼珠，它們上前啄我手腳，讓我四肢麻木失去知覺。長著天鵝頭的魚笑著，開心地看我被摺倒血流滿地。看哪！看哪！它們嘮叨聲音一再迴響。**妳逃不掉的！**

閉合的厚重窗簾擋住晨曦充滿希望的黃光，只有蒼白光線映入。

凱芮在睡夢中翻了個身偎向我，「媽媽，」她喃喃說著，「我不喜歡這房子。」她絲滑頭髮如鵝絨般落在我臂上，我的手臂腳腿慢慢地開始恢復知覺。

我靜靜躺在床上，凱芮不停扭動想要我抱她，我感覺像中了麻醉般動不了手臂。我是怎麼了？我的頭好沉，彷彿裡頭塞滿石頭往外擠壓我的腦袋，而且我頭痛到腦袋快裂成兩半！我的腳趾和指尖仍然刺痛，我的身體好沉重。牆壁忽近忽遠，而且所有東西的輪廓都扭曲了。

我試著從另一頭閃亮的鏡子看見自己的鏡影，我想轉動我脹痛的頭卻轉不動。而且我睡前總是把頭髮披散在枕頭上，好讓我可以轉頭用臉頰貼著我那芬芳柔滑的強韌髮絲。這是我喜愛享受的感官樂趣之一，臉頰偎著頭髮的那種感覺帶我進入愛的甜美夢中。

可是今天，我枕頭上卻沒有頭髮。我的頭髮在哪？

那剪刀仍擱在衣櫃頂端，我隱約能瞧見。我不斷吞嚥清喉嚨想擠出細微叫聲，不是喊媽媽而是喊克里斯的名字。我向上帝祈禱，希望祂能讓我哥哥聽見。「克里斯，」我終於勉強用最古怪如砂礫般的聲音發出低語，「我不太對勁。」

我輕喊的微弱話語喚醒了克里斯，雖然我不懂他怎麼聽得見。他坐起身睏倦地揉眼。「凱西，妳要幹嘛？」他問道。

我咕噥了些什麼讓他離開床鋪，他穿著發皺的藍色睡衣，頭髮亂得像金色拖把，然後慢慢往我床鋪走來。他愣了愣，倒抽口氣然後發出驚喘。
「凱西，我的天啊！」
他的叫聲令我背脊起了寒顫。
「凱西……哦！凱西。」他呻吟著。
他看著我，而我試著猜想他到底瞧見什麼才會兩眼圓睜，我舉起沉重雙手摸向我脹痛沉重的頭。我勉強將雙手抬到頭上，然後我發得出響亮尖叫了！真的叫出聲來！我像個瘋子不停尖叫，直到克里斯跑過來抱住我。
「別叫，拜託別再叫了，」他啜泣。「想想雙胞胎……別讓他們再受驚……凱西，拜託別再尖叫。他們受了那麼多苦，我知道妳不想讓他們心靈永久受創，要是妳不冷靜下來就會讓他們受創。沒事的。我會把它弄掉。我用生命發誓，今天我就會想出辦法把妳頭髮上的瀝青弄掉。」
他在我手臂上發現一個紅色小針孔，外婆用針筒注射某種藥物好讓我昏睡。我不省人事時她就在我頭髮澆上熱瀝青。她一定先把我頭髮束攏整齊才淋瀝青，因為沒有一撮頭髮不是黏乎乎的。
克里斯試圖不讓我看鏡子，但我推開他，目瞪口呆地盯著我頭上那一大團可怕黑東西。像是一大團黑色泡泡糖，嚼過之後剩下的難看渣渣，它們甚至還流到我臉上，在臉頰淌下黑色淚水般的痕跡。
我看見後便明白他永遠弄不掉那瀝青。永遠！
克瑞先醒過來，他準備跑去窗邊拉開緊閉窗簾往外偷看那躲著他的太陽。他下了床正要奔向窗邊時看見我。
他瞪大雙眼，張著嘴唇。他高舉顫抖小手用拳頭揉眼，然後再次不可置信地注視著我。「凱西，」他終於開口，「是妳嗎？」
「我想是的。」
「妳的頭髮為什麼是黑的？」

我還沒能回答這問題，凱芮就醒了。「哦！」她大叫。「凱西！妳的頭好奇怪！」她眼中閃爍著斗大淚珠然後從她臉頰滑落。「我現在不喜歡妳的頭！」她抽咽著，然後哭得好像那瀝青是淋在她髮上似的。

「凱芮，冷靜點。」克里斯用最稀鬆平常的語調說著。「凱西的頭髮只是沾上瀝青而已，等她洗個澡把頭髮洗了，頭髮就會跟昨天一模一樣。她去洗澡的時候，我要你們兩個吃柳橙當早餐然後去看電視。等凱西的頭髮弄乾淨，我們再來吃一頓像樣早餐。」他沒提起外婆就怕讓他們對我們的處境更害怕。雙胞胎坐在書擋附近的地板上相互依偎，他們剝下橙皮吃果肉，沉迷在可愛空虛的卡通和其他暴力愚蠢的週六晨間節目裡。

克里斯叫我泡進裝滿熱水的浴缸裡。我的頭反覆浸入幾近滾燙的水中，克里斯用洗髮精軟化瀝青。瀝青確實有變軟卻沒脫落，沒讓我頭髮變乾淨。他手指放在一團濕濡的黏糊糊東西上。我聽見自己發出細微的抽咽聲。他努力過了。哦！他真的努力試著弄掉那些瀝青，並注意不傷我頭髮。而我一心只想著剪刀，外婆擱在櫥櫃上的閃亮剪刀。

克里斯跪在浴缸邊，手指終於勉強插入那團東西，但等他要抽出時，手指卻跟黏稠黑髮黏在一起。「你得用那剪刀！」兩個小時後我厭煩地喊道。可是不行，剪刀是最終手段。他說一定有什麼化學物質能分解瀝青又不傷我頭髮。他有套非常專業的化學用具組，是媽媽送的。用具組的盒蓋上嚴厲警告著：「非玩具。本盒內含危險化學物質，僅供專業使用。」

「凱西，」他跪坐在自己光裸的腳後跟上，「我要去閣樓教室合成一些化合物，看能不能從妳頭上弄掉瀝青。」然後他朝我靦腆一笑。天花板上的燈照在他下唇邊的柔軟細絨鬍鬚，我曉得他身體下方的毛髮也跟我一樣，比頭髮還硬，顏色更深。「凱西，我得上廁所。我從沒在妳面前上過廁所，有點不好意思。妳可以轉過去用手指塞住耳朵，也許妳也能尿在水裡，尿裡有阿摩尼亞成分，也許能弄掉妳頭髮上的瀝青。」

我只能驚愕地瞪著他。今天已經宛如噩夢一般。坐在滾燙熱水中然後將浴缸當成馬桶上廁所，接著在那水裡洗我頭髮？難道克里斯在我背後的馬桶撒尿時我真的這麼做了？我對自己說道，不，這不是真的，只是個夢。我在浴缸裡把頭髮浸在汙水裡時，凱芮和克瑞不會進浴室的。

這再真實不過。克瑞和凱芮手拉著手來到浴缸旁看著我，想知道我怎麼花了那麼久時間。

「凱西，妳頭上的東西是什麼？」

「瀝青。」

「妳為什麼要把瀝青弄在頭髮上？」

「我一定是在睡夢中做的。」

「妳在哪找到瀝青的？」

「閣樓。」

「妳為什麼想把瀝青弄在頭髮上？」

我痛恨撒謊！我想告訴她是誰把瀝青弄在我頭髮上，但我不能讓她知道。她和克瑞已經很怕那老女人了。「凱芮，回去看電視，」我一聲令道，對她問的所有問題感到暴躁不耐，而且我討厭看到她被掏空的消瘦臉頰和凹陷的眼睛。

「凱西，妳是不是『再不』喜歡我了？」

「是『不再』……」

「是不是？」

「克瑞，我當然喜歡你。我愛你們，可是我不小心把瀝青弄在頭髮上，現在我很氣自己。」

凱芮晃出浴室又在克瑞身邊坐下。他們用只有彼此懂的古怪語言不斷竊竊私語。有時候我覺得他們比我跟克里斯猜想得更加聰明。

我在浴缸裡坐了好幾小時，克里斯調製了十來種不同的化合物在我頭髮上滴了少許做測試。他每種都試過，讓我不時換水保持滾燙水溫。等他一點一滴從我髮上清掉黏膩物質，我已經泡水浸到起皺，像個水果乾。瀝青總算清掉了，一大團頭髮也沒了。不過我髮量很多，少了些頭髮也不會看起來太顯眼。處理完畢後一天也過去了，我跟克里斯什麼也沒吃。他讓雙胞胎吃了起司和餅乾，他自己沒空進食。我裹著毛巾坐在床上擦乾我那稀疏許多的頭髮。僅剩的頭髮變得脆弱易斷，髮色幾乎是白金色。

「你也許是白費工夫，」我對克里斯說道，他狼吞虎嚥地配著起司吃兩片餅乾。「她沒帶任何食物過來，你沒把我頭髮全剪掉，她就不會帶食物來。」

他朝我走過來，拿著一個放了起司和餅乾的盤子和一杯水。「吃吧。我們會打敗她的。要是明天她沒帶食物來或是媽媽沒來，我就只剪你前面的頭髮，剪到額頭上方。然後妳就用圍巾包住頭，彷彿不想被人看到妳光頭似的，那些頭髮很快就會長回來。」

我小口啃著起司和餅乾，沒回他話。我用浴室水龍頭接來的那杯水將這天僅有的一餐吞下肚。然後克里斯梳著我那飽受摧殘又脆弱的淺色頭髮。命運之道如此奇特：我的頭髮從未如此閃亮滑順，殘存的這些已令我慶幸。我躺回床上，情緒打擊令我耗弱疲憊，我瞧見克里斯坐在床邊注視我。等我睡著了他仍待在那裡看著我，手中握著我蛛絲般光滑的長鬈髮。

那晚我無論在夢裡夢外都焦躁不安，靜不下來，很受折騰。我覺得無助憤怒又沮喪。

然後我看到克里斯。

他仍穿著他穿了一整天的那套衣服。他把房間裡最重的那張椅子挪到門後然後坐在椅子上打盹，手裡握著那把又長又利的剪刀。他擋住了門口，這樣一來外婆就沒辦法再偷溜進來然後用那把剪刀。即使在睡夢中，他也保護著我。

當我望著他，他雙眼倉皇睜開，彷彿不是有意打瞌睡害我沒人保護。上鎖房間裡的微弱燈光在夜晚總是玫瑰色的，他察覺我的視線然後我們目光緊連，他慢慢綻開笑容。「嗨。」

「克里斯，」我嗚咽著，「上床睡吧。你沒辦法永遠把她擋在外頭。」

「在妳睡著的時候我辦得到。」

「那就讓我來守夜吧。我們可以輪流。」

「誰才是這裡的男人？是妳還是我？況且我吃得比妳多。」

「那跟這件事有什麼關係？」

「妳現在已經過瘦了，熬夜會讓妳更瘦，而我掉點體重無所謂。」

他的體重也在下降。我們全都很瘦，要是外婆真的想推開門，他那單薄體重是擋不住的。我下床走去跟他一起坐在同張椅子裡，不理會他的殷切抗議。

「噓，」我小聲說道。「我們兩個人一起更能把她擋在外頭，而且這樣一來我們都不用守夜了。」

我們相擁而眠。

早晨來臨。沒有外婆，也沒有食物。

挨餓的日子悲慘地永無止盡。

雖然我們盡可能省著吃，起司和餅乾還是吃得太快。接下來是我們真正受折磨的時候，我跟克里斯只喝水，把牛奶省下來給雙胞胎。

克里斯手裡拿著剪刀朝我走來，含淚不甘地將我前方的頭髮齊根剪掉。剪完之後我不敢往鏡子裡瞧。長髮部分仍保留著，我拿圍巾當頭巾用，將頭包起來。

然後，令人難堪的是外婆沒來！

她沒來帶給我們食物牛奶或乾淨床單和毛巾，我們甚至連肥皂和牙膏都用光了。衛生紙就更別提了。現在我後悔不該把我們昂貴衣物的薄紙夾層全扔掉。我們只能從閣樓裡最舊的書撕下書頁來用。

然後馬桶阻塞滿了出來，髒水四溢，淹了浴室一地，克瑞開始尖叫。我們沒有通馬桶的吸把。我跟克里斯抓狂地思考該怎麼辦。他跑去拿了支鐵絲衣架，將衣架扳直然後疏通阻塞排水管的東西，我奔向閣樓拿一堆舊衣物把淹出來的汙水擦乾。克里斯不知是如何用鐵絲衣架讓馬桶再度恢復正常運作的，然後他不發一語地跪在我旁邊，跟我一起用閣樓箱子裡的舊衣擦地板。

現在我們把一堆骯髒難聞的抹布塞進箱子裡，閣樓裡又添了個新祕密。

我們很少談論自己處境，好逃離那股恐懼。我們只在早上起床洗臉用清水刷牙，喝少許的水然後盡量不活動，躺下來看電視或看書，要是她進門看到我們的床單皺巴巴那後果可就不堪設想。但我們現在還在乎嗎？

聽到雙胞胎哭喊想要食物，我心中留下背負一生的傷疤。而且我好恨！哦！我多恨那老女人！還有媽媽！她們竟這般對待我們！

每到吃飯時間肚子餓得咕咕叫時，我們就睡覺。我們睡個不停。睡眠讓人感覺不到飢餓疼痛，也不覺得寂寞悲苦。睡夢中能讓人耽溺虛假歡愉中，醒來之後就什麼也不在乎了。

然後某個模糊不真實的日子裡，我們四個靜靜躺著，只靠著房間角落的小餅乾盒維繫生命。我昏沉無力地轉頭，莫名地望向克里斯和克瑞，當我看見克里斯取出小刀在手腕畫上一刀時，我幾乎仍是無動於衷地躺著。克里斯把淌血手臂擱在克瑞嘴邊要他喝，不顧克瑞抗拒。然後輪到凱芮。他們兩個向來不吃任何太凹、太凸、太難咬、太多筋，或是純粹「長得很奇怪」的食物，現在卻喝著兄長的血，用呆滯瞪大的認命眼神望著他。

我別過頭去，他不得不做的這舉動令我反胃，卻又不禁欽佩，他竟然能做得到。他總是能解決難題。

克里斯來到我躺的這一側，坐在床邊，對著我注視良久，然後他垂眼望著手腕不再汩汩冒血的傷口，他舉起小刀準備畫下第二道傷口，好讓我也能享用他營養的血液。我制止他，抓過小刀扔到一旁。他馬上跑去撿起來，然後用酒精再次消毒清潔，雖然我已經發誓永遠不喝他的血，不汲取他更多氣力。

「克里斯，要是她再也不來的話，我們該怎麼辦？」我無精打采地問。「她會讓我們餓死。」當然，我指的是外婆，我們已經兩星期沒見到她了。克里斯曾說我們有起司存貨，這話太過誇大。我們曾在老鼠夾上放起司，當我們沒別的東西吃時也被迫把上頭的小塊起司拿回來吃。現在我們的胃已經整整三天空無一物，三天前的那天我們也只吃了一點點起司和餅乾。而我們省下來給雙胞胎喝的牛奶，早在十天前也喝完了。

「她不會讓我們餓死，」克里斯躺在我身旁，將我擁入他虛弱懷抱。「如果我們任憑她如此對待，那我們就是沒骨氣的傻子。明天，要是她沒帶著食物出現，而媽媽也沒來，那我們就用床單做成繩索爬到地面去。」

我的頭擱在他胸口聽得見他心臟鼓動。「你怎麼知道她不會餓死我們？她恨我們。她想要我們死掉，她不是一再對我們說我們不該被生下來？」

「凱西，那老巫婆不蠢。她很快就會帶食物來，在媽媽從不知什麼地方回來之前。」

我包紮他割傷的手腕。我跟克里斯兩星期前就該試著逃走，那時我們都還有力氣能冒險攀爬下去。現在要是我們試圖爬下去，我們絕對會將自己摔死，而且背後還得揹上雙胞胎，垂降難度更高。

但早晨來臨時依舊沒食物，克里斯要大家都上閣樓。我跟他抱著虛弱得走不動的雙胞胎。閣樓裡熱得像熱帶。雙胞胎睏得蜷縮在我們安置他們的教室角落。克里斯動手做揹帶好讓我們能穩穩地將雙胞胎揹在背上。我們誰也沒提起，要是我們摔下去可能就是自殺或殺人。

「我們要換個法子，」克里斯重新考慮一番。「我先下去。等我到了地面妳就把克瑞綁在揹帶上，綁的速度要快到讓他不能掙脫，然後妳再讓他往下垂降給我，接著妳對凱芮也如法炮製，然後妳最後再下來。拜託，使出妳最大的力氣！呼喚上帝請祂賜予妳力量。別那麼冷淡！感受一下生氣與憤怒，想著報仇！我聽說盛怒會讓人在緊急時刻有超人般的力量！」

「讓我先下去。你力氣比較大。」我虛軟地說。

「不行！我得先下去，有人落地速度太快時才能靠我接住，妳的手臂沒我那麼有力。我會把繩索繫在煙囪上，這樣妳就不用支撐所有重量。凱西，現在真的是非常時刻！」

天啊，他接下來要我做的事令我難以置信！

我驚恐地瞪著老鼠夾裡的四隻死老鼠。「我們得把這些老鼠吃了好恢復一點氣力，」他嚴肅地對我說道，「然後我們該做的事就**做得到**！」

生肉？生老鼠？「不要，」我低聲說道，瞧見那些小小隻的僵硬死東西令我噁心。

他更加強硬又憤怒，告訴我只要能讓自己和雙胞胎活下去，任何必要之舉都要做。「凱西，看著，等我去樓下拿了鹽和胡椒就先吃我這兩隻。然後我需要拿衣架來弄緊繩結。妳知道的，用槓桿原理，我的手現在沒辦法弄好。」

當然不好。我們全都虛弱得幾乎動不了。

他飛快地打量了我一眼。「真的，有鹽和胡椒的話，我想鼠肉應該很美味。」

他剁下鼠頭，然後剝皮去內臟。我看著他剖開鼠腹，取出長條黏滑的腸子、小小顆的心臟，和其餘的迷你「內臟」。

要不是我胃裡空無一物，我大概當場就吐了。

他並不是跑去拿鹽、胡椒或衣架。他用走的，而且走很慢。我看得出他也不是很想吃生老鼠。

他離開的時候我雙眼盯著去皮老鼠，那是我們的下一餐。我閉上雙眼試著讓自己能咬下第一口。我很餓，但沒餓到能對吃老鼠樂在其中。

然後我想起雙胞胎，他們虛弱地待在角落闔上雙眼彼此相擁，他們的額頭靠在一起，我想他們待在媽媽子宮裡等著出生時一定也是這種姿勢，他們被遺棄在上鎖門扉後方，而且忍受著餓。我們可憐的小小金盞花們明明曾有深愛他們的父母。

但老鼠卻能帶來希望，讓我跟克里斯有足夠力氣能把雙胞胎安全地帶到地面，一些好心鄰居會給他們食物吃，讓我們全都能吃到食物，要是我們能活過下個鐘頭的話。

我聽到克里斯返回的緩慢腳步聲。他佇在門口微微笑開，藍色眼睛與我對望……眼神發亮。他兩手提著我們再熟悉不過的巨大野餐籃，裡頭的食物滿到木蓋蓋不起來。

他取出兩個保溫瓶：一個是蔬菜湯，另一個是冰牛奶，我發愣困惑又滿懷希望。是媽媽回來替我們送食物的嗎？那她為什麼不叫我們下樓？她為什麼不上來看我們？

克里斯讓凱芮坐在他膝頭，而我膝頭上是克瑞，我們舀湯送進他們嘴裡。他們像喝克里斯的血一樣嚥下湯汁，彷彿這不過替他們異樣生活再添上一筆。我們又餵他們吃小塊三明治。我們像克里斯提醒過的那般只先吃一點點，以免全嘔出來。

我好想把食物全塞進克瑞嘴裡，這樣就能趁空把食物填到我餓壞的肚子裡。他吃得好慢！我腦中閃過成千上百的疑問：為何是今天？為什麼今天帶食物來，不是昨天或之前的日子？她有什麼理由？等我終於能開始進食，我漠然得不再欣喜若狂，多疑得無法稍鬆口氣。

克里斯慢慢喝了點湯，吃了半塊三明治後，他打開一包錫箔包裝的食物。裡頭有四個灑了糖霜的甜甜圈。我們從來沒有從外婆那裡得到過甜食當作點心，這還是第一次。這是她請求我們原諒的方式嗎？無論她出於什麼目的，我們暫且先想成是這樣。

在我們幾乎餓死的日子裡，我跟克里斯之間有種特殊變化。在我置身熱水浴缸洗泡泡浴而他英勇奮戰除掉我頭髮上的瀝青時，也許就已起了變化。在那可怕日子之前，我們不過是兄妹，玩著扮演雙胞胎爸媽的角色遊戲。現在我們的關係有所不同，那不再是角色扮演，我們就是凱芮和克瑞真正的父母。他們是我們的責任義務，我們將自己全心奉獻給他們，我們也對彼此如此保證。

現在顯然已能斷定：我們的媽媽毫不在乎我們有什麼遭遇。

克里斯不需要開口說出媽媽的冷淡讓他何有感受。他黯淡的眼神已對我傾吐無遺。他以往總把她照片放在床邊，現在他把照片收走。他向來比我對她抱持更多信賴，所以他自然受創最深。要是他心痛得比我更厲害，那他一定極度痛苦。

他輕輕牽起我的手，示意我們現在可以返回樓下臥室。我們像蒼白睏倦的鬼魂晃蕩下樓，虛脫的狀態令我們全都無力又難受，尤其是雙胞胎。我懷疑他們體重不知道有沒有十五公斤。我能瞧見他們和克里斯的模樣，但看不到自己的。我瞥向櫥櫃那又高又寬的鏡子，以為會見到一個馬戲團小丑，前方頭髮剪得短短的，而背後有著淺色長直髮。看哪，我望向櫥櫃，卻沒看到鏡子！

我飛快奔向浴室，發現藥櫃上的鏡子碎掉了！我跑回臥室將梳妝台的鏡板掀開，克里斯時常把它當桌子用，但那面鏡子也碎了！

我們現在只能對著碎裂鏡子看著自己扭曲的鏡影。沒錯，我們可以像蒼蠅一樣看見自己的臉分割成許多小平面，鼻子一側比另一側高。令人看了很不舒服。我轉身離開梳妝台，將野餐籃裡的食物放在地板上最蔭涼的地方，接著就躺在床上。我不需要質疑那些鏡子為何被砸碎，那一面大鏡子又為何被取走。我明白她為何要那麼做。驕傲是一種罪，在她眼中我和克里斯是最糟的罪人。為了懲罰我們，雙胞胎也得跟著受難，但我猜不透她為何又帶食物給我們。

早晨到來，野餐籃裡有食物給我們。外婆不願瞧我們，她一直迴避目光，然後迅速走出門外。我戴著用粉紅毛巾自製的頭巾，包在頭上露出前額上方，但就算她注意到了，也沒發表意見。我們看著她來了又走，沒問媽媽在哪或是何時會回來。懲罰是如此輕易，我們已學到教訓，一定要等她先開口才能回話。我跟克里斯眼中滿是憤恨敵意地盯著她，期望她會轉頭明白我們的感受。但她不正眼看我們。然後我會叫喊著要她看，讓她瞧瞧雙胞胎，親眼見到他們有多瘦，他們大眼睛下的黑眼圈有多重。但她就是不瞧。

我在床上躺在凱芮旁邊，深刻反省後明白自己讓原先沒多嚴重的事變得更糟。現在，曾是樂天派的克里斯開始變得像我的翻版般陰鬱。我好想讓他回到從前的模樣——歡笑開朗，懂得苦中作樂。

他坐在闔起鏡板的梳妝台前，面前攤開一本醫學書籍，肩膀垂著。他沒在看書，只是坐在那裡。

「克里斯，」我坐起身梳著頭髮，「你覺得世界上有多少青少女睡前是一頭清爽閃亮的頭髮，醒來卻成了個瀝青黑娃？」

他轉過身驚訝地瞥了我一眼，沒料到我竟會主動提起那可怕日子。「唔，」他慢吞吞地說道，「在我看來，妳大概很有可能是唯一一個……獨一無二。」

「哦，這點我不太清楚。記得那次我們住的街上鋪柏油的事嗎？我跟瑪莉．勞．貝克弄倒一大桶瀝青，我們用瀝青做了小人，而且還做了裡頭有黑色床鋪的黑房子，然後修路工的工頭跑來把我們大罵一頓。」

「是啊，」他說道，「我記得妳回家的時候看起來髒透了，而且妳嘴裡還咬了一團瀝青想美白牙齒。天呀凱西，結果只讓妳嘔吐出來。」

「這房間有個好處，我們不用一年看兩次牙醫，」我說道，他打趣地瞄我一眼。「另一個好處就是時間很多！可以把我們的地產大亨比賽比到最後。贏的人要在浴缸裡洗所有人的貼身衣物。」

天啊，他竟然沒反對。他明明討厭在浴缸前弓身跪在硬瓷磚上洗他跟克瑞的內褲。

我們擺好遊戲用具又數好鈔票，四下張望找雙胞胎。他們雙雙不見人影！除了去閣樓還能去哪？他們向來都要我們陪同才肯去閣樓的，浴室也是空無一人。然後我們聽到電視機後頭有一些細小的唧喳聲響。

他們兩個在那裡，縮在電視機後方的角落，他們在等電視機裡的小人走出來。「我們想媽媽也許在裡面。」凱芮解釋。

「我想我去閣樓跳舞好了。」我起身離開床鋪朝壁櫥走去。

「凱西！那我們的地產大亨比賽怎麼辦？」

我猶豫了一下，稍微轉過身去。「哦，只會是你贏。別比了吧。」

「膽小鬼！」他一如往常地嘲笑我。「來吧，我們來玩。」他對著向來擔任銀行家角色的雙胞胎嚴厲地注視許久。「這次不准作弊，」他嚴肅警告，「要是你們哪個人以為我沒注意就把錢偷拿給凱西然後被我逮到的話，那我就自己一個人把四個甜甜圈都吃掉！」

要是他真的這麼做，我一定恨得要命！甜甜圈是我們餐點裡最棒的食物，一定留下來當作晚上的點心。我盤著腿整個人趴在地板上，腦袋忙著想出聰明法子，我要先買下最佳地段，還有鐵路公司和公共事業，然後我要先把自己的紅色房子蓋好再蓋旅館。他會見識到有人在某件事情上比他更擅長。

我們玩了好幾個小時，只有吃飯或上廁所時才停手。等雙胞胎當銀行家當膩了，我們就自己數錢，緊盯著對方看看有沒有作弊。克里斯一直入獄所以回不了起點去領那兩百美金，然後公益福利格又要他出錢，而且他還得付稅金……但最後還是他贏！

八月下旬的某個晚上克里斯來找我，他在我耳邊輕聲說道，「雙胞胎睡熟了。而且這裡好熱。要是我們能去游泳不是很棒嗎？」

「走開，別管我，你知道我們不能去游泳。」我理所當然地仍沉浸在輸掉地產大亨的鬱悶中。游泳，多麼荒謬的念頭。就算我們能游，任何他擅長的事我都不想做，游泳就是其中之一。「而且我們要去哪游？浴缸裡？」

「去媽媽跟我們提過的那個湖。離這裡不遠，」他低聲說道，「我們該練習怎麼用我們做的繩子垂到地面，以防萬一要是有火災發生的話。我們現在比較有力氣，輕易就能垂降到地面，而且我們也不會離開很久。」他不斷懇求，彷彿僅僅逃離這大宅一次，就足以讓他活下去——只為了證明我們做得到。

「雙胞胎可能會醒過來，發現我們不在。」

「我們可以在浴室門上留個字條，說我們在閣樓上。更何況，他們向來都一覺睡到早上，連起身去浴室上廁所都不用。」

他一再爭辯懇求直到我投降。我們到閣樓爬到屋頂上，他把床單繩索牢牢綁在最靠近大宅後側的煙囪上。屋頂上有八支煙囪。

克里斯一一測試每個繩結，然後指示我：「把每個大繩結當成梯子踏板。雙手要一直握住上一個繩結上方。慢慢往下移動，用雙腳摸索下方的繩結，而且絕對要一直用雙腿纏住繩索，這樣才不會直直溜下去。」

他自信地笑著，抓住繩子然後緩慢挪向屋頂邊緣。在超過兩年時間後，我們即將首度落到地面上。

14 天堂的滋味

克里斯兩手兩腳交互輪替，緩慢謹慎地垂降到地面上，而我趴在屋頂邊緣看著他往下爬。月亮出現在空中燦亮照耀著，他舉起手揮了揮，這個信號讓我知道可以準備出發。我已經見識到他是如何移動的，所以我可以依樣畫葫蘆。我告訴自己，這跟盪著那些繫在閣樓椽木的繩索是一樣的，繩結大而牢實，而且我們明智地每隔十公分就打個結。他告訴過我，一旦離開屋頂就別往下看，只需專注地將一隻腳穩穩地踩住下方繩結，然後再挪動另一隻腳探向下一個更低的繩結。不到十分鐘，我已來到地面，站在克里斯身旁。

「哇！」他緊摟著我低聲說道。「妳比我更在行！」

我們身處在佛沃斯大宅後院，大宅裡所有房間都暗著，但大車庫那頭的僕人住處每扇窗都映出明亮黃光。「來吧，麥德夫[3]，往水塘去，」我低聲說道，「要是你知道路的話。」

他當然知道怎麼走。媽媽曾告訴我們她與兄長們如何偷溜出去跟朋友一起游泳。

他抓著我的手，然後我們踮著腳尖從大宅往外走。在一個和煦夏夜裡腳踩著地面來到戶外，感覺好奇怪。把我們年幼的弟妹留在上鎖房間裡。我們走過一座人行小橋，明白我們現在踏出佛沃斯家地界，這令人開心到幾乎無拘無束。不過我們還是得小心，不能讓人看到。我們朝樹林和媽媽提過的那座湖泊奔去。

我們從屋頂上出來時是十點，十點半時，我們已經找到林木圍繞的那個小水塘。我們很怕那裡會

3 譯注：凱西在此引用的是莎士比亞作品《馬克白》中，馬克白與配角麥德夫對決時的台詞。

有別人壞了興致令我們不滿地打道回府，但湖面一片平穩，沒有風或泳者或是帆船激起的波紋。

在月光和燦亮繁星夜空下我望著那湖泊，覺得自己從沒見過如此美麗的湖水，從未有個夜晚令我滿是狂喜。

「我們要裸泳嗎？」克里斯眼神古怪地看著我。

「不，穿貼身衣物游吧。」

麻煩的是，我連一件胸罩也沒有。不過既然我們人到了這裡，愚蠢的假正經阻止不了我前去享受月光照亮的湖水。「最慢下水的人是臭蛋！」我嚷著，然後拔腳奔向短碼頭。但我跑到碼頭盡頭時不知怎地察覺到湖水一定很冰冷，我輕手輕腳地先用腳趾探了探——好冰！我回頭看克里斯，他已經取下手表擱在一旁，然後朝我快速跑來。該死地快，我還來不及鼓起勇氣下水，他就跑到我身後把我推下去！噗通一聲，我整個人撲進水裡從頭到腳同時浸濕，沒像我打算的那般慢慢入水！

我浮上水面發著抖，划水找克里斯。然後我看到他爬上石堆，一時只看得清他的身影。他展開雙臂然後優美地用燕式跳水躍向湖心。我抽了口氣！要是湖水不夠深怎麼辦？要是他撞到湖底然後跌斷脖子或跌斷背呢？

然後……然後……他沒浮起來！哦天啊……他死了……溺水了！

「克里斯。」我抽咽叫喚，開始朝他潛入冰冷湖水的位置游去。

突然我的雙腿被人一抓！我尖叫然後往下沉，我被克里斯拖進水裡，他兩腿強勁踢水，帶我們雙雙浮上水面，我們大笑，我朝他臉上潑水，懲罰他玩這下流把戲。

「比起被關在那個該死的炎熱房間，這不是好得多嗎？」他問道，雀躍地像個瘋癲狂喜的人！進到他腦中的些許自由彷彿是烈酒，他已經醉了！他繞著我游，試圖再次抓住我的腿將我拖下水。不過我現在識破他了。他踢水仰著游，還會游蛙式、自由式和側泳，而且游的時候還講出泳姿名稱。「這是仰式。」他邊說邊示範，賣弄著我之前從沒見過的泳技。

他破水而出，繼續踢水唱著，「跳吧，芭蕾舞者，跳吧！」他往我臉上潑水，我也朝他潑回去。「旋轉腳尖，帶著心痛隨著旋律……」他把我擁在懷中又笑又叫，我們打鬧時像是又變回孩童般瘋狂。哦，他在水裡來去自如地像個舞者。我突然累了而且極度疲倦，累到我覺得自己像塊濕抹布那麼無力。克里斯用手臂攬著我，協助我上岸。

我們兩個倒在長著青草的湖邊聊天。

「再游一趟，然後就回雙胞胎身邊。」我身旁的他仰躺在緩坡上。我們一同望著滿是閃爍星星的天空，銀金色的弦月隱沒在綿延長條的黑雲後玩捉迷藏。

「要是我們回不了屋頂上呢？」

「我們做得到的，因為我們非得回去不可。」

這就是我的克里斯多弗．瓷娃娃，永遠的樂天派，他在我旁邊伸展手腳，全身濕透水光閃爍，頭髮貼在前額上。他鼻子朝著天空時看起來跟爸爸的鼻子一模一樣，他豐厚雙唇形狀美好，不需噘嘴就顯露性感，他方型的強壯下巴帶著凹陷，而他的胸膛開始變得寬闊……他強健大腿前方的男性小丘也有所成長。男人強健好看的大腿有股吸引力令我亢奮，我別過頭去，沒辦法在雙眼飽覽他肉體之美時不感到罪惡羞慚。

頭上的樹枝間有鳥兒築巢。牠們帶著睏意的細小吱喳叫聲不知為何讓我想起雙胞胎，令我悲傷又眼中泛淚。

不時有螢火蟲閃動著明明滅滅的檸檬黃尾光出現，是雄蟲向雌蟲發出訊號，或者相反。「克里斯，會發光的是雄蟲還是雌蟲？」

「我實在不確定，」他一副不在意的樣子說道。「我想都會發光吧，只不過雌蟲待在地面發出訊號，而雄蟲飛來飛去找雌蟲。」

「你不是每件事都很肯定？你不是什麼都懂嗎？」

「凱西，別挑我毛病。我並沒有什麼都懂，還差得遠。」他轉頭對上我目光，我們的視線膠著在一起，似乎誰也沒辦法看向別處。

柔和的南方微風吹來，在我髮間舞動，吹乾了我臉邊的小撮頭髮。我感覺到風如輕吻般拂觸，我又想哭了，不為什麼，只因為這夜晚如此甜美怡人，而我又是多愁善感的年紀。微風在我耳邊輕訴著好聽話……我好怕再也沒有人會對我這麼說。不過，待在月光閃爍的湖邊躺在樹下，這夜晚美好得我嘆息。我覺得自己以前來過這裡，在湖邊的這草地上。哦，蝙蝠盤旋鳴叫，蚊子發出嗡嗡聲，遠方某處貓頭鷹在呼嘯，那怪異念頭把我帶回那個夜裡，那時我們剛來到這裡，像逃亡者般，試圖躲避那個沒人需要我們的世界。

「克里斯，你快十七歲了，跟爸爸第一次見到媽媽是同樣年紀。」

「妳十四歲，跟媽媽一樣。」他用沙啞的嗓音說道。

「你相信一見鍾情嗎？」

他躊躇地深思一番，他的思考模式跟我不同。「我不是這方面的權威。我知道我在學校時見到漂亮女孩會馬上心動。如果我們交談後我發現她有點笨的話，那我就對她一點感覺也沒有了。不過要是她不只漂亮而且還有其他出色之處，我想我會一眼就愛上她，雖然我讀過的書上說那種愛不過是肉體的吸引力。」

「你覺得我很笨？」

他咧嘴一笑伸手摸我頭髮。「沒有。我希望妳沒覺得自己笨，因為妳不笨。凱西，妳的毛病在於妳太多方面都有天賦，妳什麼都想做，可那是不可能的。」

「你怎麼知道我也想當歌手和演員？」

他笑得柔軟低沉。「傻女孩，妳九成時間都在演戲，妳覺得自己心滿意足的時候就會唱歌，可惜的是這情況不太常有。」

「你就常常心滿意足？」

「沒有。」

我們靜靜地躺在那裡，不時望著引起我們注意力的事物，像是在草叢裡相遇交配的螢火蟲、樹葉的沙沙聲、飄浮的雲朵、以及在湖面上閃動的月光。這個夜晚好像有魔咒一般，讓我再次思索著人的天性和這天性所有奇怪之處。雖然我還有很多方面都不懂，為何我現在會在晚上做夢，為何我會悸動轉醒，而且渴求我永遠得不到的某種充實滿足。

我很高興克里斯說服我來這裡。真是太好了，能夠再次躺在草地上涼爽得精神一振，而且最重要的是，我覺得自己又活了過來。

「克里斯，」我試探開口，害怕會毀了這個柔美的星月交輝之夜，「你覺得媽媽去哪了？」

他依舊望著北極星，那顆北方之星。

「我不知道她會在哪裡，」他終於回應。

「你沒猜測過？」

「當然有，我當然有想過。」

「想了什麼？」

「她可能病了。」

「她不會生病，媽媽從沒病過。」

「她可能出門替外公洽公。」

「那她為什麼不來告訴我們她要離開，然後何時會回來？」

「我不知道！」他惱怒回應，好像我會把他這個晚上給毀了，而且他想當然耳跟我一樣不知情。

「克里斯，你還跟以前一樣那麼愛她相信她嗎？」

「別問我這種問題！她是我媽。她是我們唯一僅有的，要是妳期待我會撒謊說些她的壞話，我不會這麼做！不管她今晚在哪都會想著我們，而且她就要回來了。她會給我們一個離開那麼久的完美理由，妳可以指望這點。」

我沒辦法告訴他我真正的想法，那就是媽媽一定早就能設法找時間告訴我們她的行程才對。他跟我一樣明白。

他嗓音中帶了一股嘶啞，只有在他感到痛苦時會這樣，而且不是身體上的痛。我想抹去我那些問題造成的痛楚。「克里斯，電視裡我這年紀的女孩和你那年紀的男孩，他們開始約會了。你知道約會要做什麼嗎？」

「當然，我在電視上看了很多。」

「可是，看跟做是不一樣的。」

「但你還是能大概知道要做什麼要說什麼。況且，妳還不到跟男孩子約會的年紀。」

「金頭腦先生，讓我告訴你吧，我這年紀的女孩其實比你那年紀的男孩還大上一歲。」

「妳瘋啦！」

「瘋？這是我在雜誌文章讀到的，作者是那方面的權威人士，是個心理醫生，」我想他一定很驚訝。「他說女孩的心理層面比男孩更早熟。」

「那文章的作者只是憑他自己的不成熟來評斷全部的人。」

「克里斯，你以為自己什麼都懂，沒有人什麼都懂的！」

他轉過頭來對上我的目光，然後像他過去常做的那般皺起眉頭。「妳說得對，」他欣然贊同。

「我只懂自己讀過的東西，我感覺到的那些讓我困惑得像個小一學童。媽媽的所做所為讓我很氣憤，而且我體驗了那麼多不一樣的事情，卻找不到一個男人跟他談這些。」他手肘支在地面低頭看我。

「我希望妳的頭髮不會長太慢。我希望我現在不會再用上剪刀……一點用處也沒有。」

要是他不提起任何讓我想起佛沃斯大宅的事時就好了。我只想仰望天空，感受那新鮮的夜間空氣拂過我濕淋淋的皮膚。我的睡衣是一件白色薄棉衣，繡滿了玫瑰花苞還縫上蕾絲邊。睡衣像我第二層皮膚般緊貼在身上，克里斯的白色短內褲也是一樣。

「克里斯，我們走吧。」

他很不情願地起身然後伸手比著。「再游一趟？」

「不了。我們回去吧。」

我們默默地離開那座湖緩步穿過樹林，沉浸在身處外界踏在地面上的感受。

我們朝著自己的責任走回去。自製繩索繫在上方煙囪處，我們在繩索旁站了好久。我沒想著我們是如何垂降下來的，只是想著我們短暫逃離了囚牢卻又得進去，這趟行動到底得到了什麼。

「克里斯，你覺得有什麼不同嗎？」

「有。我們沒做什麼，只是在地面上走路奔跑然後游泳游了一會兒，但我覺得更有活力更有希望。」

「要是我們想，我們可以逃走，今晚就走，不用等媽媽回來。我們可以回到上面，用揹帶把雙胞胎背著然後趁他們睡覺時帶他們下來。我們可以逃走！我們會得到**自由**！」

他沒回話，只是開始往屋頂上攀爬，他用雙腳夾住床單繩索兩手輪替往上移動。等他到了屋頂上我才開始爬，因為我們怕繩索無法承受兩個人的重量。比起往下爬，往上爬難得多。我的雙腿似乎比雙臂有力多了。我抬手伸向下個繩結，然後挪動右腳。突然間我的左腳滑出踩踏的繩結處，我整個人在空中擺盪，只靠無力雙手支撐。

我雙唇溢出一聲驚叫！我離地面六公尺高！

「抓緊！」克里斯在上方喊著。「繩子就在妳兩腿間。妳只要趕快把腿併攏就好！」

我看不到自己的處境，我只能照著他指示做。我邊抖邊用大腿夾住繩索。恐懼讓我愈發無力。我停頓得愈久就愈害怕。我開始喘氣發抖。然後淚水流下，愚蠢的女孩兒淚水！

「妳離我的手沒多遠了，」克里斯叫著。「只要再爬幾十公分我就能抓到妳。凱西，別慌。想想雙胞胎有多需要妳！加……加油！」

我得對著自己喊話，讓自己鬆開一隻手伸向高處的另一個繩結。我一再告訴自己，我能做得到。我踩過草地的雙腳滑不溜丟，可是克里斯的腳也是，而他辦到了。要是他做得到，那我也可以。

我一點一點地往上攀著繩索，爬到克里斯能探身伸手抓住我手腕的高度。他強壯雙手一抓住我，一陣安心感鼓動我的血液往下送向手指指尖和腳趾。沒幾秒他就把我拉上來然後緊擁著我，我們一起笑開又差點哭出來。然後我們一直牢抓繩索朝陡峭屋頂攀爬，直到抵達煙囪。等我們垂降回到屋裡熟悉的角落，顫抖才平息下來。

哦，諷刺的是，我們竟然很高興能回到這裡！

克里斯躺在他床上凝望著我。「凱西，我們躺在湖畔時，有那麼一兩秒時間看起來有點像天堂。然後妳在繩子上搖搖晃晃的時候，要是妳死掉，我以為自己可能也會死去。我們不能再這麼做。妳的手臂沒有我那股力氣。我忘了這點，很對不起。」

房間角落的夜燈發出玫瑰色光芒。我們在微光中對視。「我不後悔我們出門的事。我很高興。我好久沒感覺到這麼真實了。」

「妳是這麼想的？」他問道。「我也是……就像我們被遺留在一場做得太久的噩夢裡。」

我得再次大膽發問。「克里斯，你覺得媽媽在哪？她漸漸離我們而去，而且她從來不正眼看雙胞胎，就像他們現在也害怕她一樣。可是她之前從來沒這麼久不來看我們。她已經超過一個月沒來了。」

我聽到他沉重悲傷的嘆息。「凱西，老實說我不知道。她對我講的事沒多過她告訴妳的，不過能肯定的是她一定有個好理由。」

「可是什麼原因會讓她連個解釋都沒有就離開？她至少還能做到這點吧？」

「我不知道該說什麼。」

「要是我有小孩，我永遠不會像她那樣把小孩拋下。我絕不會把我四個小孩擱在一間上鎖房間裡然後忘了他們。」

「妳不會有任何小孩，記得嗎？」

「克里斯，有一天我會在愛我的丈夫懷裡跳舞，要是他真的想要寶寶，那我也許會同意生一個。」

「當然，我一直都明白妳長大就會改變心意。」

「你真的覺得我夠漂亮，能讓男人愛上我？」

「妳**不只是**夠漂亮而已，」他好像很難為情。

「克里斯，記得媽媽告訴我們，讓世界轉動的是錢，不是愛？嗯，我覺得她說的不對。」

「是嗎？再多想想。為什麼不能有愛又有錢？」

我想了想。想了很多。我躺在床上盯著天花板，那也是我跳舞的地板，我將愛與人生思考了一遍又一遍。我從讀過的每本書取出人生哲學的智慧之珠，然後把它們全部串成玫瑰經念珠，用我的餘生全心信奉。

愛，當愛前來敲響我的門，這就已足夠。

有個不知名的作者寫道，出名還不夠，出名又有錢也還是不夠，出名有錢又有愛，依舊不夠。天呀，我真替他感到遺憾。

15 一個雨日下午

克里斯站在窗邊舉起雙手拉開厚重的刺繡窗簾。天空是鉛灰色的，雨絲如密實的薄板般落下。我們房間裡的每盞燈都點亮了，電視一如往常地開著。克里斯等著看四點左右會經過的那列火車。在清晨四點左右可以聽見火車悲淒的鳴笛聲，要是睡醒的話，稍後會再聽見一次。只能勉強瞥見有如玩具般大小的火車，實在是太遠了。

他沉浸在自己的世界裡，而我也是。我盤腿坐在跟凱芮共用的床鋪剪下家飾雜誌裡的圖片，那些雜誌是媽媽之前帶來給我消遣的，她已經很久沒來看我們了。我小心翼翼地剪下每張圖片然後貼在一本大剪貼簿裡。我正在規畫我夢想中的家，我會在那裡永遠快樂生活，有個高大健壯的黑髮丈夫不屑上千佳麗，一心只愛著我。

我已經規畫好我的人生：先專注於事業，等我準備引退讓位給其他人時，再有丈夫和小孩。然後等我有了自己夢想中的家，我想要一個放在高台上的翠綠色玻璃浴缸，只要我樂意就可以在裡頭泡上一整天的美容精油浴，而且沒有人會在外頭砰砰敲門叫我快點出來！（我從來沒有機會在浴缸裡待得夠久。）當我從翠綠色浴缸起身，整個人聞起來會像甜美的花朵香水，皮膚柔軟如緞，毛孔永遠不再有乾癟舊木頭的腐臭味和瀰漫著古老厄運的閣樓灰塵。我們儘管年輕，聞起來卻跟這大宅一樣老。

「克里斯，」我轉頭望著他的背，「為什麼我們要一直待下去等媽媽回來，更不用說是等那老人死掉？現在我們力氣夠大，為什麼不想辦法逃出去？」

他不發一語。但我看到他雙手在窗簾布上抓得更緊。

「克里斯……」

「我不想談這個！」他動怒。
「要是你不想逃，幹嘛站在那裡等火車經過？」
「我沒在等火車！我只是在看外面，就這樣！」
他前額抵著玻璃，不怕附近鄰居往外看然後瞧見他。
「克里斯，離窗子遠一點。有人可能會看到。」
「我才不管有沒有人看見！」
我最先產生的衝動是朝他跑去，雙手抱著他然後在他臉上慷慨地印上無數親吻，來補償他媽媽沒給他的那些吻。我會把他的頭按在我胸口讓他靠著，就像媽媽以前會做的那樣，然後他就會變回那個開朗陽光的樂天派，永遠不會像我一樣時常陰鬱憤怒。就算我做出所有媽媽做過的事，我沒笨到不懂這依然不同。他想要的是**她**。他將所有希望、夢想和信仰都貫注在同一個女人身上——媽媽。
她已經超過兩個月沒來了！她難道不懂這裡的一天比普通生活的一個月還要漫長？難道她不擔心我們，不納悶我們日子過得如何？難道她相信克里斯永遠是她堅貞的擁戴者，即使她沒留下理由和解釋就離開我們？難道她真的相信，那份愛一旦擁有就不會被懷疑恐懼撕個粉碎且再也永難恢復？
「凱西，」克里斯突然開口，「要是可以選的話，妳想去哪？」
「南方，」我說道，「我想往南去有溫暖陽光沙灘的地方，海浪輕柔地拍打起伏。不要有白浪的大波浪，不要拍打巨岩的灰色海浪，我想去沒有狂風吹起的地方，我只想要輕煦微風拂過我頭髮和臉頰，躺在純白沙子上將陽光一飲而盡。」
「是啊，」他贊同，聽起來十分嚮往，「妳說的聽起來很棒。不過我不在乎大浪，我想在衝浪板上乘著浪頭。那一定很像滑雪。」
我放下剪刀、雜誌，和膠水罐，將雜誌和剪貼簿擱在一旁把注意力都放在克里斯身上。他失去了那麼多喜愛的運動，被關在一個房間裡，讓他衰老傷悲。哦，我多想安慰他，卻不知該怎麼做。

「克里斯，離開窗邊吧，拜託。」

「別管我！這裡讓我煩膩得要死！這個不准，那個不准！不能先開口說話，每天吃那些見鬼的食物，全都太冷或調味不對，我覺得她是故意的，只為了讓我們不能從任何事得到快樂，連食物也是。然後我想到那些錢，有半數應該是媽媽的，也是我們的。然後我告訴自己，無論如何這都值得！那老人不會永遠活著！」

「全世界的錢都不值得我們失去的那些日子！」我動怒反駁。

他轉過身來，臉色發紅。「該死地不值得！也許妳可以靠天分蒙混過去，我卻得接受好幾年的教育！妳知道爸爸希望我當醫生，所以無論多難我都要拿到醫生學歷！要是我們逃走，我就永遠當不成醫生。妳明白的！說說看我要怎麼賺錢養我們？快，除了洗碗工、採果工、速食廚子之外，我還能找到什麼工作？有哪個工作能讓我上大學又念醫學院？而且我得養活妳和雙胞胎，還要養活自己，十六歲就有個現成的家庭！」

我滿腔怒火。他不認為我有能力做些什麼！「我也能工作！」我生氣反駁。「我們可以想辦法的。克里斯，在我們挨餓的時候你拿了四隻死老鼠給我，你說上帝在人們身處極大危難時會賜予他們額外的力量和能力。嗯，我相信祂會的。等我們離開這裡然後一切靠自己，我們總會有辦法養活自己，你會成為醫生的！為了瞧見你名字後頭綴上那該死的醫生頭銜，我什麼都肯做！」

「妳能做什麼？」他問得既輕蔑又惹人厭。我還來不及回話，我們身後的門一開，外婆就站在那裡！她沒進門就頓下腳步然後盯著克里斯。而克里斯倔得不肯像過去一樣配合，不願被脅迫。他沒離開窗邊，又轉過頭去看外頭的雨。

「男孩！」她斥責著。「離開窗邊！馬上！」

「我的名字不是『男孩』，我叫克里斯多弗。妳可以直接叫我名字或者什麼也不叫，但永遠別再叫我『男孩』！」

她朝他的背唾了一口。「我恨那個名字！那是你父親的名字，他母親過世而他無依無靠時，我出於好心才支援他。我丈夫不想讓他住進這裡，但我覺得這年幼男孩很可憐，沒父沒母又沒錢而且失去了那麼多。所以我一再催促我丈夫讓他年輕的異母弟弟住進我們屋簷下。因此你父親來了……聰明英俊，利用了我們的慷慨之心。騙了我們！我們送他去最好的學校，買最好的東西給他，然後他偷走我們的女兒，那是他的半個姪女！她是我們僅剩的孩子，唯一倖存的孩子，他們卻在夜裡私奔，兩星期後還快樂地笑著回來，要我們原諒他們相愛的事。那天晚上我丈夫第一次心臟病發作。你母親是否說過，是她和那男人害她父親患上心臟病嗎？他叫她走，要她永遠不准回來，然後他就倒在地板上。」

她喘著氣吐息沒再說下去，戴滿閃亮鑽石的強壯大手放在喉邊。克里斯轉身離開窗邊，和我一樣望著她。她說的話比我們初到樓上生活那時還多，而那時已如永恆般久遠。

「我們不該為父母的所做所為負責。」克里斯冷冷說道。

「你要為你跟你妹妹做的事負責！」

「我們做了什麼罪行重大的事？」他問道。「妳以為我們能在同個房間裡生活，年復一年都不會看見對方？妳讓我們待在這裡。妳封閉了這翼廂房讓僕人不能進來。妳想逮到我們做了妳覺得有罪的事。妳想要我跟凱西證實妳對我們母親婚姻的看法是正確的！瞧瞧妳，穿著妳那鐵灰色洋裝站在那裡，覺得自己虔誠信神又自以為公正，可妳卻讓小孩子挨餓！」

「別說了！」我叫喊，外婆臉上的神情令我驚恐。「克里斯，別再說了！」

但他已經說得太多。她砰地關門離開房間，我的心臟快跳出來了。「我們去閣樓，」他冷靜地說著。「那個沒膽女人怕樓梯間。我們會很安全，要是她想餓死我們，我們就用床單繩索下到地面。」

門再度打開。外婆走了進來，手裡拿著一支綠色柳條向前邁步，眼裡閃著無情和果決。她一定早就把鞭子擱在附近，好讓她能一下子就拿到手。「跑去閣樓躲起來的話，」她抓住克里斯的上臂，「那你們下個星期就沒東西吃了！而且我不只要打你，還要打你妹妹，要是你反抗就連雙胞胎也打。」

現在是十月，到了十一月克里斯就十七歲了。跟她巨大體型相比，他仍只是個男孩，他想著是否要抵抗，但他望向我以及啜泣縮在一起的雙胞胎，就任由那老女人將他拽進浴室。她關門上鎖。她叫他脫衣服然後趴在浴缸上。

雙胞胎奔向我，將臉埋進我膝頭。「叫她住手！」凱芮哀求。「別讓她打克里斯！」

鞭子落在克里斯光裸的肌膚上，他沒發出任何聲音。我聽到綠色柳條打在皮肉上那令人反胃的重擊聲。我感覺得到每一下痛苦的鞭打！我跟克里斯在過去一年間形同一體；他就像另一個面向的我，是我想成為的模樣，強壯有力而且能夠忍受鞭打不叫出聲。我恨她。我坐在床上將雙胞胎攬在懷裡，覺得心中恨意逐步長大，不知如何解放，只能大聲尖叫。他承受鞭打，而我喊出他的疼痛。我希望上帝會聽見！我希望僕人會聽見！我希望垂死的外公會聽見！

她手裡拿著鞭子走出浴室。克里斯在她身後拖著腳步，臀間圍著一條毛巾。他臉色死白。我的尖叫停不下來。

「住嘴！」她下令，在我眼前揮動鞭子。「除非妳想嘗嘗這個，不然就馬上安靜！」

我止不住自己的尖叫聲，連她把我拽出床鋪又甩開試圖護著我的雙胞胎時都叫個不停。克瑞張嘴撲向她的腿，她手一揮讓他整個人翻滾。我來到浴室，歇斯底里平復下來，我也將在這裡被鞭打。我站在那裡盯著她一慣配戴的鑽石胸針，數著上頭的鑽石，有十七顆小鑽石。她灰色的塔夫塔綢洋裝用上等紅線縫製，白色衣領是手工編織的。她雙眼盯著我頭上的圍巾和短短的髮根，露出得意滿足的神情。

「脫光，不然我就把妳衣服撕爛。」

我開始脫下衣服，慢慢地解開衣釦。我沒胸罩穿，雖然我該穿了。我看到她打量我胸部和平坦腹部然後才移開視線，顯然很不痛快。「老女人，總有一天我會討回來，」我說道。「會有那麼一天，妳會是無助的一方，而我會在手裡拿著鞭子。廚房裡的食物妳永遠不能吃，就像妳一直講的，上帝什麼都看得見而且祂自有公義之道，外婆，那就是以眼還眼！」

「永遠不准跟我說話！」她疾聲說道。然後她笑了，自恃永遠不會有那麼一天她的命運會掌握在我手中。我愚昧地在最糟的時機講出這些話，而她任憑我開口。當鞭子落在我嬌嫩的皮膚上，雙胞胎在浴室裡大喊，「克里斯，叫她住手！別讓凱西受傷！」

我跪倒在浴缸附近，整個人蜷成球狀保護臉蛋和胸口這些最脆弱的地方。她像個失控的瘋女人不停抽打我直到柳條斷掉。痛楚有如火焚。鞭子斷掉時我以為終於結束，但她抓起一支長柄刷往我的頭和肩膀打下去。儘管我試著像克里斯那樣勇敢沉默不叫出聲，但我就是得叫出來。我大喊，「妳不是人！妳是怪物！殘忍又沒人性！」回報我的是在我腦袋右邊的一記狠擊。一切昏天黑地。

我漸漸清醒重回現實，我全身都痛而且頭痛欲裂。閣樓上播放的唱片正響著芭蕾舞劇《睡美人》裡的〈玫瑰慢板〉。就算我活到一百歲我也永遠不會忘記那音樂和我睜開眼睛時的感受，我看見克里斯正俯身替我消毒貼膏藥，淚水從他眼中滴落在我身上。他叫雙胞胎去閣樓上玩耍、讀書塗鴉，或做任何將他們的注意力從這裡移開的事。等他用不齊全的醫材將能做的都做了，就換我照料他受鞭刑的血淋淋背部。我們都沒穿衣服，衣服會黏在我們滲血的傷口上。我身上大多瘀傷都是她無情地用長柄刷揮打出來的。我頭上有個深色腫塊，克里斯很怕會腦震盪。

診療結束，我們翻了個身在被單下面對面。我們的目光相對然後合而為一。他用最輕柔愛憐的方式撫摸我臉頰。「我們玩得不開心嗎，哥哥……我們玩得不開心嗎？」我唱著改編自關於比爾貝利[4]的那首歌。「我們會痛上一整天……你出診我付房租……」

「別唱了！」他喊道，看起來受創又無防備。「我知道這是我害的！站在窗邊的是我。她沒必要

4 譯注：原曲為《Bill Bailey, Won't You Please Come Home?》，是一九〇二年發行之流行歌曲，此後有許多歌手改編翻唱。

把妳也弄傷！」

「沒差，她遲早都會這麼做。從我們來的第一天起，她就打算要用一些微不足道的理由懲罰我們。我只是很驚訝她這麼晚才使出鞭子。」

「她打我的時候我聽到妳尖叫，然後我就不用出聲了。凱西，妳是替我叫的，我真的有好過一點，我只感到妳的疼痛。」

我們小心翼翼地相擁。我們光裸的身子貼在一起；我的胸部被他胸膛擠得變扁。然後他喃喃叫著我名字，解開我頭上的圍巾讓我的長髮散開流洩，接著雙手捧著我的頭輕柔地貼向他嘴唇。光著身子躺在他懷裡然後被親吻，這樣感覺好怪，而且不應該。「不行，」我害怕地輕聲說道，感覺到他的性器官變硬。「這恰恰就是她覺得我們做過的。」

他笑得很厲害，然後才拉開距離，說我什麼都不懂。做愛可不僅僅是親吻而已，而我們還沒有做過超乎親吻的事。

「而且永遠不會做。」我說道，但語氣虛弱。

那天晚上我睡前想著的不是鞭刑或被長柄刷打的事，而是他的吻。我們彼此心中都湧起一股混亂的情緒騷動。我內心深處某種沉睡的東西已被喚醒復甦，就像睡美人一直沉睡，直到王子前來在她無言雙唇印上永恆的愛人親吻。

那就是所有童話故事的模式，以親吻收場，然後從此過著幸福快樂的日子。一定會有位王子給我一個快樂結局。

16 找個朋友

有人在閣樓樓梯那邊尖叫！我猛然驚醒，然後張望有誰不見人影。是克瑞！

天啊！出了什麼事？

我從床上一躍而起，奔向壁櫥，聽到凱芮醒過來應和克瑞的哭號，即便她不曉得他在叫什麼。克里斯大喊出聲，「搞什麼鬼？」

我迅速穿過壁櫥往上跑了六個台階，然後定住腳步瞪大眼。克瑞穿著他白色睡衣低頭叫喊，我該死地真瞧不出原因。

「做點什麼！做點什麼！」他對著我尖叫，然後終於指出那讓他苦惱的東西。

哦……台階上有個老鼠夾，我們每晚都放在同個地方，上頭擱著起司。但這次老鼠沒死。那老鼠自以為聰明，沒用嘴而是用腳爪偷拿，一隻小腳趾卻被強力的金屬彈簧夾住。那隻小灰鼠蠻橫地啃食自己受困的腳趾想藉此脫身，儘管那樣做一定很痛。

「凱西，快做點什麼！」克瑞叫嚷著投入我懷中。「救救牠！別讓牠咬掉自己的腳！我要牠活著！我想要朋友！我從沒養過寵物；妳知道我一直想要有個寵物。為什麼妳跟克里斯老是得殺死所有老鼠？」

凱芮走到我背後用小拳頭搥打我的背。「凱西，妳好小氣！小氣！小氣！妳害克瑞什麼都沒有！」

就我所知，用錢能買到的所有東西克瑞幾乎都有，除了寵物、自由，和廣大的戶外。說實在的，要是克里斯沒趕來護著我，鬆開凱芮那緊咬我腿部的嘴巴，我可能真的會被凱芮在台階上一口啃了，幸好我身上的睡衣蓋住腿部直到腳踝。

「別再鬧了！」他堅決下令。他拿著一條抹布彎下腰，那抹布一定是他特地拿的，只為了抓起一隻野老鼠而且不讓自己的手被咬。

「克里斯，讓牠好起來，」克瑞懇求。「拜託別讓牠死！」

「克瑞，既然你看起來這麼想要這隻老鼠，我會盡我所能救回牠的腳，不過牠真的傷得很重。」

哦，忙來忙去就只為了救一隻老鼠的命，可是我們已經殺掉上百隻。一開始克里斯得小心地抬高金屬彈簧，而那隻不明究理的野老鼠差點對他嘶嘶叫，克瑞轉身啜泣而凱芮在尖叫。然後那隻老鼠似乎幾近昏迷，是因為鬆了口氣吧，我想。

我們奔向我跟克里斯用力擦洗的浴室，克瑞捧著他那隻妥善裹在淺藍色抹布裡的半死老鼠，克里斯告誡他別抓太緊。

我在工作檯上把我們所有醫藥品都擺在一條乾淨毛巾上。

「牠死了！」凱芮大喊，然後拍打克里斯。「你殺了克瑞唯一的寵物！」

「這老鼠還沒死，」克里斯冷靜說道。「現在拜託你們所有人都安靜別動。凱西，把老鼠抓好。我能做的就是治療牠撕裂的皮肉，然後替那條腿上夾板。」

他先用殺菌劑清潔傷口，那隻老鼠就像死掉一般躺著，但鼠眼大睜，以一副很可憐的模樣望著我。然後他把紗布裁成長條以便包紮如此細小的腿腳，接著他再裹上棉花，拿折半的牙籤當作夾板用黏著劑固定。

「我要叫牠米奇。」克瑞說道，成千燭光在他眼裡閃動，只因為有隻小老鼠能活下來當他的寵物。

「可能是隻母的。」克里斯目光一閃打算確認老鼠性別。

「不要！不要母老鼠，我要米老鼠！」

「是隻公的沒錯，」克里斯說道。「米奇會活下來，把我們所有的起司都吃掉，」這位完成首次手術和上夾板的醫師說道。我必須承認他看起來相當自豪。

他洗掉手上的血漬，克瑞和凱芮雀躍得像人生終於有了個超棒的東西。

「現在讓我抱米奇！」克瑞叫嚷著。

「克瑞，不行，讓凱西抱著牠一會兒。瞧，牠還很虛脫，她的手比較大，能比你提供米奇更多溫暖。而且你可能會不小心握太緊。」

我坐在臥室搖椅上照料一隻灰鼠，牠看起來快要心臟病發，心臟跳得如此急遽。牠喘著氣，眼皮顫動。當我托著牠，我能感覺到牠小而溫暖的身軀掙扎求生，我想要牠活下來做克瑞的寵物。

房門一開，外婆走了進來。

我們全都衣衫不整；老實說我們只穿著睡衣，沒套上睡袍遮掩身上可能裸露的地方。我們光著腳丫，頭髮亂蓬蓬，也還沒洗臉。

違反了一項規定。

克瑞緊偎在我身側，外婆將她銳利的目光遍掃這雜亂無章（呃，的確是）又一團糟的房間。床鋪還沒整理，我們的衣服攤在椅子上，襪子丟得到處都是。

違反了兩項規定。

而且克里斯在浴室裡替凱芮洗臉，幫她穿好衣服扣上她粉紅連身衣的釦子。

違反了三項規定。他們兩個走了出來，凱芮一頭馬尾綁得整齊，繫了粉色髮帶。

凱芮一見到外婆就立刻僵住。她藍色雙眼睜大受驚，轉身偎向克里斯尋求庇護。他抱起凱芮帶她到我這邊來，讓她坐在我膝頭。然後他走向放置野餐籃的桌子，著手取出外婆帶來的東西。

克里斯一走近，外婆就往後退。他沒理會她，迅速地將籃子淨空。

「克瑞，」克里斯走向壁櫥那頭，「我去樓上找個適合的籠子，我離開的時候，看你能不能不靠凱西幫忙就穿好所有衣服，而且把臉和雙手都洗好。」

外婆還是沉默不語。我坐在搖椅上照料那隻虛弱老鼠，而我年幼的孩子們跟我擠在同張椅子上，我們三人的目光都盯著外婆，直到凱芮再也受不了然後把臉埋在我肩頭。她小小的身體抖個不停。

我無法理解，她竟然沒訓斥我們，沒提起那凌亂床鋪和我向來努力維持整潔的亂糟糟房間，而且她怎麼沒罵克里斯替凱芮穿衣服？為什麼她親眼見著了，卻什麼也沒說？

克里斯拿著一個籠子和幾片金屬網板走下閣樓，他說這樣能讓籠子更堅固。

這些話讓外婆猛然轉頭望向他那邊。然後她那石般雙眼盯著我和我捧著的淺藍色抹布。「女孩，妳手裡拿著什麼？」她用冷冷的語調發問。

「一隻受傷的老鼠。」我的聲音跟她一樣冰冷。

「你們想把這老鼠當寵物養，放在那籠子裡？」

「對，我們是這麼想的。」我大膽瞪著她，無論她會有什麼反應我都不怕。「克瑞從沒養過寵物，是該讓他有隻寵物的時候了。」

她抿著薄唇將冷石般的雙眼掃向克瑞，他抖得快掉淚了。「就養吧，」她說道，「就養這老鼠吧。這寵物很適合你。」然後她砰地關上門。

克里斯開始擺弄籠子和網板，一邊動手一邊說道。「克瑞，籠子的網格太大格，關不住米奇，所以得用這網板在籠子上圍一圈，你的小寵物才不會逃出去。」

克瑞笑了。他瞄了一眼看看米奇是否還活得好好的。「牠餓了。我看得出來，牠在抽動鼻子。」要贏得米奇這隻閣樓老鼠的心可真不容易。首先，牠一點也不信任我們，儘管是我們將牠從老鼠夾中解救出來。牠討厭被籠子關住，而且腿腳上有我們裹上的古怪東西，搖搖擺擺繞著圈子想找路出去。克瑞從籠子空隙丟了起司和麵包碎塊，想哄牠進食好恢復力氣。然而牠對於起司和麵包都不理會，最後克瑞打開生鏽籠門放入一個裝滿清水的袖珍湯碗時，牠已走到無力再走，小小的黑豆眼珠戒慎恐懼，渾身發抖。

然後克瑞將手伸進籠中，把一塊起司推過去。「起司很棒哦！」他誘哄道，把一小塊麵包挪得更近，顫抖的鼠鬚抽動著。「麵包很棒，會讓你變強壯而且好起來。」

費了兩週時間，克瑞才終於擁有一隻對他愛意滿懷的老鼠，他一吹口哨呼喚，老鼠就會上前。克瑞在上衣口袋裡放了小塊食物引誘米奇鑽進去。每當克瑞穿上胸前有兩個口袋的上衣，他會在右邊口袋放一小塊起司，左邊口袋放一小塊花生葡萄果醬三明治，米奇會在克瑞的肩頭猶豫不決，鼠鼻抽動鼠鬚顫抖。我們很容易就看出，這隻老鼠不僅是個美食家，而且還是個對於兩邊口袋同時都渴望的貪吃鬼。

然後，等牠終於下定決心，牠可能會一頭蹦進花生果醬那個口袋頭下腳上開始進食，接著牠會歪歪扭扭地奔回克瑞肩頭繞過他脖子，再朝下鑽進放起司的口袋。實在很有趣，牠從不直接橫越克瑞胸口跑向另個口袋，總是先往上爬然後繞過他脖子再朝下走，克瑞被逗得直發笑。

老鼠的小腿腳痊癒了，但牠再也無法行走如常，也跑不快。我想那老鼠夠聰明才會把起司留到後頭吃，因為牠能抓著起司優雅啃食，至於三明治碎塊吃起來就比較狼狽。

而且說真的，老鼠最擅長聞出食物，無論食物藏在何處。米奇樂於拋下牠的老鼠同伴然後跟人類交好，人們會餵牠寵牠還會唱搖籃曲給牠聽，但還真奇怪，凱芮對米奇一點耐性也沒有。這大概只是因為那老鼠跟她一樣對她的娃娃屋著迷。小小的樓梯和走廊完全適合牠體型，只要牠一出籠往往就直接奔向娃娃屋！牠從一扇窗攀進屋裡跌在地板上；精心擺設的瓷人偶往左右倒下，餐桌在牠想嘗桌上袖珍食物時整個掀翻過來。

凱芮對克瑞大叫，「你的米奇要把所有宴會食物都啃了！把牠拿走！從我的客廳弄出去！」

克瑞抓住他那行動不靈活的跛腳老鼠，把米奇摟在他胸前。「米奇，你得學著乖乖聽話。大房子裡會遇上壞事。這房子是那女士的，她會不分青紅皂白地打你的。」

他讓我咯咯發笑，因為這是頭一次我聽見他說了同胞姊姊的小小壞話。

這是好事，克瑞有了隻小巧可愛的灰鼠，那老鼠會鑽進衣服口袋找尋主人藏在裡頭的好東西。這是好事，我們所有人有了個能打發時間和心神的東西，因為我們已經等待媽媽現身太久，感覺幾乎像是她永遠不會再來看我們了。

17 終於，媽媽

我跟克里斯從未提及我們被鞭打的那天在床上發生的事。我常逮到他注視著我，但我視線與他交會時他就移開目光。等他突然轉過來逮到我在看他，我目光也迴避著他。

我們一天天長大，我跟他都是。我的胸部豐滿起來，臀部變大，腰肢纖瘦，我前額的短髮變長，也開始鬈曲得恰到好處。為何我之前都不知道，只要鬈髮沒太長就不會被拉直成波浪卷呢？至於克里斯，他的肩膀變得更寬，胸膛更有男子氣概，手臂也是。有次在閣樓裡我逮到他低頭望著自己的男性器官，似乎深受吸引，而且還量長度！「為什麼？」我問道。得知長度很重要，令我震驚不已。他先背過身才告訴我，他以前有次看到爸爸光著身子，然後覺得他自己的似乎大小不符。他開口解釋的時候連脖子後面都發紅。哦天啊，就像我曾猜想媽媽穿的胸罩是什麼尺寸！「別再這麼做了。」我小聲說道。克瑞的男性器官還很小，要是他也看到然後跟克里斯有同樣想法，以為自己的不太對勁呢？

我突然收手不再擦拭教室桌子，一動不動地站在那裡想著克瑞。我轉頭注視他跟凱芮。哦天啊，親密過頭讓人多盲目！我們已經被關了兩年又四個月，雙胞胎跟他們來到這裡的那晚沒兩樣！他們的腦袋確實變大了，應該要讓眼睛在臉上的比例變小。可是他們的雙眼看起來格外地大。他們無精打采地坐在我們拖到窗邊的髒汙難聞舊床墊上。客觀地注視他們令我膽顫心驚。他們的身體像柔弱花莖，無力支撐花朵般的腦袋。

直到他們在微弱日光中入睡，我才小聲對克里斯說道，「瞧瞧那二朵金盞花，他們沒長大，只有頭變得比較大。」

他重重地嘆了口氣瞇眼走近雙胞胎，俯身彎腰觸碰他們半透明的皮膚。「要是他們肯跟我們一起到屋頂上就好，那就能像我們一樣從日光和新鮮空氣得到益處。凱西，不管他們怎麼抗拒尖叫，我們得逼他們出去！」

我們蠢到以為要是在他們熟睡時將他們背到屋頂上，他們就能在日光中醒來，而且被我們抱在懷裡會很有安全感。克里斯小心翼翼地抱起克瑞，而我屈身抱起體重極輕的凱芮。我們偷偷摸摸地走向一扇敞開的閣樓天窗。這一天是星期四，是我們在屋頂上享受戶外的日子，僕人全都休假去了鎮上。待在大宅後方的屋頂很安全。

克里斯才剛抱克瑞跨出窗台，溫暖的秋老虎空氣就讓克瑞猛然轉醒。他朝四周望了一眼，看見我懷裡抱著凱芮顯然也打算帶她到屋頂上，然後他放聲大叫！凱芮從睡夢中醒來。她看到克里斯抱著克瑞在陡峭屋頂上，看到我正打算要帶她去哪，她的尖叫聲一定連一公里外都聽得見！

克里斯在他們的叫喊聲中喊我，「來！為了他們好，我們得這麼做！」

他們不但尖叫還用小拳頭搥我們。凱芮的牙齒向下咬住我手臂，我也尖叫了。他們雖然年紀小，卻有著身處危難之人的巨大力氣。凱芮的拳頭往我臉上搥，我差點什麼也看不見，再加上耳邊有尖叫聲！我急忙轉身往回朝教室窗戶那裡去。我顫抖無力地讓凱芮自己在講桌旁站好。我靠在桌邊氣喘吁吁，感謝上帝讓我安然帶她回屋裡。克里斯讓克瑞回到他同胞姊姊身邊。沒有用。逼他們到屋頂上只會替我們所有人的生活惹來危險。

他們現在都很不高興。我們把他們拽向牆邊做記號的地方，他們奮力掙扎，我們來閣樓教室的第一天起就在那邊替他們量身高。克里斯讓他們站好，而我退後瞧他們長了多少公分。

我瞪了又瞪，震驚不已，難以置信。在這段時間裡只長了五公分？五公分，我跟克里斯在五到七歲時可是長高了好多好多公分，雖然他們兩個出生的個頭就格外小，克瑞僅有二二五〇克，凱芮則是二三〇〇克。

哦，我不得不雙手掩面好讓他們看不見我呆愣驚恐的神色。這還不夠。我背過身只讓他們看到背影，將抽咽聲吞回喉間。

「可以放開他們了。」我總算勉強開口。我回頭瞥見他們像兩隻亞麻色小老鼠奔竄逃逸，奔向樓梯朝著能替他們解悶的心愛電視而去，而且還有一隻活生生的小老鼠等著他們來逗樂牠囚籠中的生活。

克里斯站在我正後方等待，「那麼，」在我一逕頹喪沉默時問道，「他們長高了多少？」

我迅速擦掉眼淚然後才轉身，好讓自己開口時能正眼瞧他。「五公分。」我語氣平淡但眼裡仍有痛楚，他也瞧見了。

他舉步上前雙手環抱著我，然後將我的頭按在他胸口，我放聲哭泣，真切地嚎啕大哭。我恨媽媽對我們做的事！真的好恨！她明知孩童就像植物，需要陽光才能成長。我在兄長懷中渾身發抖，想說服自己只要我們重獲自由，他們就會再度變得漂亮。會的，當然會的，他們會急起直追，補足那些虛度的歲月，只要陽光再次照耀他們，他們就會像野草般瘋長。會的，沒錯，他們會的！他們不過是因為長期關在室內才會如此臉頰消瘦，雙眼凹陷。這一切都能恢復的，是吧？

「嗯，」我抱著那個似乎是唯一仍然在乎的人，哽咽嘶啞地說道，「轉動世界的是錢，還是愛？對雙胞胎投注了那麼多愛，應該要能量到他們長了十五或二十公分，而不是只有五公分。」

我跟克里斯走向我們那與世隔絕的昏暗囚房去吃午餐，我一如往常地把雙胞胎送進浴室洗手，因為他們絕對不需要老鼠身上的細菌讓他們的健康雪上加霜。

我們靜靜坐在餐桌旁吃三明治，喝微溫的湯和牛奶，看著電視上的那對戀人相會親吻，然後打算撇下各自的配偶一起逃走，然後我們的房門打開了。我真不想轉頭錯過電視裡接下來的劇情，但我還是回頭張望。

我們的媽媽興高采烈地踏進房間。她穿著一件漂亮的輕便套裝，外套袖口和領口有柔軟的灰色毛草。

「寶貝們！」她熱情地打招呼，卻又躊躇不前，因為我們沒人一躍而起迎接她歸來。「我來了！你們看到我開心嗎？哦！你們不知道我見到你們所有人有多開心。我好想你們，掛念你們，又夢見你們，然後我帶了好多精心挑選的漂亮禮物要給你們。拭目以待吧！而且我還得鬼鬼祟祟地買，因為我要怎麼解釋這些東西是要買給孩子的？我想補償一下我離開這麼久。我真的很想告訴你們我為什麼離開，真的，可是這真的太複雜了。而且我也不知道自己到底要去多久，不過你們很想我，很關心我，是吧？你們沒有過得不好，對吧？」

我們有沒有過得不好？我們只是很想她？她以為她是誰？我瞪著她，聽她說些愚蠢的事，說四個被關的孩子讓別人的生活有多艱難。雖然我好想反駁她，不讓她再親近我們，但我心中的期盼使我動搖，不禁想再次愛她信任她。

最先起身說話的是克里斯，他的語氣總算不再高亢尖利，而是一副低沉可靠的男子口吻。「媽媽，妳回來我們當然開心！而且我們的確很想妳！可是不管有什麼複雜原因，妳都不該離開那麼久。」

「克里斯多弗，」她雙眼驚訝瞪大，「你不太對勁。」她目光從他身上移向我，然後看向雙胞胎。她的興高采烈冷卻下來。「克里斯多弗，出了問題嗎？」

「問題？」他複述。「媽媽，住在一間房間裡生活怎麼會沒有問題？妳說我不太對勁？那麼仔細瞧瞧我。我現在還是小男孩嗎？瞧瞧凱西，她還是小孩子嗎？再多瞧瞧雙胞胎，尤其留意他們長了多高。然後妳再告訴我，我跟凱西依舊是不懂大人的事又讓人處處遷就對待的小孩嗎？妳在外面過開心日子時，我們沒有無所事事閒得發慌。我跟凱西已經在書本裡度過無數生活了，這是我們讓自己活得真實的替代方法。」

媽媽很想插嘴，但克里斯無視她顫抖的微弱聲音。他輕蔑地瞄了她那堆禮物一眼。「所以妳帶了一堆謝罪的禮物，像妳知道自己做錯事時一貫會做的那樣。為什麼妳老是以為妳那些愚蠢禮物可以彌補我們曾經失去而且現在仍不斷失去的一切？當然，我們以前很高興看妳帶玩具遊戲和衣服來我們這囚房，可是我們現在長大了，光有禮物是不夠的！」

「克里斯多弗，拜託，」她懇求著，很不自在地再次望向雙胞胎又飛快移開視線。「拜託不要那樣說話，好像你不再愛我了。我承受不了。」

「我愛妳，」他如此回應。「我**要**自己繼續愛妳，不管妳做了什麼。我**得**愛妳。我們全都得愛妳，相信妳，覺得妳都是為了我們好。可是媽媽，妳看看我們，仔細看。我跟凱西都覺得妳對自己做的事視而不見。妳對著我們笑，在我們眼前和耳邊懸吊未來的燦爛希望，可是沒有一件事實現。很久以前，妳第一次對我們提起這大宅和妳父母的事時，妳說我們只要被關在這房間一個晚上，然後又改成幾天。然後是再幾個星期，再幾個月，現在，兩年過去了，我們等一個老人死掉，有一群醫生卻手段高超地把他從墳墓那頭扯回來，他永遠死不掉。這個房間對我們的健康有害。妳看不出來嗎？」他幾近咆哮，男孩子氣的臉龐脹紅，再也無法抑制自己。我以為自己永遠不會看見他責怪我們的媽媽，他摯愛的媽媽。

他大吼的聲量一定也嚇到他自己了，因為他接著放低音量然後更鎮定地開口，儘管他的話語有子彈般的衝擊力。「媽媽，不管妳會不會繼承外公的龐大財產，我們都要離開這房間！不是明天或下星期，今天就走！馬上！妳把鑰匙給我，然後我們就離開，走得遠遠的。要是妳在乎的話可以寄錢給我們，要是正如妳所願，也可以什麼都不寄，如果那是妳的選擇，妳永遠不會再見到我們，妳所有的麻煩就都解決了，我們會從妳的人生中消失，外公也永遠不需要知道我們的存在，妳可以得到他留給妳的東西，全都是妳的。」

媽媽一臉慘白，震驚不已。

我坐在自己的椅子上，午餐吃了一半。我覺得很對不起她，感覺自身的同情心背叛自己。我關上心門，用力關緊，只要想想我們挨餓的那兩個星期，四天內只有餅乾和起司可吃，然後有三天沒食物吃只有水能喝。然後是那些鞭打，我頭髮上的瀝青，以及最重要的是，克里斯不得不割腕餵雙胞胎喝他那營養血液。

而克里斯對她說的話和他強硬的說話方式，多半是我的手筆。

我想她猜到了，因為她滿腔怨恨地對我投以尖銳目光。

「克里斯，別再這麼對我說話，你真的不太對勁。」

我起身站到他旁邊。「媽媽，看看我們！瞧瞧我們容光煥發的健康氣色，是不是跟妳沒兩樣。尤其留意妳那年幼的兩個孩子。他們看起來不虛弱，是吧？他們飽滿的臉頰看起來不瘦削，是吧？他們的頭髮不黯淡，是吧？他們的眼睛並不陰鬱，也未凹陷，是吧？當妳注意看，妳看出他們長高了多少，長得多健康嗎？要是妳對我跟克里斯毫無憐憫，至少憐惜他們吧。」

「閉嘴！」她大喊，從她坐的床緣一躍而起，過去她總在那裡愜意地讓我們圍坐她身旁。她轉身背對我們，好讓她不用瞧見我們。她嗓音裡有哽咽啜泣聲，「你們沒資格對自己的媽媽這樣說話。要不是我，你們可能全都在大街上挨餓。」她嗓音為之一變。「我難道沒盡力做我能做的？我哪裡錯了？你們少了什麼？你們明知等你們外公死掉事情就會有轉機，是你們自己同意待在這裡等他死。而我也信守諾言。你們住在溫暖又安全的房間裡。我給你們最好的東西，書、玩具、遊戲，和錢能買到的最好衣服。你們有好食物吃，有電視機。」她現在轉過來正對著我們攤開雙手擺出懇求姿態，看起來就要跪倒在地，她雙眼哀求地望著我。「聽著，你們的外公現在病到一整天都躺在床上。他連輪椅也坐不了。他的醫生說他撐不了多久，幾天或是最多幾星期。等他去世那天，我會上來打開房間帶你們下樓。我會有夠多錢讓你們全部念大學，克里斯能念醫學院，還有凱西，妳可以繼續上芭蕾課。我會替克瑞找最好的音樂老師，至於凱芮，她想要什麼我都會做。難道你們要捨棄自己受苦忍耐的這幾年，一點回報也沒有？就在你們快達成目標的時候！還記得你們以前笑著說自己有太多錢不知道怎麼花時要做些什麼嗎？想想我們計畫的一切，我們會有個房子能讓所有人又住在一起。不要失去耐性放棄一切，就在我們快要贏的時候！如果要說你們受苦的時候我在享樂，這點我得承認。可是我會十倍償還的！」

哦，我承認我很感動，多麼想遠離猜疑。我猶豫著，幾乎又想相信她，卻又懷疑她是在說謊。她不是早在一開始就告訴我們，外公只剩最後一口氣……年復一年喘著他那最後一口氣？我是否該吶喊，**媽媽，我們只不過是再也不相信妳了？**我好想讓她受創流血，就像我們流血流淚孤立寂寞，更別提那些懲罰。

可是克里斯嚴峻地看著我，讓我覺得羞愧。我能像他那麼富有騎士風範嗎？我是否能不理他逕自開口，吼出我們沒做錯事，外婆卻對我們做出的所有懲罰？出於某些古怪原因，我保持沉默。也許我是想保護雙胞胎不讓他們知道太多事。也許我是想等克里斯先開口告訴她。

他站在那裡用柔軟憐惜的目光注視她，忘了我頭上的瀝青，忘了沒食物的那幾星期，忘了他必須在死老鼠上灑鹽和胡椒調味，還忘了那次鞭打。他站在我旁邊，手臂不時碰到我。他彷徨顫抖，在他看見我們的媽媽開始哭泣時，從他眼裡能看見希望與絕望的幻影折磨著他。

雙胞胎悄悄跑到我身邊靠著我裙襬，媽媽倒在最靠近她的床上哭泣用拳頭搥打枕頭，像個孩子似的。

「哦，你們這些無情又忘恩負義的孩子，」她可憐兮兮地哭喊，「你們竟然這樣對待我，你們自己的母親，在這世上唯一愛你們的人！唯一關心你們的人！我那麼開心地來見你們，多麼高興能跟你們待在一起，想把我的好消息告訴你們，好讓你們能跟我一起開心。而你們做了什麼？猛烈又不公平地指責我！讓我覺得好內疚好羞愧，我一直都盡力而為，可你們卻不信！」

她現在跟我們沒兩樣，趴在床上哭泣的模樣我好幾年前也做過，凱芮現在也還會這麼做。

我跟克里斯立刻自然而然地感到悔恨與歉意。她說的每件事都再對不過。她是唯一愛我們關心我們的人，我們的救贖、人生、未來和夢想全都要靠她。我跟克里斯跑向她，用我們的雙臂抱著她，盡可能地懇求寬恕。雙胞胎只是一言不發地注視著我們。

「媽媽，求妳別哭！我們不是有意讓妳難過。我們很抱歉，真的。我們會待在這裡。我們相信妳。外公就快死了，他總會死的，對不對？」

她哭了又哭，傷心不已。

「媽媽，告訴我們，求妳！跟我們說妳的好消息。我們想知道，我們想跟妳一起高興慶祝。我們說那些話，只是因為妳不說一聲就走的那段時間我們受了傷害。媽媽，求妳，求求妳，媽媽！」

我們的懇求、眼淚、和痛苦終於打動了她。她勉強坐起來用一條有十公分寬上好蕾絲邊的白色亞麻手帕輕拭雙眼，手帕上還有白色花押的大寫字母C。

她推開我跟克里斯拂去我們的雙手，好像我們的手很燙似的，然後她站了起來。現在她不願注視我們懇求誘哄的目光。

「打開我替你們精心挑選的禮物，」她冰冷的語氣裡滿是哽咽啜泣，「然後再告訴我，我到底有沒有想著你們愛著你們。告訴我，說我沒有想到你們的需求，沒有替你們好好著想，沒有試著滿足你們所有念頭。告訴我，說我很自私，一點也不關心你們。」

深色睫毛膏從她臉頰淌下。她閃亮的紅色唇膏糊掉了。她的頭髮向來像頭上戴了頂完美帽子般，現在亂得走樣。她漫步走進我們房間時模樣完美無缺，現在看起來像個壞掉的假人。

而我為何覺得她像個演員，正使出渾身解數演出她的劇本？

她不理我，只看著克里斯。而雙胞胎，他們敏感的心以及她對他們顯露的關切程度足以讓他們宛如遠在非洲一般。

「克里斯多弗，為了你即將到來的生日，我訂了一套全新的百科全書，」她哽咽開口，依然輕拭臉頰試著抹去睫毛膏汙痕。「是你一直想要的那套，已發行的最佳版本，有紅色的真皮皮質裝幀，書口全部用24K金刷金，書背的裝訂繩線有整整一公分厚。我直接去出版社特別為你訂做的。書上會印著你的名字和生日，不過那些書不會直接寄來這裡，免得被人看見。」她重重地嚥了口氣然後擱下她那別緻手帕。「我反覆思考什麼禮物會讓你最開心，如同我一直都給你最好的東西讓你受教育。」

克里斯看起來嚇呆了。他臉上交織的神情讓他眼裡閃著困惑不解，茫然又有點無助。天啊，就算事情演變至此，他也一定還很愛她。

我的心情直截了當，一點也不彷徨。我怒火中燒。她現在提到一套有真皮裝幀、有裝訂繩線、有24K金刷金的百科全書！那種書一定得花一千美金以上，也許兩、三千美金！她為什麼不用那些錢讓我們離開這大宅？我好想學凱芮那樣叫喊抗議，但克里斯藍色眼睛裡流露的某種東西令我閉上嘴巴。他一直都很想要一套紅色真皮皮質裝幀的百科全書，而且她也已經下了訂單，現在對她而言錢不算什麼，說不定，也許說不定外公真的今天或明天就會死，她不會需要租公寓或買棟房子。

她察覺到我的疑慮。

媽媽如帝王般莊嚴昂首轉身走向門邊。我們還沒拆禮物，她不打算留下來看我們有什麼反應。為什麼我怨恨她的時候內心在哭泣？我現在不愛她了，不愛。

她走到門邊開門然後說道，「等你們反省過今天帶給我的痛苦，然後再次用愛和尊敬來對待我的時候，我才會再來看你們。在那之前我不會再來。」

所以她來了。

然後她走了。

所以她來了又走，對凱芮和克瑞不摸不親不說話，甚至幾乎沒瞧他們一眼。我明白原因。得到財富結果賠上雙胞胎，她沒辦法正視這點。

雙胞胎從餐桌旁跳起來跑向我這裡依偎著我的裙子，然後仰望我的臉。他們的小臉滿是焦慮恐懼，研讀我的神色，看我開不開心來決定他們的心情。我蹲下來慷慨地給他們所有媽媽忽略的親吻擁抱，也許她只是沒辦法對她如此錯待的人這麼做。

「我們看起來很怪嗎？」凱芮憂心地問，她小手拉扯著我的手。

「沒有，當然沒有。妳跟克瑞只是看起來臉色蒼白，因為你們在房間裡待太久。」

「我們長高很多嗎？」

「有，有，當然有。」雖然是說謊，我仍面帶微笑。我裝出開心的模樣，像戴了面具般維持虛假笑容，和克里斯、雙胞胎一起坐在地板上有如聖誕節似地開始拆禮物。所有禮物都用昂貴包裝紙或金箔銀箔精心包裝，而且還有跟包裝紙顏色相襯的巨大緞帶蝴蝶結。

我們撕開包裝紙扯掉緞帶和蝴蝶結，掀起盒蓋掏出裡頭的襯紙，瞧瞧給我們所有人的漂亮衣服。看看那些新書！哇！看看那些新的玩具遊戲和拼圖！耶！哎呀呀，好一大盒楓糖糖果，形狀跟真的楓葉沒兩樣！

擺在我們面前的東西展現出她的關切所在。我承認她很了解我們，像是我們的興趣和喜好，衣服尺寸除外。她用禮物來補償漫長空虛的這幾個月，把我們留給那個樂於見到我們死掉的女巫外婆照料。

她明知她母親是怎樣的人，她知道！

她想用這些遊戲玩具和拼圖收買我們，求我們原諒她做了自己也明白的錯事。

她期盼用香甜的楓糖糖果抹去我們腦袋中的酸楚、惱怒與寂寞。從她的思考方式看來，顯然我們依舊只是小孩，儘管克里斯需要刮鬍子而我需要穿胸罩，然而從她買的書就能明白看出她永遠把我們當小孩。《小紳士》[5]，我好幾年前就讀過了。格林兄弟和安徒生寫的童話，我們早看得滾瓜爛熟了。然後又是《咆哮山莊》和《簡愛》？她難道沒有一份我們讀過的書單？以及我們已經有哪些書？

我努力維持笑容，將一件紅色新洋裝套進凱芮的頭然後穿好，在她頭髮綁上紫色髮帶。她現在正如她一直以來的渴望，穿著她最愛的顏色。我替她套上紫色襪子和白色新運動鞋。「凱芮，妳看起來好漂亮。」而她確實有幾分漂亮，擁有色彩亮麗成熟又端莊的衣服讓她很開心。

接著我幫克瑞穿上他亮紅色短褲和口袋有紅色花押字母的白襯衫，他的領帶是克里斯繫的，爸爸在很多年以前教過他怎麼繫。

「克里斯多弗，現在該幫你穿嗎？」我挖苦地問道。

「如果那是妳內心的慾望，」他不懷好意地說道，「妳可以從裡到外都幫我穿上。」

「別那麼下流！」

克瑞現在有了一個新樂器——閃亮的班鳩琴！哦天啊，他一直都想要一把班鳩琴！她還記得。他的雙眼閃閃發亮。哦，蘇珊娜，別為我哭泣，我帶著班鳩琴要去路易斯安納……

他彈出曲調，凱芮唱出歌詞。這是他鍾愛的快樂曲子之一，他以前用吉他彈過，但聽起來總不對勁。用班鳩琴來彈恰如其分，一點也不怪。上帝賜給克瑞不可思議的手指。

上帝讓我對一切都抱持刻薄念頭，一點也不開心。沒人瞧見的話，漂亮衣服有什麼用？我想要的東西不是放在昂貴店鋪的盒子裡包起精美包裝紙綁上緞帶蝴蝶結。我想要的所有東西錢都買不到。她難道沒發覺我頭頂的頭髮剪得那麼短？沒看到我們變得多瘦？她難道覺得我們蒼白的薄皮膚看起來很健康？

我懷著痛苦可憎的思緒把一塊楓葉糖塞進凱芮渴求的嘴巴裡，然後塞一塊給克瑞，接著自己也吃一塊。我瞥向那些要給我的漂亮衣服。有件該在宴會派對穿的藍絲絨洋裝。粉色和藍色睡衣罩衫組，還有成套的室內拖鞋。我坐在那裡，糖果在我舌上融化，喉間有股鐵塊苦味。百科全書！我們要永遠待在這裡嗎？

楓糖做的糖果向來是我最喜歡的甜食。她帶了這盒糖果是要給我的，為了我，我卻只吞得下一

5 譯注：《小紳士》（*Little Men*），美國作家L．M．奧爾科特的「小婦人」系列中的一部。

塊，而且好不容易才吃下肚。

克瑞、凱芮和克里斯坐在地板上，糖果盒就放在中間。他們把糖果一塊接一塊塞進嘴裡，開心笑著。「糖果該省著吃，」我用酸溜溜的討厭口吻對他們說道，「可能很久很久以後才會有下一盒。」

克里斯瞥了我一眼，他藍色雙眼愉悅發亮。輕易就能看出媽媽不過只待了一會兒，就讓他重拾了所有信念和信任。為什麼他看不出，那些禮物只是用來掩飾她不再關心我們的事實？為什麼他不能像我一樣明白，現在對她來說我們沒像以前那麼真實。我們不過是人們不想談論的另一個討厭話題，就像閣樓裡的老鼠。

「坐在那裡扮啞巴，」克里斯的歡欣之情對著我閃閃發亮。「妳就拒吃糖果吧，而我們三個會在老鼠跑下樓吃掉糖果前好好滿足我們愛吃甜食的嘴。我跟克瑞和凱芮會用力把牙刷乾淨，妳就坐在那裡自哀自憐地哭，假裝妳自我犧牲就能改變我們的處境。來啊，凱西！哭啊！演個殉道者。受苦受難！用妳的頭撞牆！尖叫！我們還是會在這裡待到外公死為止，然後所有糖果都沒了。」

我恨死他取笑我！我起身跑到房間另一頭背過身試穿我的新衣。我把三件漂亮洋裝一一套進頭裡。背後的拉鏈很輕鬆就能拉到腰間而且很寬鬆。可是不管我怎麼試，拉鏈到了我胸口高度就再也拉不上去。我脫下最後一件洋裝尋找上半身的打褶。沒有打褶！她買給我的是小女孩的洋裝，傻氣甜美的小女孩衣服彷彿尖叫著「她居然沒注意到」！我把三件洋裝扔在地上踩，弄皺藍絲絨布料，讓它再也不能退回店裡。

而克里斯跟雙胞胎坐在地板上，他看起來一肚子壞水而且笑得放肆邪惡，男孩子似的魅力可以贏得我一笑，要是我笑得出來的話。「列張購物清單，」他打趣說道，「妳該開始穿胸罩然後別再蹦來蹦去。還有順便也把束腰衣寫上去。」

我差點想往他咧嘴笑的臉上甩一巴掌！我的腹部是往內凹的。而且即使我的臀部圓潤結實，也是運動造成的，不是肥胖！「閉嘴！」我大喊。「為什麼我得列張單子告訴媽媽？要是她真的留意過，就該知道我有什麼衣服以及我該穿什麼！我怎麼知道要訂哪個尺寸的胸罩？而且我不需要束腰！你需要的是運動型內褲，還有你的頭腦需要書本學不到的判斷能力！」我瞪著他，看到他震驚神情讓我開心。

「克里斯多弗，」我無法自抑地叫喊。「有時候我恨媽媽！不只這樣，有時候我也恨你！有時候我恨所有人，特別是我自己！有時候我希望自己已經死了，因為我覺得我們死了還比在這裡活活埋藏來得好！像會說話走路的爛蔬菜！」

我心裡的私密想法像垃圾般傾倒而出，讓我的兄長和小弟畏縮又臉色發白。而我的小妹開始顫抖，整個人抖得身形更加瘦小。那些殘酷話語一從我口中吐出，我就立刻後悔了。我沉溺在羞愧感中卻沒辦法道歉，將那些話全數收回。我轉身跑向壁櫥，跑向那能帶我踏上樓梯到閣樓去的瘦高壁櫥門。每當我難過的時候我就奔向音樂、舞衣、芭蕾蕾鞋，而我時常覺得難過，旋轉舞動能拋開我的煩惱。在某個奶油色的幻想天地裡我瘋狂踮著腳尖旋轉，拚命讓自己累到麻木，我看見那個模糊又遙遠的男子身影，他在直聳向紫色天際的白色圓柱後半隱半現，在激昂的雙人舞中與我共舞，不管我怎麼邁前試圖跳進他懷裡卻永遠碰不到他，我覺得他的懷抱可以保護我支持我……有了他，我終於找到一個安全地方能愛、能生活。

然後突然間，音樂結束。我回到乾燥又滿是灰塵的閣樓，我倒在地板上，右腳扭在身後。我摔倒了！我掙扎起身卻幾乎沒辦法行走。我的膝蓋好痛，痛得眼裡湧出淚水。我一拐一拐地穿越閣樓走進那間教室，不在乎膝蓋會不會永久受損。我打開一扇天窗然後跨步踏上外頭的黑色屋頂。我疼得在陡峭屋頂上慢慢往下走，一直走到靠近屋頂邊緣塞滿樹葉的簷槽才停下腳步。遙遠的下方就是地面。自憐與疼痛的淚水淌下臉頰模糊我的視線，我閉上雙眼讓自己重力不穩。只要一分鐘一切就結束了。我會癱在底下那多刺的玫瑰花叢上。

外婆和媽媽會聲稱是某個陌生傻女孩爬上她們家屋頂然後不小心摔下去，媽媽看到我穿著藍色舞衣舞裙死狀淒慘地躺在棺材裡時，她會哭泣。然後她會明白自己都做了些什麼，她會想要我回來，她會打開門鎖解放克里斯和雙胞胎，讓他們重回現實生活。

這是自殺這枚硬幣燦亮的那一面。

但我得將硬幣翻過去瞧瞧灰暗面。要是我沒死呢？倘若我只是摔下去，玫瑰花叢緩和了墜落衝力，結果只害我帶著傷疤然後一生殘廢？

然後要是我真的死了，媽媽卻沒哭、沒難過、沒後悔，只開心著能擺脫像我這般的討厭鬼？克里斯和雙胞胎沒我照顧的話要怎麼活下去？誰會來照料雙胞胎給他們慷慨的愛？有時克里斯會沒辦法像我那麼輕鬆做到對雙胞胎的關愛。至於克里斯，也許他覺得自己沒有真的需要我，那些書和紅皮金邊有裝訂繩的新百科全書足以取代我的地位。等他拿到了醫生學歷在名字後綴上頭銜，也許就能讓他滿足一生。但我也知道，等他成了醫生我卻不在了的話是永遠都無法滿足他的。看清硬幣兩面的能力讓我死裡逃生。

我蹣跚地離開屋緣，覺得自己愚蠢傻氣卻仍哭個不停。我的膝蓋好痛，我爬到屋頂後煙囪附近的特別地方，兩邊屋頂交會形成一個安全角落。我仰躺著凝視那不理不睬的天空。我懷疑上帝是否真住在那裡，也懷疑天堂是否真在那裡。

上帝和天堂在下方的地面，在花園裡、在森林裡、在公園裡、在海邊、在湖裡，沿著公路到別的地方去！

地獄就在這裡，在我身處的地方，陰影不斷籠罩著我想毀了我，讓我變成外婆認定的那樣——惡魔之子。

我躺在硬冷的石板瓦屋頂上直到黑暗來臨，月亮出現，星星彷彿知道我是誰，憤怒地對我閃爍。我只穿了芭蕾舞衣、緊身褲，和一件可笑的皺舞裙。

我的雙臂冷得起雞皮疙瘩，但我仍待在那裡想著我所有復仇計畫，對那些人的報仇之心讓我由善變惡，將我塑造成此後的模樣。我讓自己相信，總有一天媽媽和外婆都會落在我手裡，我會揮動鞭子、淋瀝青，還要控制食物配給。

我試著思考到底要怎麼對付她們。該怎麼懲罰才對？我該把她們一起關在樓上然後扔掉鑰匙？就像我們曾挨餓那般，讓她們餓死？

低沉聲響打斷黑暗，擾亂我的思潮。克里斯在傍晚微光中躊躇地喊我名字。沒多說什麼，只叫我名字。我沒應聲，我不需要他，不需要任何人。他什麼也不懂，這令我失望，我不需要他，現在不要。

儘管如此，他還是來到我身邊躺下。他帶了件溫暖的羊毛外套，一語不發地披在我身上。他像我一樣仰望著冰冷又令人生畏的天空。我們之間的沉默漫長無比，可怕萬分。我對克里斯其實沒什麼好恨的，更別說是討厭他了，我好想謝謝他帶溫暖外套給我但一個字也說不出口。我想讓他知道我覺得很抱歉，不該拿他和雙胞胎出氣，我們的確不用替自己再多找個敵人。我的雙臂在溫暖外套下顫抖，我想抱住他安慰他，就像他也時常安慰從噩夢中驚醒的我。但我能做的只有繼續躺著，希望他明白我的窘境。

他總是先舉白旗投降，這點讓我永遠感激。他的聲音沙啞緊張，彷彿跨越好長一段距離似的，他說他和雙胞胎已經吃了晚餐，不過有留我的份。

「還有凱西，我們只是假裝把所有糖果都吃掉。還留了很多給妳。」

糖果。他提到糖果。難道他還在那個兒童世界裡，認為糖果意味著某種甜得足以止住淚水的東西？我已經長大了，對孩子氣的歡樂失去興致。我想要的是所有青少年想要的，成長變成女人的自由，掌握自己人生的自由！雖然我想告訴他這些，我的眼淚讓嗓子發乾。

「凱西……妳之前說的……別再說那種難聽又絕望的話。」

「為什麼？」我哽咽出聲。「我說的每句話都是真的。我不過是把自己心裡的想法表達出來，我說出了你一直深藏在心裡的事。哦，你就繼續藏吧，你會發現事實會變成強酸把你的心啃光！」

「我從來沒有希望自己死掉！」他大喊，沙啞的聲音裡有無止盡的冷意。「妳別再說這種話，也別想著死掉！我當然心裡會有猜忌懷疑，但我會笑了笑讓自己相信，因為我想活下去。妳要是自殺會讓我倍受打擊，甚至步妳後塵，然後雙胞胎很快也會追隨在後，因為還有誰會來當他們的媽媽？」

我笑了。冷酷尖利的難看笑容，仿照媽媽覺得痛苦時的那種笑法。「哎呀，克里斯多弗．瓷娃娃，別忘了我們有個可愛可親的親愛媽媽，她把我們的需求擺在第一位，她會照顧雙胞胎的。」

克里斯轉身伸手抓住我肩膀。「我討厭妳這種說話方式，有時候聽起來就像她在說話。妳以為我不知道妳比她更像克瑞和凱芮的媽媽？妳以為我沒看出雙胞胎只會瞪著她，好像她是個陌生人？凱西，我沒瞎也不蠢。我知道媽媽最關心的是她自己，然後才是我們。」那熟悉的月亮映出他眼裡凍結的淚。他的嗓音在我耳中如沙礫般沙啞低沉。

他說這些話時毫無悲痛只有遺憾，像醫生用平淡冷漠口吻向病人宣告他得了不治之症。

就在那時，一個念頭像洪水般向我襲來，我愛克里斯，但他是我哥哥。他讓我得以完整，他給予我所缺乏的，當我想狂亂逃開時能穩住我。這是反擊媽媽和外公外婆的大好方法，上帝不會看見。耶穌被釘在十字架上那天，祂闔上雙眼不看一切。可是爸爸在那裡往下看，我羞愧畏縮。

「凱西，看著我，拜託看我。」

「克里斯，我不是有意的，真的。你知道我的情緒多不穩定，我跟任何人一樣都想長命百歲，可是我好怕我們一直關在這裡會發生什麼壞事。我說了很糟的話只是為了把你搖醒讓你看清楚。哦克里斯，我好想回到人群裡。我好想看到不同的臉孔，不同的房間。為了雙胞胎我好怕死。我想買東西想騎馬，想做任何我們在這裡不能做的事。」

在寒冷黑暗中的屋頂上，我們直覺地朝對方伸出手來。我們合二為一似地相擁，彼此的心臟大聲地砰砰跳，不哭不笑，我們不是已經哭出整座汪洋的眼淚了？一點用也沒有。我們不是已經禱告了無數次，並等待永不到來的解放？要是眼淚沒有用，禱告沒人聽，我們要如何觸及上帝，讓祂採取行動？

「克里斯，我之前已經說過了，現在再說一遍。我們得主動一點。爸爸不是常常說，天助自助者嗎？」

他思考了該死得久，臉頰與我緊貼。「我會考慮的，不過就像媽媽說的，我們隨時都可能得到那筆遺產。」

18 媽媽的驚喜

媽媽又再來看我們已是十天之後，我跟克里斯在這十天不斷猜想她為何去歐洲待了那麼久，以及更重要的，她要告訴我們的重大消息是什麼？

我們覺得這十天就像另一種懲罰。因為懲罰就是這樣，明知她待在同棟房子裡卻把我們排拒在外不加理會，彷彿我們不過是閣樓裡的老鼠，知道這點令人很不好受。

所以等她終於現身，我們已遭受徹底的懲罰，極度害怕要是我跟克里斯顯露更多敵意或重申我們想出去的要求，她可能就永遠不會再來了。因為要是她再也不來，我們又能怎麼辦？我們沒辦法用床單做的繩梯逃出去，雙胞胎光是待在屋頂上就歇斯底里。

所以我們對著媽媽笑，一句抱怨也不說。我們沒問她為什麼已經好幾個月沒來，卻又隔了十天不來，再罰我們一遍。我們接受她願意給的。我們就像她提過她自己跟她父親相處的時候那樣，當她恭順服從又聽話的孩子。而且更重要的是，她喜歡我們這副模樣。我們又再一次成為她鍾愛的而且是她私有的「寶貝們」。

因為我們現在那麼乖巧可愛，又處處奉承她，而且表現得很信賴她、非常尊敬她，這次她決定說出那令人震驚的大消息。

「寶貝們，為我開心吧！我好快樂！」她笑著轉圈將雙手放在胸前透露出她對自己身材的自豪，至少在我看來是如此。「猜猜發生了什麼事？來啊，猜猜看！」

我跟克里斯相互對望。「我們的外公去世了。」他小心地開口，我心頭不停打轉，準備在她給我們喜訊時一躍而起。

「不對！」她尖聲回答，彷彿她的喜悅之情黯淡了些。

「他被送去醫院了。」我提出期待度僅次上個答案的猜測。

「不對。我現在真的不恨他了，所以我不會跟你們說他去世讓我很開心。」

「那妳何不直接告訴我們妳的好消息，」我悶悶不樂地說道。「我們永遠猜不到的，我們已經不太了解妳的生活。」

她沒理會我話中暗示，繼續熱衷地說道，「我離開這麼久而且又覺得很難說出口的原因是，我嫁給了一個很棒的男人，一個叫巴特．溫斯洛的律師。你們會很喜歡他的。他會喜愛你們所有人。他一頭黑髮而且很英俊，又高又健壯。而且，克里斯多弗，他跟你一樣愛滑雪，會打網球，又像你一樣聰明，寶貝兒。」當然，她注視著克里斯。「他很迷人而且大家都喜歡他，連我父親也是。然後我們去歐洲度蜜月，我給你們的禮物全都來自英國、法國、西班牙、還有義大利。」她一再對她新任丈夫誇了又誇，我跟克里斯只是默默坐著。

自從聖誕宴會的那晚起，我和克里斯多次談論過彼此疑心之事。儘管那時我們年紀還小卻有足夠智慧能明白，像我們母親這種需要男人倚靠的年輕漂亮女人不太可能一直單身。然而，將近兩年時間過去她沒再婚，這足以讓我們相信那個有八字鬍的英俊男子對媽媽來說可有可無，不過是一時興起，只是眾多追求者之一。在我們愚蠢的內心深處，我們相信她會對死去的爸爸無比堅貞，畢竟，我們那金髮藍眼如希臘男子般的爸爸，讓她不顧一切地墜入愛河然後做出那件事——嫁給一個近親男子。

我閉上雙眼，試圖掩去她惹人厭的聲音對我們叨叨訴說取代爸爸地位的另一個男子。她現在是別人的妻子，他是個截然不同的男子，然後現在睡在她床上跟她共眠，我們卻愈來愈少見到她。哦天啊，多久的事，有多久了？

她的消息和嗓音讓我胸中生出一隻狂亂拍翅的痛苦小灰鳥……我想出去！出去！出去！

「拜託，」媽媽懇求著，她的歡笑喜悅在我們得知她消息後呈現的淒涼氛圍中掙扎求生。「試著明白，為我感到開心。你們知道我愛你們的爸爸，但他去世了，去世很久了，我需要找個人愛，也找個人愛我。」

我看見克里斯張嘴想說他愛她，說我們都愛她，但他又緊抿雙唇，如我一般徹底明白來自親生小孩的愛不是她說的那種愛。而且我也不愛她了。我現在連是否喜歡她都不能肯定，但我能笑著裝出樣子說話，好讓雙胞胎不會被我臉色嚇到。「是啊，媽媽，我真為妳開心。妳又能找個人愛真是太好了。」

「凱西，他很久以前就愛上我了，」媽媽急著往下說，她受到鼓舞再度笑得自信，「不過他曾立志當個單身漢。要說動他需要一個妻子真不容易。而且你們的外公不願我再嫁，像是另一種懲罰我嫁給你們爸爸的方法。不過他很喜歡巴特，而且我向他求了又求，他終於妥協了，同意讓我嫁給巴特又保有繼承權。」她頓了頓咬著下唇。然後她緊張地吞嚥。她戴滿戒指的手指在喉邊顫動，焦慮地撫弄她戴的那串真珍珠項鏈，完全洩露一個女子的不安，即使她還笑著。「當然，我沒有像愛你們爸爸那麼愛巴特。」

哼！她這話說得多無力。她明亮雙眼和容光煥發的神色所流露出的愛意比過去都還多。我嘆了口氣。可憐的爸爸。

「媽媽，妳給我們的禮物……並非全部都從歐洲或英國來的。那盒楓糖糖果是佛蒙特州的。妳也去了佛蒙特嗎？他是那裡人嗎？」

她笑得輕快愉悅，恣肆又有點性感，好像佛蒙特讓她想起了什麼。「凱西，不，他不是佛蒙特出身的。不過他有個姊妹住在那邊，我們從歐洲回來後找了個週末去拜訪她，我就是在那裡買那盒糖果的，因為我知道妳有多愛楓糖糖果。他有兩個姊妹住在南方。他來自南加州某個小鎮，格林雷納或是格蘭列納這種地名的地方。不過他在新英格蘭州地區待了很久，在那裡從哈佛法學院畢業，他講起話來更像北方人而不是南方。還有，佛蒙特的秋天好美，幾乎讓我忘了呼吸。當然，度蜜月的時候我們不想跟旁人待在一起，所以我們只在他父母和姊妹那邊待一陣子然後就去海邊度假。」她侷促地望向雙胞胎，她那珍珠串被她擰得好像隨時會斷開。顯然真的珍珠項鏈比假的串得更牢固。

「克瑞，你喜歡我買給你的小船嗎？」

「喜歡，媽媽。」他非常禮貌地回答，用他凹陷大眼瞪著她，好像她是個陌生人似的。

「凱芮甜心……那些小人偶是我在英國選購來當妳的收藏品的。我想幫妳再找個袖珍嬰兒搖籃，不過他們好像沒再做娃娃屋的搖籃了。」

「沒關係，媽媽，」凱芮的雙眼看著地板。「克里斯和凱西替我用硬紙板做了一個，我覺得那就夠好了。」

哦天啊，她難道看不出來嗎？

他們現在對她很不熟悉。他們現在覺得跟她在一起很不自在。

「妳的新丈夫知道我們的事嗎？」我極度嚴肅地問道。克里斯為此怒視著我，無言地對我說我們的母親當然不會瞞騙，不會隱瞞她結過婚而且有四個藏起來的孩子，遭人指為惡魔之子的孩子。

媽媽的喜悅之情蒙上了陰影與痛苦。我又問錯了。「凱西，還沒有，不過只要我爸爸一過世，我就告訴他你們四個的事。我會詳盡地解釋清楚。他會理解的，他親切又和善。你們會喜歡他的。」

她已經說過好幾遍了。現在又有一件事得等那老人死掉才能做。

「凱西，別再那樣看我！我不能在結婚前告訴巴特！他是你們外公的律師。我不能讓他知道我有小孩，還不行，要等遺囑宣讀然後財產歸到我名下之後。」

我舌尖上有著話語，想說出一個男人理應曉得他的妻子跟前任丈夫有四個孩子。哦，我多想把這話說出口！可是克里斯暴躁地瞪著我，雙胞胎蜷成小小一團用大眼盯著電視機。我不知道該講還是該沉默。至少，沉默不會再次樹敵。也許她也沒做錯。**上帝，讓她成為對的吧。讓我重拾信任。讓我再次信賴她。讓我相信她不是只有外表漂亮，而是表裡如一。**

上帝沒有伸出手在我肩膀擱放溫暖安慰的手。我坐在原地，知道自己的猜忌疑心在我跟她之間扯出一條界線，非常非常細微的線。

愛。這個字多常出現在書本裡，一次又一次。即使你健康有錢，漂亮有才能，沒有愛，你就一無所有。愛將所有平凡事物變得眩目強勁，令人沉醉入迷。

初冬的某一天我思緒奔馳，那時大雨落在屋頂上，雙胞胎坐在電視機前的臥室地板上。我跟克里斯在閣樓裡肩併肩躺在教室窗戶邊的舊床墊上，一起閱讀媽媽從樓下大圖書室帶來的一本古書。很快地閣樓又要變成北極寒冬，所以我們現在還有辦法待得住時就盡量在這裡度日。克里斯喜歡速速掃視一頁然後飛快跳到下一頁。我喜歡在佳句間流連往返，重覆讀個兩三次。我們不斷為此爭吵。「凱西，看快一點！妳想把句子吸進腦子裡啊。」

他今天很有耐性。他翻了個身望著天花板，而我悠哉地追尋每行佳句，沉浸在維多利亞時代的氛圍中，那時人們穿著如此華美的衣服，遣詞用句如此優美，對愛的感受如此深刻。從書本第一段開始，故事情節的浪漫魅力就讓我們兩個著了迷。一頁頁進展緩慢的書頁將一個複雜故事拖得好長，敘述著莉莉和雷蒙這對不幸戀人必須克服重重難關，尋找一個有紫色草地的神祕地方，在那裡所有夢想都能實現。哦，我多希望他們能找到那地方！然後我發覺了他們這一生的悲劇所在，那就是他們自始自終都一直站在紫色草地上……想像得到嗎？他們一直踩著不尋常的草皮，卻始終沒低頭看一眼。我討厭悲劇結局！我把那本討人厭的書砰地闔上然後扔向旁邊牆壁。「這一定是天下最白痴無聊又荒謬的故事！」我對著克里斯生氣，好像那本書是他寫的一般。「不管我愛誰，我得學著接納！」我繼續在外頭暴雨聲中抱怨，天候和我奏出相同的漸強曲調。「為什麼故事非得要寫成這樣呢？兩個聰明人怎可能不切實際地到處流浪，絲毫不知偶然總能帶來厄運？我永遠永遠不會喜歡莉莉或是雷蒙！連偶爾低頭看地面都不懂的理想主義傻瓜！」

我把故事看得如此認真，我哥哥似乎覺得很有趣，不過他再次想了想，然後若有所思地望著外頭的大雨。「也許戀人就是不該低頭看地上。這種故事的描寫有象徵意義。地面代表現實，現實意味著挫折、暴病、死亡、謀殺和其他所有各種不幸。戀人就該仰望天空，因為天上的美好願景不會遭到踐踏。」

我繃著臉皺眉，鬱悶地望著他。「等我談了戀愛，」我開口說道，「我要堆起能碰到天空的一座山。然後我跟我的愛人就能擁有兩邊的好處，腳下牢牢踩著現實，雙手又能摸到我們在雲端上的所有願景。紫色草地會遍地都是，長到我們視線高度那麼高。」

他笑著抱住我然後輕柔地親吻我，他的雙眼在陰鬱寒冷的昏暗閣樓裡如此溫和柔軟。「哦，是啊，我的凱西能做得到。抱持著她奇特幻想，在紫色草地上跳舞跳到視線高度那麼高，還穿著雲朵做的薄衣裳。她會一躍而起然後跳著踮起腳尖旋轉，一直跳到她那雙腿笨拙不靈活的愛人也能跳得那麼優雅。」

我感覺苗頭不對，飛快地轉向我覺得安全的話題。「不過這故事很美，有獨特的風格。我覺得莉莉和雷蒙必須自盡實在令人遺憾，應該可以有不同發展的。例如莉莉把全盤事實告訴雷蒙，說她其實被那個爛人強暴，雷蒙不該怪她說她引誘那個男人。腦袋正常的人才不會想誘惑一個有八個小孩的男人。」

「哦，凱西，有時候妳真的想太多。」

他說這句話時，嗓音聽起來比平常更低沉。他的目光在我臉蛋緩慢游移，在我雙唇上徘徊，然後再往下看向我胸部和包在白色芭蕾緊身褲裡的雙腿。我在緊身連衣褲外穿了件羊毛衣短裙和開襟羊毛衫。然後他的雙眼再次往上移，與我驚訝的目光對視。我一直盯著他瞧令他臉紅，這是今天他第二次別過頭去。我離他近得能聽見他心跳快速鼓動，突然間我自己的心跳也跟上他的心跳節奏，在心臟僅有的節拍中，噗通，噗通。他飛快瞄我一眼。我們的眼神交會定焦。他緊張地笑了笑試著遮掩，假裝一切都不可能當真。

「凱西，妳一開始說的話沒錯。這是個白痴無聊的故事。太荒謬！只有瘋子才會為了愛去死。我敢打賭這差勁的羅曼史垃圾絕對是女人寫的！」

我一分鐘前才鄙視作者寫出這麼悲慘的結局，現在又匆匆為作者辯護。「T．M．艾利斯很有可能是個男的！雖然我懷疑十九世紀的女性作者能否有出書機會，除非用姓名縮寫或男性筆名。為什麼所有男人都覺得女人寫的東西不是瑣碎細節就是垃圾，或者根本是一派胡言？男人就沒有浪漫幻想？男人不都夢想找到完美愛情？在我看來，雷蒙遠比莉莉更多愁善感！」

「別問我男人是怎樣的！」他痛苦地吼著，一點也不像他。他怒喊著：「我們在這裡生活，我怎麼有辦法知道成為男人是什麼感覺？我在這裡不能有浪漫幻想。這個不能做那個不能做，要閃躲目光，對溜過眼前賣弄的視而不見，假裝自己只是哥哥，沒有任何感覺，除了孩童情感沒有別的。似乎有些傻女孩以為要當醫生的人就不會有性慾！」

我瞪大了眼。一個很少動怒的人竟如此猛烈地爆發，讓我大吃一驚。在我們人生中，他從沒這麼激動生氣地對我說話。不，我是那個善人桶子中的酸檸檬壞蘋果。我帶壞他了。他現在的舉止就像之前媽媽離開好久那段時期的模樣。哦，是邪惡的我害他變成像我一樣的討厭鬼。他該永遠是他以前那樣，那個隨遇而安開朗的樂天派。我是否奪走了他好看外表和魅力之外的最佳特質？

我伸手觸碰他手臂。「克里斯，」我幾近落淚地小聲說道。「我想我知道你要怎樣才能覺得像個男人。」

「是喔，」他上勾了。「妳能做什麼？」

他現在連正眼看我都不肯，目光盯著上方天花板。我為他心疼。我明白他為何情緒低落，為了我好，他放棄夢想，變得跟我相彷，而且不在乎我們是否能繼承財產。要變得像我一樣，他就得刻薄壞脾氣、討厭所有人、對別人心裡藏的念頭充滿懷疑。

我試探地伸手摸他頭髮。「剪個頭髮，這就是你需要的。你的頭髮太長太漂亮。要像個男人，你頭髮就得短一點。而你現在的頭髮看起來跟我的好像。」

「誰說過妳頭髮很漂亮？」他語氣緊繃地說道，「也許妳頭髮以前很漂亮，被淋了瀝青之前。」是嗎？我似乎能回想起他目光無數次地對我訴說，說我頭髮漂亮非凡。我還能想起他拿起銳利剪刀剪掉我前髮時那脆弱的神情。他剪得如此不甘願，彷彿剪掉的是手指，而不是毫無痛感的頭髮。有一天我曾撞見他坐在閣樓的日光下，手裡抓著剪掉的長髮。他嗅聞斷髮，將斷髮擱在他臉頰旁邊，然後放在唇邊，之後他把那斷髮放到盒子裡藏在他枕頭下。

我好不容易才強笑著騙過他，不讓他知道我看見了什麼。「哦，克里斯多弗．瓷娃娃，你有最動人的藍眼睛。等我們離開這裡到了外頭世界，我真同情那些即將愛上你的女孩們。我特別替你太太覺得難過，她有這麼一個英俊丈夫把他所有漂亮患者迷得想跟他外遇。如果我是你太太，你要是出軌，我一定會殺了你！我會深愛著你，會醋勁大發，我甚至可能會要你三十五歲就退休不當醫生。」

「我從沒說過妳頭髮很漂亮。」他語氣尖銳，忽略我說的話。

我輕碰他臉頰，感覺他該把兩頰鬚髯刮掉。

「在這裡坐好。我去拿剪刀。你知道，我好久沒幫你剪頭髮了。」在我們這樣的生活方式裡髮型一點也不重要，我何必費心替他和克瑞剪頭髮？自從我們來到這裡，我跟凱芮的頭髮都沒剪過。只有那次為了向那個鐵做的刻薄老女人表示屈服才剪掉我的劉海。

我跑去拿剪刀的時候覺得這真是太怪了，綠色盆栽都沒長大，可我們的頭髮卻變長這麼多。好像在我讀過的所有童話故事裡，不幸的少女都有一頭好長好長的金髮。有哪個深色頭髮的女人被關在塔樓上嗎？閣樓算是塔樓嗎？

克里斯坐在地板上，我跪在他旁邊，雖然他頭髮長過肩膀，他卻不想剪太多。「慢慢剪，」他緊張地下指示。「別一口氣剪太多。在閣樓裡的雨日下午，一下子變得太有男子氣概可能會很危險。」

他開著玩笑，咧嘴燦笑，甚至露出一口白牙。我讓他變回了他該有的模樣。

哦，我確實很愛他，我在他身邊繞來繞去，熱切地下刀修剪。我不斷後退審視，看他的頭髮是否兩邊一樣高，因為我絕對不想讓他的頭歪向一邊。

我用梳子抓取他頭髮，像我看過理髮師做的那樣，然後我謹慎地在梳子下方動刀，每次修剪的長度不敢超過兩公分。我心裡有個底，知道自己要讓他變成什麼模樣，他會像我非常仰慕的一個人。

等我剪完，我拍掉他肩膀上的燦亮斷髮，然後往後仰瞧瞧自己是不是沒搞砸。

「好了！」我得意洋洋地說，我對這看似困難手法的事有出乎意料的才華，令我欣喜不已。「現在你不但看起來異常英俊，而且還非常有男子氣概！不過，你當然一直都很有男子氣概，可惜你自己不曉得。」

我把有我名字縮寫的銀背鏡子塞進他手裡。這面鏡子是媽媽在我上個生日送的純銀三件組的其中一樣。刷子、梳子和鏡子，我將三樣藏起來放好，好讓外婆不會發現我有這麼虛榮的昂貴物品。

克里斯往鏡子裡瞪了又瞪，他一度看起來不悅遲疑，讓我心裡發慌。然後，他慢慢咧嘴大笑，臉色一亮。

「天那！妳讓我看起來像個金髮的華倫王子[6]！我一開始不太喜歡，可是我現在看出妳把他的髮型改了一些，沒那麼方。妳剪出弧度還打了層次，讓我的臉像個獎杯形狀。謝謝妳，凱瑟琳．瓷娃娃。我不知道妳這麼會剪頭髮。」

「我還有好多技能是你不知道的。」

「我開始相信妳說的了。」

「而且華倫王子運氣真好，長得像我英俊又有男子氣概的金髮哥哥。」我取笑他，不自禁地欣賞我自己的藝術傑作。哦天啊，他以後一定會勾走許多人的心。

鏡子仍在他手上，他隨意地擱到一旁，然後我還不明白他要幹嘛他就像隻貓跳了起來！他跟我扭成一團把我摺倒在地然後同時伸手抓住剪刀！他從我手上抽走剪刀，然後一把握住我頭髮！

「現在，我的美人，看看我能不能也為妳做同樣的事！」

我嚇得尖叫！

我用力推倒他，他往後倒而我一躍而起。我連一公分的頭髮也不能讓人剪去！也許我的頭髮現在太細又太稀疏，然而這是我僅有的全部頭髮，而且就算是現在也比大多女孩的頭髮漂亮許多。我從閣樓教室往外跑，奔出教室門來到廣大的閣樓，閃過柱子繞過舊箱子，越過矮桌、躍過蓋著床單的沙發和椅子。紙花在我跑動時狂亂飄動，然後他追在後頭。我們為了在這陰鬱廣大又寒冷的地方裡振奮精神和取暖，才在白天讓低矮蠟燭持續點燃，現在燭光在我們的動作下搖曳，差點熄滅。

不管我跑多快、閃得多巧妙，我就是甩不掉後面追的人！我回頭瞥了一眼，他的臉好陌生，這讓我更怕了。他往前撲想抓住我身後飄揚的長髮，好像非常急切地想剪掉！

他現在討厭我了？為什麼他曾耗了一整天一心只想挽救我頭髮，現在只為了好玩就想剪掉我最引以為傲的頭髮？

我掉頭往閣樓教室方向奔去，打算早他一步抵達。然後我會關門上鎖，他就會恢復理智明白這行為有多可笑。

然而他可能察覺到我的意圖於是長腿加速疾奔，他向前一跳抓住我一絡飄揚長髮，害我發出尖叫然後失足往前一撲！

不只我摔倒，他也是，而且跌在我身上！我身體的側邊感到一陣尖銳的痛苦！我再次尖叫，這次不是因為害怕，而是驚嚇。

6 譯注：華倫王子（Prince Valiant），美國漫畫家哈洛．佛斯特（Harold Foster）於一九三七年繪製的同名連環漫畫主角，一九五四年曾翻拍為電影。

他懸在我上方用雙手撐著地板，他臉色慘白驚恐地低頭看我的臉。「妳受傷了？哦天啊，凱西，妳沒事吧？」

我沒事，是嗎？我仰起頭往下看，大量血流迅速染紅我的羊毛衫。克里斯也看到了，他藍色雙眼開始憂心。他顫抖的手指開始解開我開襟羊毛衫的釦子要查看我傷勢。

「哦！天啊……」他抽了口氣然後寬慰地吐出一聲低嘆。「哦！感謝上帝。我好怕會是穿刺傷。凱西，傷口深的話可能會很嚴重，幸好這只是割傷。傷口好嚴重，而且妳流了好多血。現在別動！待在原地，我去浴室拿藥和繃帶。」

他先親吻我臉頰，然後匆匆起身朝樓梯口狂奔，我本來想省點時間跟他一起下樓。可是雙胞胎在樓下，他們會看到血。他們只要一見到血就會崩潰慘叫。

沒幾分鐘克里斯就帶著我們的醫藥急救箱衝回來。他跪在我身邊，清潔過的雙手仍閃著水光。他太匆促，沒把手好好擦乾。

我出神地望著他如此精確地知道該怎麼處理。他先摺起一條厚毛巾，用毛巾重壓長條傷口。他看起來非常認真專注，按著毛巾墊每隔幾秒就檢查血止住了沒。血止住之後，他忙著替傷口消毒，像火燒般刺痛而且比刺傷還痛。

「凱西，我知道很痛……沒辦法……一定要消毒免得感染。真希望我有器材能縫合傷口，不過也許這傷口不會留疤；但願不要。要是人們能讓與生俱來的身體維持原樣，終其一生毫無損傷，那就太棒了。而我是第一個在妳身上真正造成傷疤的人。要是剪刀換成別的角度妳可能真的會死，要是妳被我害死，那麼我也會很想死。」

他結束醫生工作，開始整齊地捲好剩下的紗布，才放回藍色包裝紙內，並放回紗布盒裡。他把醫用膠布放回去，闔起急救箱。

他俯身在我臉部上方凝視著我，嚴肅的目光如此擔憂又熱切。他的藍眼睛跟我們所有人的都相像。但在這樣的雨天裡，那對眼睛映出紙花，有如泛著彩虹色的清澈深潭。我的喉頭一哽，忽然不知道我以前認識的那個男孩到哪去了？那個哥哥在哪？這個深深凝望我眼裡、臉上有著金色鬍髯的年輕人又是誰？光是他的注視就讓我動彈不得。我從他色彩不斷變換的痛苦雙眼中看出煎熬，這讓我心痛得比我以前曾感受過的任何悲傷都還來得強烈。

「克里斯，」我喃喃說著，覺得很不真實，「別擺出那種表情。這不是你的錯。」我先用雙掌捧住他的臉，然後把他的頭按向我胸口，就像我以前看媽媽做過的那樣。「這不過是畫傷，沒有很痛，我知道你不是有意的。」雖然其實非常痛。

他沙啞地哽咽道，「妳為什麼要跑？因為妳跑了，我才會追。我只是在戲弄妳。我不會從妳頭上剪下一縷頭髮，我只是為了找件事做，尋點開心。而且妳說我覺得妳頭髮很漂亮，妳說錯了，它比漂亮還更漂亮。我覺得妳擁有世界上最輝煌燦爛的秀髮。」

他抬頭把我頭髮攤成扇形掩住我光裸胸口，有把小刀在我心頭翻絞。我聽得出他正深深嗅聞我的氣味。我們靜靜躺著聽冬雨咚咚地落在不遠處的石板瓦屋頂上，四下一片沉寂，彷彿將永遠無聲。我們在閣樓裡只聽得見大自然的聲音，大自然罕有的友善輕柔語調。

落在屋頂上的雨變成只剩雨滴，然後太陽出來照在我們身上，讓我跟他的頭髮像長串光潤的鑽石般閃亮。「看，」我對克里斯說道，「西邊窗戶的百葉板掉了一片。」

「很好，」他聲音聽起來睏倦滿足，「我們現在多了一道光，以前沒有的光。瞧，有押韻呢。」然後他懶洋洋地小聲說道，「我在想雷蒙和莉莉，還有他們尋找的那片實現願望的紫色草地。」

「是嗎？我也在想著同樣事情。」我也小聲回答。我一再把他一綹頭髮繞在我大拇指上，假裝沒注意他一手小心翼翼地摸我胸部，他的頭沒靠到的那側。因為我沒抗拒，他便大膽親了我乳頭。我受了驚嚇，不懂為什麼自己會感覺那麼奇怪，那麼令人興奮非常。乳頭不就只是個淺褐粉色的凸起嗎？

「我能想像得到雷蒙在親莉莉，就是你剛剛親的部位，」我氣喘吁吁地繼續說道，想要他停下來又想要他繼續。「不過我想像不出他們接下來要做什麼。」

這些話讓他抬起頭，正好是令他再次熱切注視我的正確回應，他眼中閃爍的奇特光芒變換不定。

「凱西，妳知道接下來要做什麼嗎？」

我臉上的紅暈發燙。「嗯，我知道，算是吧。你知道嗎？」

他笑了，像在小說裡讀到的那種低聲輕笑。「我當然知道。從我去學校第一天起就在男廁聽到了，年長男生全都在講這個。他們在牆上寫了我看不懂的髒話。不過我很快就知道字義的詳細內容。女生、棒球、女生、橄欖球、女生、女生和女生，他們講的都是這些，跟我們完全不同。這對大部分男生是個很有吸引力的話題，我想對男人來說也是。」

「對你沒有吸引力？」

「我？我沒有想著女生或性的事，雖然我真希望妳沒那麼該死地漂亮！而且要是妳不要老是離我這麼近又唾手可及就更好了。」

「那你對我有什麼感覺？你覺得我漂亮嗎？」

他雙唇逸出一聲悶哼，更像是呻吟。他突然坐直俯視我敞開羊毛衫裸露出的部位，我攤成扇狀的頭髮都撥到一旁了，要是我沒把緊身連衣褲的上半裁掉，他就不會看到那麼多。可是我一定得把小得不合身的上半布料裁掉。

他用顫抖笨拙的手指把我羊毛衫的釦子扣回去，一直移開目光不看我。「凱西，妳要搞清楚。妳當然很漂亮，可是哥哥不會把妹妹看成女的，也不會對妹妹有任何感覺，除了寬容和手足之愛。有時候還會討厭。」

「克里斯多弗，要是你討厭我，我希望上帝立刻讓我死。」

他舉起雙手掩臉，然後等他鬆手，他開心笑著，清了清喉嚨。「走吧，我們該下樓了，免得雙胞胎看電視看太久，看到眼睛燒成黑洞。」

雖然有他扶我站起來，起身時還是很痛。我被緊擁在他懷中，臉頰壓在他心口上。雖然他很快就會放開我，但我偎得更緊。「克里斯，我們剛剛做的……是罪惡的嗎？」

他又清了清喉嚨。「如果妳覺得是，那就是。」

這是什麼回答？如果不覺得罪惡，我躺在地板上而他那令人發麻的魔力手指和雙唇輕柔觸碰著我的那些片刻，就是我們住進這可恨大宅後最美好的時光。我仰頭看他在想什麼，看到他眼神古怪。他看起來好矛盾，快樂又悲傷，年老又年輕，彷彿更有智慧……或許他現在感覺像個男人了？若是如此，無論罪不罪惡我都開心。

我們手牽著手下樓去找雙胞胎，克瑞的雙眼盯著電視，彈著班鳩琴。他開始自己作曲，然後凱芮唱出他寫的簡單曲調。班鳩琴適合讓人起舞的快樂曲調。這首曲子像雨落在屋頂上，冗長沉悶又單調。

想要看太陽
想要找我的家
想要感覺風吹
再看見太陽

我坐在克瑞旁邊的地板上，從他手中接過班鳩琴，因為我也稍微會彈。他教過我怎麼彈也教了其他所有人。我對他唱了電影《綠野仙蹤》裡桃樂絲專屬的那首〈彩虹之上〉，這部電影雙胞胎每次都愛看。當我唱完青鳥飛過彩虹的歌詞，克瑞問我，「凱西，妳不喜歡我的曲子嗎？」

「我當然喜歡你的歌曲，不過這曲子好悲傷。寫一些愉快中帶點希望的旋律，怎麼樣？」

那隻小老鼠正在他口袋裡偷拿麵包塊，只有尾巴露在外面。小老鼠米奇一扭身從襯衫口袋探頭而出，牠前腳抓著一小塊麵包開始優雅啃食。克瑞低頭注視他頭一隻寵物的神色深深感動了我，我不得不別過頭去以免哭出來。

「凱西，妳知道，媽媽從來沒提起我的寵物。」

「克瑞，她沒注意到。」

「她為什麼沒發現？」

我嘆了口氣，不再真切明白自己的媽媽究竟是怎樣的人，只知道是我們曾愛過的陌生人。不是只有死亡會帶走你所愛和所需要的人，我現在懂了。

「媽媽有了新丈夫，」克里斯開朗地說，「當你陷入愛河，你只看得見自己的幸福，看不到別人的。她很快就會注意到你有了個朋友。」

凱芮盯著我的毛衣。「凱西，妳毛衣上的東西是什麼？」

「顏料，」我答得毫不遲疑。「克里斯想教我畫畫，我的畫比他畫過的更棒，所以他氣得抓起紅色顏料小盤子往我身上丟。」

我哥哥坐在那裡，臉上表情討厭至極。

「克里斯，凱西能畫得比你好？」

「要是她說能，那就一定能。」

「她的畫在哪？」

「在閣樓上。」

「我想看。」

「那你就上去看吧。我累了。我想在凱西準備晚餐時看個電視。」他飛快瞄我一眼。「我親愛的妹妹，基於禮節考量，妳不介意在我們坐下來吃晚餐前去換件乾淨毛衣吧？那個紅顏料讓我覺得有點愧疚。」

「看起來像血，」克瑞說道。「像血一樣，沒洗掉就變硬了。」

「是廣告顏料，」克里斯說道，我起身去浴室換上一件尺寸大很多的毛衣。「廣告顏料會變硬。」

這答案令克瑞滿意，他開始告訴克里斯他錯過了恐龍的播放畫面。「克里斯，牠們比這間房子還大！牠們從水裡冒出來把船和兩個人吞下去！我知道你沒看到這個一定覺得很可惜！」

「是啊，」克里斯恍神地說道，「我一定會很想看。」

那天晚上我覺得怪不自在又焦慮不安，不停回想著克里斯在閣樓裡注視我的神情。

我明白那就是我長久追尋的祕密，那神祕按鈕能啟動愛……肉體與性的慾望。那不光只是看到裸體，我好幾次幫克瑞洗澡時看到克里斯光著身子，但我從來沒因為他和克瑞的身體相異於我和凱芮，而有任何特別感覺。這跟裸體毫無關聯。

是眼神。愛的祕密在於眼神，一個人如何注視另一個人，眼神交流傾吐，即使雙唇未曾開合。克里斯的眼神訴說了不只千言萬語。

不光只因為他那親柔溫和的觸碰方式，是他觸碰之際同時也注視著，所以外婆才要立下規矩不准我們直視異性。哦，那老巫婆竟然懂愛的祕密？她不可能愛過，不，不可能，她明明鐵石心腸，那雙眼永遠不可能變得溫柔。

然後當我更加深入探討這主題，我發覺這不僅是眼神而已，是眼神的後方，在大腦裡想要取悅人讓人開心歡笑，想要受人理解而且抹去從未有人理解的寂寞。

罪惡跟愛一點關係也沒有，真愛。我轉頭看到克里斯也醒著，他弓身側躺注視著我。他笑得迷人至極，而我差點哭出來，為了他也為了自己。

我們的母親那天沒來看我們，前一天也沒來，不過我們為自己找了個樂子，那就是邊彈克瑞的樂器邊唱歌。少了個媽媽開始令人毫不在意，我們那天晚上睡覺時都更滿懷希望。唱了好幾小時的快樂歌曲讓我們全都相信，太陽、愛、家和幸福就在不遠處，而我們在昏暗深林跋涉的漫長日子就要終結。

某種陰暗可怕的東西爬進我愉快夢中。日常風景變成最可怕的那部分。我閉著雙眼看到外婆偷溜進臥室，她以為我在睡覺，把我頭髮全剃光了！我放聲大叫但她沒聽見，也沒其他人聽見。她拿著一把閃亮長刀把我胸部切掉，然後塞進克里斯嘴裡。不單單如此。我翻來覆去扭動身體發出細小的嗚咽聲讓克里斯驚醒，而雙胞胎如死掉的孩童般仍然熟睡。克里斯睏倦地晃過來坐在我床邊，摸索著我的手然後問道，「又做噩夢了？」

不！這不是普通噩夢！這是超自然的預知夢，我打從骨子裡能感覺得到，某種可怕的事即將發生。我虛弱顫抖著告訴克里斯，外婆都做了些什麼。「不只這些。媽媽走了進來把我的心割掉，她全身上下有鑽石閃閃發亮！」

「凱西，夢沒有任何意義。」

「有，有意義！」

我一向樂於把我各種夢告訴我哥哥，他會聽我說，然後笑著表示他覺得晚上睡覺像在電影院裡一定很棒，可是完全不是這麼一回事。看電影是坐著看大銀幕，知道自己不過是觀看別人寫的故事。我參與了我的夢。我置身在夢境裡有感覺，且受傷受苦，我得遺憾地說我很少對那些夢真的樂在其中。

既然克里斯對我和我奇特行徑早已習以為常，他為何像個大理石雕像僵坐著，好像這個夢比別的夢更能打動他？他也做了夢嗎？

「凱西，我保證我們會逃出這房子！我們四個都要逃！妳說服我了。妳的夢一定有某種意義，不然就不會噩夢連連。女人的直覺比男人更強，這已經獲得證實了，潛意識會在睡夢中運作。我們不會再等待媽媽從死不掉的外公那裡繼承財產。我跟妳一起，我們會想出辦法的。從現在起，我用我生命發誓，我們只仰賴自己，還有妳的夢。」

從他熱切的說話態度來看，我知道他沒開玩笑或取笑我——他是認真的！我好想大叫，深感寬慰。我們要逃出去。這棟大宅終究無法毀掉我們！

在這昏暗寒冷的隱蔽凌亂大房間裡，他低頭與我對視。也許他只是像我看他一樣看著我，他看起來比原本身形更大而且比夢裡更柔軟。他慢慢朝我低下頭然後親吻我的嘴唇，像是用堅決又意味深長的方式來封緘他的承諾。如此特別的長吻讓我覺得自己明明躺在床上，卻不斷向下墜落、墜落，又墜落。

我們最需要的是我們臥室房門的鑰匙。我們知道那是能打開這大宅所有房間的萬能鑰匙，因為雙胞胎讓我們打消用床單繩梯逃脫的念頭，無論我或克里斯都不認為外婆會粗心地隨便亂放鑰匙，這不是她的作風。她的一貫風格是打開門然後立刻將鑰匙收進她口袋，那件萬年如一有口袋的可恨灰洋裝。

媽媽的作風是粗心健忘又漫不經心，而且她不喜歡有口袋的衣服，那會讓她苗條身體腫出一塊。我們得指望她了。

而她對我們又有什麼好怕的？我們既乖巧溫順又安靜，她私人的幼小囚徒「寶貝們」永遠不會長大變成威脅。戀愛中的她很開心，令她雙眼閃閃發亮而且笑口常開。她是如此該死地不以為意，我多想尖叫要她注意看看雙胞胎那麼安靜又一臉病容。她從沒提起那老鼠，為什麼她沒看見？老鼠就在克瑞的肩頭輕咬他耳朵，可她從沒提過一字一句。因為她沒向克瑞祝賀他讓小老鼠對他滿懷愛意，害得克瑞臉頰淌下淚水，她看見了也沒多問。

她慷慨地一個月會來兩、三次，每次都帶著讓**她自己**感到安慰的禮物，而我們絲毫不覺得慰藉。她會進房優雅地坐一會兒，穿著她那鑲著皮草的昂貴衣服，還戴了首飾裝扮。

她像女王般坐在她的寶座上，遞給克里斯繪畫工具組，給我芭蕾舞鞋，然後我們每個人都拿到樣式驚人的衣服，正好適合在閣樓裡穿，因為衣服不是太大就是太小幾乎都不合身，但待在閣樓裡衣服大小一點也不重要，而我們的運動鞋有時很好穿，有時很難穿，我還在等她帶來她一再保證卻總是忘記的胸罩。

「我會帶幾十件那麼多給妳，」她用親切愉悅的笑容說道，「所有尺寸和顏色，妳可以一一試穿看哪件最喜歡而且最合身，我可以把妳不穿的拿給女僕。」她不斷地開懷閒聊，總是一直戴著假面具，假裝我們依舊在她人生裡十分重要。

我坐在那裡雙眼盯著她瞧，等她問我雙胞胎的情況。她難道忘了克瑞有花粉症會一直流鼻水，有時還會鼻塞只能用嘴巴呼吸？她明知他應該一個月要打一次過敏針，上回打針已經是好幾年前的事了。她看到克瑞和凱芮偎在我身邊，彷彿我才是那個生下他們的人，難道她不難受？是否有件事能提醒她，有什麼事情不太對勁？

就算有，她也完全沒示意她覺得我們不太正常，儘管我費心地一一指出我們身上的小毛病：我們現在常會嘔吐，不時會頭痛，而且會胃痙攣，有時還會精神不振。

「把食物放在閣樓裡，那裡很冷。」她說這話時不為所動。

她還有臉告訴我們她跟她的「巴特」一起去了宴會、音樂會、戲院、電影院、還有跳舞和旅行。

「我跟巴特要去紐約瘋狂採購，」她說道，「告訴我你們想要我帶什麼回來。列張單子。」

「媽媽，妳在紐約的聖誕大採購後接下來要去哪裡？」我問道，小心地不把目光移到她隨意擱在櫥櫃上方的鑰匙。她很喜歡我這問題，笑著交握纖白雙手，然後開始列出她在節日後冗長無聊的日子要做些什麼。「去一趟南方，也許到處走走，在佛羅里達待個一個月之類的。你們的外婆會在這裡好好照顧你們。」

在她閒聊個沒完時，克里斯偷偷走過去把鑰匙放進他褲子口袋。他說要去上廁所然後晃進浴室裡。他無需多費心思；她根本沒發覺他離開。她盡了責任探望小孩——感謝上帝讓她沒坐錯椅子。我知道克里斯在浴室裡把鑰匙按進一塊肥皂裡，我們早把肥皂事先備好以便讓鑰匙印模夠清晰。這不過是我們看了無數小時的電視後學會的其中一樣技能。

* * *

等媽媽一離開，克里斯就拿了個木塊立刻動手雕刻木頭鑰匙粗坯。雖然我們從舊箱子的鎖門可以取得金屬片，但我們沒有夠硬的東西能切割雕琢金屬。克里斯仔細地埋頭苦刻那把鑰匙，一再放入硬化的肥皂印模比對，刻了好久好久。他刻意選了非常堅硬的木頭，怕軟木材會斷在門鎖裡，洩露我們的逃脫計畫。他費了三天時間才做出堪用的鑰匙。

我們歡呼！我們張臂相擁在房裡跳舞打轉，又笑又親，幾乎快哭出來了。雙胞胎望著我們，訝異著我們為了一把小小鑰匙如此開心。

我們有了一把鑰匙。我們可以打開囚籠的門鎖。可怪的是，我們還沒想好打開門之後要怎麼辦。

「錢。我們一定要有錢，」克里斯推斷，他在我們勝利狂舞中途停頓下來。「有了很多錢的話，所有的門都會敞開，所有的路任我們走。」

「可是我們要去哪裡弄到錢？」我問道，皺起眉頭變得悶悶不樂。他又找到一個必須困在這裡的理由。

「除了從媽媽、她丈夫和外婆那裡偷錢，沒別的辦法。」

他這麼斷言，彷彿偷竊是個古老光榮的職業。而身處在迫切需求之中，行竊這件事也許曾經如此，而現在仍是如此。

「要是我們被逮到，這表示我們所有人都會被鞭打，連雙胞胎也是。」我將目光投向他們害怕的表情。「然後等媽媽跟她丈夫出外旅行，她又會讓我們挨餓，只有上帝知道她還會對我們做出什麼事。」

克里斯跌坐在梳妝台前的小椅子上。他用手撐著下巴思索了好一會兒。「能肯定的是，我不想看到妳和雙胞胎被罰。所以我會是那個出外行竊的人，要是被逮，我會一個人擔下罪行。不過我不會被逮到的；要從那老女人那裡偷錢確實太冒險，她太機警。她絕對連自己錢包裡有幾分錢都一清二楚。媽媽從不算錢。還記得爸爸以前是怎麼抱怨的？」他對我安撫地咧嘴笑。「我會像羅賓漢一樣，從有錢人那裡把錢偷給貧窮可憐人，就是我們自己！而且只在我們知道媽媽跟她丈夫要出外的晚上去偷。」

「你指的是她提到要外出的時候，」我指正他的話。「她沒來看我們的時候，我們一向都能從窗戶瞧見。」只要我們膽子夠大，就能將弧型車道的出入車輛看得清清楚楚。

很快地，媽媽就來告訴我們她要去參加宴會。「巴特不太在乎社交生活，他寧願待在家裡。可是我討厭這大宅。然後他問我為什麼我們不搬出去自己住，我要怎麼說？」

她該怎麼說？**親愛的，我要告訴你一個祕密：在樓上遠處的北側廂房，我有四個小孩藏在那裡。**

對克里斯來說，在他母親華麗的大套房裡找到錢再容易不過。她對錢漫不在乎。但他還是很震驚，她在櫃子裡把十美元和二十美元鈔票隨便到處放。這讓他皺起眉頭，心中產生懷疑。就算她現在有個丈夫，為了能把我們接出囚室，她不是應該要存錢嗎？她錢包裡有更多鈔票。克里斯在她丈夫的褲子口袋裡找到硬幣。不，他對**自己**的錢沒那麼粗心。不過當克里斯在椅墊下尋找，他找到不少硬幣。他覺得自己像個賊，在他母親房間裡是個多餘的闖入者。他看到她的漂亮衣服、緞質拖鞋，和鑲著皮草或鸛毛的便服，他的信念變得更加脆弱。

那年冬天他一次又一次造訪套房，漸漸不再那麼小心謹慎，因為實在太好偷了。他回來找我，看起來快樂又悲傷。我們的祕密貯金一天天增加，他為何悲傷？「下次跟我一起去，」他用這種方式回答。「妳自己來看。」

我現在可以毫無愧疚地跟他去，我知道雙胞胎不會醒來發現我們不在。他們睡得好熟好沉，就連早上他們也睡眼迷濛，醒得很慢，不願重回現實。有時看見熟睡的他們令我受驚。兩個永遠長不大的小娃娃睡得無知無覺，看起來更像死亡，而不是普通的夜間休息。

離開，逃跑，春天就要來臨，我們得趕快離開不然就太遲了。心裡有個直覺之聲一再敲打。我告訴克里斯，他笑了。「凱西，又是妳那念頭！我們需要錢。至少要五百美元。為什麼要這麼急？我們現在有食物吃，也沒有被打；就算她逮到我們衣衫不整也沒多說什麼。」

為什麼外婆現在不罰我們了？我們沒對媽媽說出外婆做出的其餘懲罰，她對我們犯下的罪行，在我看來那些都是罪而且一點也不合理。可是那老女人罷手了。她每天都帶野餐籃來，裡頭裝滿三明治、保溫瓶裡有微溫的湯、有牛奶，而且總是有四個灑滿糖霜的甜甜圈。她為什麼不幫我們換個菜單，帶布朗尼、餅乾、片狀的派或蛋糕？

「走，」克里斯催促我，拉著我走過陰暗不祥的迴廊。「逗留在同一個地方很危險。我們去戰利品展示室很快瞧一眼，然後就直奔媽媽的套房。」

我在那間展示室只要瞥一眼就夠了。我討厭石砌壁爐上方的那幅油畫肖像，跟我們的爸爸好像，卻又那麼不相像。像麥爾坎．佛沃斯這麼殘酷無情的男人沒資格長得那麼英俊，就算他年輕時也一樣。那對冷酷的藍眼睛該讓他身體其他部分都腐爛生瘡。我看了那些死去動物的頭顱，地板上還有虎皮和熊皮，心想有間這樣的展示室還真像他會做的事。

要是克里斯准許，我真想每間房間都進去。但他堅持從緊閉房門前走過，只讓我偷瞄幾間。「愛看鬼！」他小聲說道。「全都沒什麼好看的。」他說得對。在很多方面都對。我懂了克里斯那天晚上為何會說這大宅堂皇又漂亮，但不棒也不舒適。儘管如此，我仍印象深刻，我們在格拉斯通的房子相形見絀。

我們悄悄走過照明昏暗的一條長走廊，終於來到我們母親的大套房。克里斯當然已對我仔細講過那張天鵝床和腳邊的嬰兒床，但耳聞不等於親眼目睹！我抽了口氣。我的美夢乘著幻想翅膀起飛！哦，壯觀有如天堂！這不是房間，是女王或公主的寢室！我簡直無法置信，多漂亮，多豪華！我不知所措地到處亂摸，驚嘆地觸碰那可口草莓粉色花緞牆壁，比五公分厚淺紫色地毯更加奢華，我撫摸柔軟毛質的床罩，整個人撲上去翻滾。我輕觸薄紗床幔以及較厚的紫羅蘭色床幔。我從床上一躍而起，站在床尾欣賞地望著床頭那令人驚嘆的天鵝，那銳利而呆滯的紅色眼珠一直盯著我。

然後我往後退，不太喜歡媽媽跟別的男人一起睡的床。我走進她的大衣櫥，繼續在這有錢人的美夢中流連忘返，我只能在睡夢中變成有錢人。她的衣服比百貨公司還多。再加上鞋子、帽子、手提包。四件長度及地的皮草大衣，三件皮草披肩，一件白色貂皮斗篷，還有一件黑色貂皮的，十幾頂不同動物皮草和款式的帽子，還有一件綠色羊毛鑲皮草的豹紋外套。然後還有便服、睡袍、成套的罩衫，有荷葉邊、摺皺、緞帶、羽飾和皮草等各種款式，有天鵝絨、緞面、雪紡紗和混合材質的布料——太壯觀了！她得活上一千年才能把自己擁有的衣服全都穿過一遍。

我拿了最吸引我的衣服，帶進克里斯指給我看的金色更衣間。我瞄了瞄她浴室，四面都是鏡子，有綠色盆栽和真花擺設，還有兩個馬桶，其中一個沒馬桶蓋（我現在才知道那不是馬桶，是坐浴盆）。另外有個獨立淋浴間。「全都是新裝潢，」克里斯向我解釋，「我第一次來的時候，妳知道，就是聖誕宴會那一晚，這房間沒這麼……嗯，像現在這麼豪華。」

我轉身瞪他，猜想這房間一直都是如此，他只是之前沒提。他刻意替她掩護，不想讓我知道所有這些衣服皮草，以及她一直藏在長型梳妝台暗格裡的大量首飾。不，他沒說謊，只是避而不談。他飄忽洩密的眼神、脹紅的臉和倉促逃避我更多難堪問題的行為都表明了這點。難怪她不想在**我們**房間裡過夜！

我在更衣間裡試穿從媽媽大衣櫃裡拿出來的衣服。我人生頭一次穿尼龍長筒襪，哇，我的腿看起來超級棒！難怪女人愛穿！接著，我第一次穿胸罩，令我訝異的是尺寸大太多了。我往罩杯裡頭塞面紙塞到鼓起來。然後是銀色拖鞋，一樣太大。然後我為棒透的自己最後再穿上一件黑色洋裝，胸口剪裁很低，賣弄著我沒什麼分量的部位。

接下來是好玩的部分，我年幼時一有機會就這麼做。我坐在媽媽的梳妝台前開始揮霍地用她的化妝品。她有一大堆化妝品。我在自己臉上厚厚地抹上底妝、腮紅、蜜粉、睫毛膏、唇膏。然後我將頭髮梳成自認性感有型的髮型，用髮夾固定然後戴上首飾。最後一道步驟，噴大量香水。

我穿著高跟鞋搖搖擺擺，笨拙地走向克里斯。「我看起來怎麼樣？」我問道，輕佻地笑著眨眨我那烏黑睫毛。真的，我等著聽到讚美。我不是已從鏡中得知自己看起來很性感嗎？

克里斯正仔細地翻找一個抽屜，將挪動過的東西全放回原位，不過他還是轉頭瞥了我一眼。他雙眼驚愕瞪大然後深深地皺起眉頭，而我整個人前後左右搖擺，努力從十公分高的高跟鞋尋找平衡，還要不斷眨著我的睫毛，也許我不懂如何正確配戴假睫毛，我覺得自己正透過蜘蛛腳往外看。

「妳看起來怎麼樣？」他挖苦地開口。「讓我明白告訴妳。妳看起來像個街頭賣春的！就是那樣！」他厭惡地轉頭，好像沒法忍受再多瞧我一眼。「一個雛妓，就是這樣！現在去洗妳的臉，放回妳拿的東西，然後把梳妝台清理乾淨。」

我搖搖擺擺地走向最近的全身鏡。那面全身鏡左右兩側各加了一片鏡面，可以調整鏡面角度，從任何一個角度都能看見自己，這清晰非常的三面鏡讓我有了嶄新視野。這鏡子真美，全身鏡收闔的方式如同一本三連頁的書，收起鏡子後能看見鏡蓋描繪著美麗的法國田園風光。

我扭動身體審視自己的裝扮。我媽媽穿同一件洋裝看起來明明不是這樣，我哪裡做錯了？的確，她不會在手臂上套那麼多鐲子。她也不會一口氣戴三條項鏈，然後再戴著長度拂肩的長型鑽石耳墜外加頭飾；她也不會在每根手指頭套兩三個戒指，包括大拇指。

哦，不過我的確令人眼花撩亂。而且我那外凸的胸部絕對很雄偉！老實說，我得承認我塞過頭了。

我脫下十七個鐲子、二十六只戒指、項鏈和頭飾，那件黑色雪紡紗禮服正裝穿在我身上沒那麼典雅，媽媽之前穿這件禮服去參加晚宴時只在頸間戴了條珍珠項鏈。哦，還有皮草，沒人會覺得皮草不美！

「凱西，快一點。別管那些東西，來幫我一起找。」

「克里斯，我好想在她的黑色大理石浴缸泡澡。」

「天啊！我們沒時間讓妳做那種事！」

我脫下她的衣服、黑色蕾絲胸罩、尼龍長筒襪和銀色拖鞋，然後穿上我自己的衣服。不過我轉念一想，從她一堆抽屜裡偷拿一件白色素面胸罩然後塞進我上衣裡。克里斯用不著我幫忙。他那麼常來，不用我從旁協助也能找到錢。我想瞧瞧每個抽屜裡有什麼東西，但我得加快動作。我拉開她床頭櫃的一個小抽屜，以為會找到冷霜、面紙，和不值得僕人偷竊的東西。而抽屜裡有晚霜、面紙，還有二本平裝本書籍，能在睡意難以捉摸時閱讀。（她是否有過翻來覆去心神不寧想著我們的夜晚？）在那兩本平裝書下方有一本包著全彩書衣又大又厚的書。《如何創造自己的刺繡花樣》。唔，這書名真的讓我很感興趣。媽媽曾教我怎麼繡一些針繡的針法，我在那上鎖房間過生日時她也教了我絨繡。如何創造自己的花樣或許真的可以激發靈感。

我隨意地拿起那本書亂翻。我身後的克里斯開關抽屜時弄出輕微聲響，躡手躡腳地到處移動。我以為會看到花朵圖樣，絕不會是我實際看見的那些。我目瞪口呆，驚愕出神地盯著全彩照片。令人難以置信的圖片裡，赤裸的男人和女人正在……人們真的會做這種事？這就是做愛？

不是只有克里斯在學校廁所裡聽過一些伴隨著年紀較大孩子成群竊笑的流言蜚語。唉，我一直相信這是一件神聖虔誠的事，得在緊閉房門後完全私密地進行。這本書裡好多對男女共處一室，全都赤身裸體用各種的方式親熱。我的手不理會我的意願和思考的念頭，逕自慢慢翻過一頁又一頁，愈來愈令人不敢相信！那麼多的方法！那麼多姿勢！我的天啊，那本維多利亞時期小說裡從第一頁開始，相思成疾的雷蒙和莉莉心裡想的就是這種事嗎？我抬頭茫然望向虛空。打從人生的一開始，我們全都是朝著這目標前進嗎？

克里斯喊我名字，通知我他已經找到足夠的錢。一次不能偷太多，要不然就會引起注意。他只拿了幾張五元鈔票和好多一元鈔票，還有椅墊下的所有零錢。「凱西，怎麼了，妳聾了嗎？走吧。」

我無法動身離去，無法在書從頭到尾看完前闔上。因為我那麼著迷地站在那裡不出聲回應，他走到我後方從我肩膀探頭看我被什麼東西迷住。我聽到他猛抽一口氣，過了永恆般久的時間，他才呼出一聲低喝。直到我翻到最後一頁然後闔上書本，他都不發一語。然後他接過那本書從頭開始看他錯過的那幾頁，我站在他旁邊跟著重看一遍。整頁大小的圖片旁邊印了細小的文字。不過照片是不需解釋的，不需要動腦。

克里斯闔上書本。我飛快瞥他一眼。他看起來很震驚。我把書放回抽屜裡，一如我之前發現的那樣在上頭堆放平裝書。他抓住我的手然後將我往門邊拽。我們沉默地一路走過所有陰暗漫長的走廊，回到北側廂房。現在我再明白不過，為何女巫般的外婆要把我跟克里斯分床睡，對肉體難以抗拒的需求是如此強烈、如此渴望、如此令人興奮，讓人們的舉止更像惡魔而非聖人。我俯身在凱芮上方注視她熟睡臉龐，她在睡夢中重拾清醒時失去的天真稚氣神情。她側躺在那裡像個小天使，緊緊蜷成一團，她的臉是玫瑰色般的紅潤，微濕的鬈髮在她頸背和橢圓額頭上。我親吻她，她的臉頰好熱，然後我跑去克瑞那邊撫摸他柔軟鬈髮親他發紅臉頰。像雙胞胎這樣的小孩是從我剛才在色情畫冊裡所見一小部分的成果，所以這件事並非完全是邪惡的，要不然上帝就不會把男人和女人造成這樣。可是我心裡還是好混亂不安，深深地受驚，還有……

我閉上雙眼無聲祈求：**上帝，讓雙胞胎平安健康直到我們離開這裡……讓他們活著直到我們抵達不會有門上鎖的陽光燦爛之地……拜託。**

「妳可以先去洗。」克里斯坐在他床邊背對著我。他低著頭，這晚原本輪到他先洗的。

在某種魔咒下，我晃進浴室做我該做的事，然後穿著我最厚、最保暖、包得最緊的老奶奶浴袍踏出浴室。我臉上的彩妝全洗淨了。我的頭髮也洗過而且還有點微濕，我坐在床邊開始把頭髮梳出閃亮弧卷。

克里斯默默起身，沒瞧我一眼就進了浴室，等他稍後出來時我還坐在那裡梳頭髮，他還是沒與我四目相接。我也不希望他看我。

外婆有條規矩是我們每晚都要跪在床邊做睡前禱告。然而那一晚，我們誰也沒跪下來禱告。我時常跪在床邊雙手合十然後不知道該說什麼禱詞，因為我做了那麼多禱告但一點用也沒有。我寧願跪在那裡腦袋放空什麼也不想，但我身體和神經末稍全都察覺到了，也喊出了我不願讓自己去想的事，這就更別提了。

凱芮躺在我背後，我伸展手腳覺得自己被那本大書玷汙改變，我好想再看一次那本書，而且要是可以的話我想閱讀書中所有文字。也許我發現那本書的內容時就該把書放回去，那才是淑女該做的事，但我更該在克里斯走過來探頭張望時闔起書本。我早就曉得自己不是聖人或天使也不是古板清教徒，而且我有預感，不久的將來我會需要懂得所有運用身體來愛的方式。

慢慢地，我轉頭從玫瑰色微光中偷瞄克里斯在做什麼。

他側躺蓋著被子凝視著我。他的雙眼閃爍著厚重窗簾透進來的某種微弱折射光，因為他眼裡的光不是玫瑰色的。

「妳沒事吧？」他問道。

「嗯，還活著。」然後我道了聲晚安，嗓音聽起來不像自己。

「晚安，凱西。」他的聲音也像是別人的。

19 繼父

那年春天克里斯病了。他唇色發青，每隔幾分鐘就嘔吐，踉蹌地走出浴室然後虛弱地倒在床上。他想讀《格雷醫用解剖學[7]》卻又擱下，對自己很惱怒。「我一定吃錯了什麼東西。」他咕噥著。

「克里斯，我不想撇下你。」我在門邊準備把木鑰匙插入鎖孔。

「凱西，妳聽著！」他嚷著。「是妳該學著獨立的時候了！我不用每分每秒都在妳身邊！那是媽媽的毛病。她覺得自己永遠都得靠男人。凱西，永遠要靠自己。」

我心頭湧現一陣恐懼，眼睛漫出水光。他瞧見了，然後更加溫和地開口。「我沒事，真的。我可以照顧自己。凱西，我們需要錢，所以自己去吧。我們或許沒下次機會了。」

我奔回他床邊跪下來，將臉按在他穿著睡衣的胸膛上。他輕撫我頭髮。「凱西，真的，我不會死。情況沒有糟到讓妳需要為此哭泣。可是妳要明白，無論我們兩個誰出了事，另一個人都要帶雙胞胎離開。」

「別說那種話！」我大喊。只要一想到他會死，我就心煩意亂。我跪在那裡望著他，心中忽然閃過一個念頭：怎麼老是有人生病？

「凱西，我要妳現在就去。站起來，逼自己去。等妳到了那裡，只拿一元和五元的鈔票，不能拿更大面額。不過，把我們繼父留在口袋裡的硬幣全拿走。他在他衣櫃後面擺了個放滿硬幣的大錫罐。

7 譯注：《格雷醫用解剖學》（*Gray's Anatomy*），是英國醫師亨利・格雷（Henry Gray）於一八五八年出版的解剖學書籍，是醫學院必備教科書，也是解剖學的經典著作。

抓一把二十五分硬幣。」

他看起來慘白虛弱，而且更加消瘦。我飛快親了親他臉頰，不願在他身體如此不適時離開。我瞥了熟睡的雙胞胎一眼，手裡抓著木鑰匙走回門邊。「克里斯多弗．瓷娃娃，我愛你。」我開門前玩笑似地開口。

「凱瑟琳．瓷娃娃，我也愛妳。」他說道。「祝妳成功。」

我向他拋了個飛吻然後關門落鎖。在這個時間偷溜進媽媽房間很安全。只有這個下午她對我們提過，說她跟她丈夫又得去參加宴會，是住這條街上的一個朋友家辦的。我悄悄貼緊牆邊溜過走廊，一直在暗處移動，我心想自己至少要把二十元和十元鈔票各拿一張。我要冒著讓人察覺的風險。也許我甚至可以偷拿媽媽的一些首飾。首飾可以拿去典當，跟錢一樣好用，說不定還更好用。

我滿腔堅決，不想浪費時間在戰利品陳列室裡翻找。我悄聲直接朝著媽媽臥室前進，不怕撞見外婆，她很早睡，九點就上床了。而現在是十點。

我帶著大膽果決的自信，悄悄踏過雙層門進了她房間，然後悄然掩門。有盞微弱燈光亮著。她時常不關房間裡的燈——據克里斯說，有時每盞燈都亮著。畢竟，現在對我們的母親來說，錢又算什麼？

我猶豫不決地站在門邊張望。我嚇到僵住。

有個人伸直長腿，腳踝交叉坐在一張椅子上，那是媽媽的新丈夫！我正對著他，我穿著藍色的半透明睡衣，長度非常短但睡袍下有成套的小睡褲。我的心惶恐狂跳，等著他大喝出聲問我是誰而且幹嘛沒經允許就進他臥室？

但他沒說話。

他穿著一件黑色晚禮服，粉色正式襯衫前襟有鑲黑邊的皺褶。他沒喝斥也沒發問，因為他在小睡。我險些轉身離開，怕他會醒來然後看到我。

然而好奇心勝過了驚恐，我踮著腳尖走近對他細瞧。我大膽走到離他很近的地方差點碰到他椅子，只要我想，伸手就能摸到他。近到能把我的手伸進他口袋洗劫，要是我想這麼做的話，但我不想。

我盯著他熟睡的英俊臉龐，心裡沒想著搶劫的事。我跟我母親深愛的巴特離得很近，現在有件事再明顯不過，令我十分驚愕。我在遠處見過他幾次。頭一次是聖誕節宴會的晚上，另一次是在樓下的樓梯邊，他拿著一件大衣讓媽媽穿上。他親吻她的頸背耳後說了些什麼讓她微笑，然後他溫柔無比地攬她入懷再一起踏出門外。

的確，我見過他也聽了許多事，知道他的姊妹住哪，還有他在哪出生、在哪上學，可是現在清楚顯露在我面前的事，我卻毫無心理準備。

媽媽，妳怎麼可以？妳該覺得羞恥！這個男人比妳年紀還小……小了很多！她沒告訴我們這個是祕密。這麼重要的祕密她瞞得可真好！而且難怪她會對他愛慕崇拜，像他這種男人，所有女人都想要。只要看他那麼隨性卻又優雅地躺在椅上，我想他跟她親熱時一定溫柔又熱烈。

我多麼想討厭這個在椅子上打盹的男人，但不知為何我就是辦不到。就連熟睡中的他也對我很有吸引力，令我心跳加速。

巴特洛繆．溫斯洛睡中帶笑，無知無覺地回應我的仰慕。一個律師，什麼都懂的男人，跟醫生一樣，像克里斯。他一定夢見了什麼開心事。他眼皮下做著什麼夢呢？我想猜他的眼睛是藍色還是棕色。他臉型瘦長，體態強健修長又有肌肉，嘴邊有個深深的凹洞像個拉長變深的酒窩，在隱約的睡夢笑意裡時隱時現玩捉迷藏。

他戴著一個寬版雕花黃金婚戒，我當然認出那跟我母親戴的細版戒指是成對的。他右手中指戴了一個方形車工的大鑽戒，即使光線不強依然閃閃發亮。他小指上戴了一個兄弟會戒指[8]。他修長手指

8 譯注：兄弟會戒指，用來辨別身分與地位象徵的戒指，上面大多有徽章與年分等資訊，常用作學校的畢業戒。

上的方型指甲有修過，跟我的指甲一樣好看。我記得以前媽媽常替爸爸修指甲，然後眼神交流玩調情遊戲。

他很高……這點我早就知道。他全身上下我無處不滿意，而他身上最令我著迷的地方是八字鬍下方那飽滿又性感的雙唇。那嘴的形狀真好看，那性感雙唇一定親遍我母親身上所有地方。那本書教會了我很多事，讓我知道成人如何在赤裸時施與受。

突然我心念一動，有股衝動想親吻他，只是想知道那深色鬍子會不會讓人發癢。也只是想知道，親吻完全沒血緣關係的陌生人會是什麼感覺。

這個吻不會是禁忌。試探地伸手輕撫他剛修過面的臉頰不是罪惡，只是輕輕地刺激一下，想叫醒他。

但他依舊沉睡。

我整個人懸在他上方，更加輕柔地把雙唇貼上他的嘴然後飛快退開，我的心砰砰跳到快心臟麻痺。我幾乎希望他會醒來，但我還是會擔心害怕。我太年輕，不知道要是有個像我母親一樣瘋狂愛他的女人，是否該相信他會選我這一邊。要是我抓住他的手搖醒他，他是否會冷靜坐在那裡聽我述說，有四個小孩年復一年被隔離在一個偏僻的孤立房間，不耐地等待他們外公死去？他是否會理解同情，要媽媽放我們出來而且讓她放棄繼承那巨大財富的期盼？

我雙手緊張地擱在頸邊顫動，媽媽陷入兩難時都會這麼做，我不知如何是好。我的本能大聲呼喊：把他叫醒！我的猜疑心悄悄輕訴，別出聲，別讓他知道，他不會要妳，也不會要四個不是他親生的子女。他會恨妳害他妻子不能繼承所有財產，得不到金錢能買到的快樂。瞧瞧他，那麼年輕、那麼英俊。雖然我們的母親也貌美無比，而且即將成為全球女富豪，他還是可以找個年輕點的。一個沒經驗的處女，還沒愛過任何人，也沒跟男人睡過。

然後我不再猶豫。答案如此簡單。跟難以置信的富裕相比，四個不想要的小孩又算什麼？

什麼也不是，媽媽已經教會我這點了。而且他會覺得處女很無趣。

哦，這不公平！犯規！我們的母親什麼都有！自由地隨意來往各地；自由地在全球名牌店揮霍消費，只要她想。她甚至有錢能買個年輕許多的丈夫來愛她，跟她親熱。而我跟克里斯擁有的，只有破裂的夢想、粉碎的承諾，和無止盡的挫折。

雙胞胎又擁有什麼？只有娃娃屋、一隻老鼠，和日益衰退的健康？

我回到那被遺棄的上鎖房間，眼中盈著淚水，胸口那股無助絕望感如沉石般重。我看到克里斯睡著了，那本《格雷醫用解剖學》還攤開放在他胸口。我小心地標記他念到哪一頁，然後闔上書本收到一旁。

然後我躺在他旁邊依偎，無聲淚水畫過我臉頰弄濕他睡衣。

「凱西，」他睡意迷濛地清醒過來。「怎麼了？妳怎麼在哭？有人看到妳嗎？」

我無法與他正直的擔憂神色對視，因為難以言明的原因，我沒辦法告訴他發生的那一切。我沒辦法說出口，說我發現媽媽的新丈夫在她房間裡打盹。我更不能告訴他，我在她丈夫睡覺時天真多情地親吻他。

「而且妳連個一分硬幣都沒找到？」他極其難以置信地問道。

「沒有，」我小聲回話，試著不讓他看見我的臉。但他捧住我下巴逼我轉頭，深究我眼中的神色。哦，為什麼我們非得這麼了解彼此？他盯著我瞧，而我試著讓眼中一片空白卻是徒勞，只好閉上眼睛緊緊偎進他懷裡。他把頭靠在我頭髮上，雙手和緩地撫著我的背。「不要緊。別哭。妳跟我不一樣，不知道該往哪找。」

我得離開逃走，等我逃走就能把這一切都帶上，不管我會去哪裡，不管我最後跟誰在一起。

「妳現在可以回自己床上，」克里斯用他嘶啞的聲音說道，「妳知道，外婆會打開房門然後把我們逮個正著。」

「克里斯，我離開後你吐過嗎？」

「沒有。我好多了。凱西，就去吧。去。」

「你現在真的覺得比較好了？你不是說說而已吧？」

「我不是說過我好多了？」

「克里斯多弗・瓷娃娃，晚安。」我說道，在他臉頰印上一吻才離開他床鋪，然後爬回自己的床躺在凱芮旁邊。

「凱瑟琳，晚安。妳是個好妹妹，是雙胞胎的好媽媽……但妳是個差勁的騙子，和該死的沒用小偷！」

每次克里斯去突襲媽媽房間都會讓我們的金庫添筆進帳。要達到我們的五百美元目標還有好一段時間。現在夏季再次造訪我們。我現在十五歲，雙胞胎才剛滿八歲。很快地八月時就會是我們被囚禁的第三年。在下個冬季來臨之前，我們必須逃走。我望向克瑞，他無精打采地撿著米豆吃，因為那是「好運」豆。新年那天的第一次，他不肯吃，不想讓棕色小眼珠般的豆子看到他肚裡的東西。現在他肯吃是因為吃一粒豆子會得到一整天的好運，我們這麼對他說。我跟克里斯得編出這種故事，要不然他就什麼也不吃，只吃甜甜圈。他一吃完飯就蹲坐在地上拿起班鳩琴，眼睛盯著無聊的卡通。凱芮盡可能地緊黏在他身旁，她不看電視而是盯著她同胞弟弟的臉。「凱西，」她用小鳥般的吱喳聲呼喚我。「克瑞他看起來不太對勁。」

「妳怎麼知道？」

「就是知道。」

「他跟妳說他不舒服？」

「他不用講。」

「那妳怎麼感覺得出來？」

「跟以前一樣。」

「那是怎樣？」

「不知道。」

是啊！我們得逃出去，而且要快！

後來我把雙胞胎塞在同張床上。我等他們都睡著就抱起凱芮放回我們的床上，因為現在對克瑞來說，同胞姊姊睡在他旁邊是種安慰。「不喜歡這件粉紅色床單，」凱芮對我皺著眉頭抱怨。「我們都喜歡白色的。我們的白色床單在哪？」

哦，真後悔那天我跟克里斯讓白色成為最有安全感的顏色！用白粉筆畫在閣樓地板上的雛菊可以驅除所有邪惡惡魔、怪物和雙胞胎害怕的其他東西，要是身邊沒有白色東西可以躲在裡面、下面或是後面，他們就會怕被抓。薰衣草色、藍色粉色，或有花朵圖案的床單枕頭，他們全都不肯接受。局部色塊是漏洞破綻，會讓小惡魔鑽過來揮舞它叉狀的尾巴，眼神刻薄地瞪人或拿討厭的小長矛戳人！儀式、物品崇拜、習慣和規矩……天啊！我們給他們的多不可數！只是為了讓大家有安全感。

「凱西，為什麼媽媽那麼愛穿黑衣服？」凱芮問道，等著我換下粉色床單然後鋪上純白色的。

「媽媽有一頭金髮而且很苗條，黑色衣服讓她看起來更纖瘦也更加美麗。」

「她不怕黑色？」

「不怕。」

「妳幾歲的時候，黑色才不會用長長的牙齒咬妳？」

「知道這個問題很蠢的時候，妳就夠大了。」

「可是閣樓裡的黑影子都有又尖又亮的牙齒，」克瑞跑到後方好讓粉色床單不會碰到他皮膚。

「聽好，」我看見克里斯眼裡帶笑地望過來，他早料到我絕對會說出一些很棒的話。「除非你們的皮膚顏色像祖母綠，有紫眼睛紅頭髮而且耳朵不是兩隻是三隻，黑影子才會有又尖又亮的牙齒。只有那樣黑色才危險。」

雙胞胎大感寬慰，急忙鑽回白床單和白毛毯裡然後迅速入睡。然後我才有空能洗澡洗頭，穿上成套睡衣。我跑向閣樓敞開一扇窗，希望能接收到一絲清涼微風讓閣樓空氣清新一點，好讓我能跳舞，不會萎靡不振。為什麼只有在冬季壞天氣時風才能吹進來？為什麼不是現在，在我們最需要的時候？

我跟克里斯相互分享對方的想法、靈感、懷疑和恐懼。要是我有小毛病，他就是我的醫生。幸好，我的毛病向來都不嚴重。只有每個月會經痛，以及月事來潮總是不規律，而我那業餘醫生說那些不足為奇。因為我天生就不切實際，我體內所有運作系統也跟著有樣學樣。

我現在終於能下筆寫出關於克里斯和九月某個晚上發生的事，那時我在閣樓裡，他出去行竊，我好像也跟著他去過了似的。因為在某些完全無法預料的衝擊事件稍稍平息後，他後來鉅細靡遺地告訴我這次去媽媽那豪華房間大套房的特殊經歷。

他告訴我，床頭櫃裡的書一直很吸引他，那本書像在呼喚他令他著迷，結果後來讓我跟他出了事。他一確認拿到的金額足夠了卻不會太多，他就轉移到床邊和那迷住他的床頭櫃。

而我在他敘述之際心裡也在想著：為什麼他要一直看那本書，連我都能記住每張圖片了啊？

「然後我在那裡閱讀書中文字，一次看個幾頁，」他說道，「思考著是非對錯，想弄懂人的天性和所有令人亢奮的古怪需求，思考我們生活的環境。我想著妳跟我，那些日子應該是我們的青春歲月，我得因為發育就覺得罪惡可恥，而且渴求著其他同齡男孩能跟喜歡的女孩做的事。

「而當我站在那裡快速翻閱書頁，我心裡燃起不少挫折感，有點希望妳從未發現這本該死的書，這本書太無趣不可能引起我注意的書，然後我聽見有聲音從走廊往這邊來。妳知道是誰，是媽媽和她丈夫，他們回來了。我迅速把那本書塞進抽屜，然後扔進那兩本從未有人讀完的平裝書，因為書籤位置一直沒變。我急忙奔向媽媽的衣櫃，大的那個，妳知道，最靠近她床邊的那個。然後我蹲在鞋架旁的地板上，頭上是她的長禮服正裝。我想要是她打開衣櫃也不會看見我，我也不覺得她會開。但我很快就沒這麼肯定，因為我發現我忘了關衣櫃門。

「然後我聽到媽媽的聲音。『巴特，真是的，』她走進房裡然後打開一盞燈，『你就是粗心大意才會老是忘記帶錢包。』

「他應聲，『只要沒放在同個地方我就會忘了帶。』我聽到他在翻動東西，抽屜開開又關關。然後他替自己辯解，『我確定我把它忘在這幾條褲子裡……要是我沒帶駕照，哪裡都不能去。』

「『你開車就是那樣，我不能說我怪你，』我們的母親說道，『可是我們又要因為這件事遲到了。不管你開多快，我們都會錯過那齣戲的第一幕。』

「『咦！』她丈夫大叫，我聽得出他語氣中的驚訝，我心裡呻吟著想起自己做過什麼。『我的錢包在這裡！在櫃子裡！我怎麼想不起來會放在這兒。我發誓我明明放在褲子裡。』

「他真的藏在他自己的衣櫃抽屜裡，」克里斯解釋，「藏在他襯衫下面，我發現錢包後就拿了幾張小鈔，我只是把錢包放回去，然後繼續看那本書。然後媽媽就說，『巴特，你真是的！』好像她對他失去了耐性。

「然後他說，『柯琳，我們搬出去住吧。我覺得那些女僕在偷我們的錢。妳的錢老是不見，我的也是。像是我知道我的五美元鈔票有四張，現在卻只剩下三張。』

「我心裡又是一聲哀嚎。我以為他錢那麼多不會去數的。而且媽媽竟然知道她皮包裡帶了多少錢，這真的讓我很驚訝。

「『不過一張五美元，有什麼差別？』我們的母親質問，那聽起來像她作風，就如同她跟爸爸在一起時同樣對金錢毫不在乎。然後她說那些僕人的薪水很低，她也不能責怪他們只要能拿就拿，尤其錢包恰巧出現在他們眼前。『這是引誘他們偷錢。』

「然後他回答，『我親愛的妻子，對妳來說錢財可能得來容易，但我得一直努力工作才能賺到錢，連十分硬幣也不想被偷。更何況，妳母親那恐怖的臉每天一早就在桌子那頭正對著我，我沒辦法告訴自己這一天會有好起頭。』妳知道，我從沒想過他對那老巫婆的鐵面臉會有這種感想。

「顯然他的感受跟我們一樣，然後媽媽有點惱怒就說，『別再講這些了。』她的語氣強硬尖銳，凱西，聽起來一點都不像她。我之前從沒想過，她對我們說話是一個模樣，對其他人是另一副模樣。然後她說，『你知道我不能撇下這棟大宅，還不行，所以如果我們還想出門，就走吧！我們已經遲到了。』

「然後我們的繼父說要是他們已經錯過第一幕，他就不想去了，因為對他來說整齣戲都毀了，而且比起坐在一堆觀眾裡，他覺得他們可以找更有趣的事做。當然，我想他的意思是他們可以上床然後親熱一下，要是妳覺得那不會讓我噁心，那妳真的不太懂我，要是我想在他們辦事時待在那裡就太該死了。

「不過，我們的母親竟然也能意志堅決，這讓我訝異，凱西，她變了，不再是跟爸爸在一起的那副模樣。她現在看起來才是主導者，沒有任何男人可以指使她。然後她對他說，『像上次那樣？巴特，那次真的很尷尬！你回家找錢包，對我發誓你只出去一下子，然後你就睡著了。我在那個宴會裡沒男伴陪同出席！』

「要是我判斷得沒錯，現在我們的繼父似乎有點被她話語和口吻弄得惱怒，就算沒看到臉部表情，從聲音也能判讀出很多東西。『哦，妳一定很不好受！』他這麼回應，聽起來很挖苦。但他沒氣惱多久，因為他一定算是個天性開朗的傢伙。『而我嘛，我做了個最甜美的夢，要是我知道我打瞌睡時會有個金色長髮的迷人年輕女孩溜進房間然後吻我，我一定每次都折返。哦，她真漂亮，而且她那麼熱切地看著我，可是我睜開眼睛她就不見了，我想我一定是在作夢。』

「他說的話讓我抽了口氣，凱西，那是妳，對不對？妳怎麼能那麼大膽輕率？我完全被妳氣瘋了，我覺得只要再有一點小事發生就能讓我引燃爆發。妳以為只有妳精神緊繃，是嗎？妳以為只有妳有挫折疑惑和懷疑害怕？哦，寬心點吧，妳該知道我也有那些情緒，妳已經見識過了。天啊，我真的很氣妳，比以前都還氣。

「然後媽媽尖刻地對她丈夫說道，『天啊，我已經聽那女孩和那個吻聽到膩——唉，聽你講成那樣，好像你以前沒被人吻過！』我想接下來他們可能會吵起來。不過媽媽語氣一轉，聽起來甜美又迷人，像她以前跟爸爸說話那樣。但這證明了她更加下定決心要離開這棟大宅，不想跟一個自詡愛人的傢伙用那天鵝床辦事，因為媽媽說，『巴特，走吧，我們可以在飯店過夜，這樣你就不用在早上見到我母親的臉。』這解決了我的煩惱，因為我不知道要怎麼在他們滾上天鵝床前離開房間，我一點也不想待在那裡偷聽或偷看。」

這就是所有發生的事，那時我坐在閣樓窗台等克里斯回來。我憶起爸爸送我的那個銀質音樂盒，希望能把它拿回來。我不知道我在媽媽房間裡做的那件事即將惹來後果。

有東西在我背後嘎吱響！走在爛木板上的輕聲足音！我嚇得一蹦，害怕地轉身一望——天知道會是什麼！然後我大氣一吐，因為不過是克里斯站在暗處靜靜盯著我瞧。幹嘛？我看起來比平常漂亮？是月光照在我輕薄的衣物上？

所有胡亂猜想在他開口時消散一空，他的嗓音沙啞低沉，「妳坐在那裡看起來很漂亮。」他清了清喉嚨。「月亮在妳身上落下銀藍色，我可以看穿妳衣服下的身體模樣。」

然後他令人費解地抓住我肩膀，手指按得好用力！很痛。「凱西，妳真該死！妳親了那男人！他可能會醒來看到妳，想知道妳是誰！不是把妳當成他的夢！」

我被他的模樣嚇壞，無來由地覺得害怕。「你怎麼知道我做了什麼？你明明不在那裡！你那晚病了。」

他搖晃我身體，眼裡閃著怒火，我再次覺得他像個陌生人。「凱西，他看到妳了！他並沒有睡得很熟！」

「他看到我了？」我難以置信地喊著。這不可能……不會的！

「對！」他吼道。這個人是克里斯，他通常能控制住自己的情緒。「他以為妳是他夢境的一部分！可是妳難道不知道媽媽猜得出那是誰，只要把特徵兩兩對照，就像我做的那樣？又是妳那該死的多情念頭！現在他們發現我們了！他們不會再像以前那樣把錢隨便亂丟。他有在算錢，而她也有在算，我們還沒弄到足夠的錢！還沒有！」

他把我從窗台上拽起身！他看起來狂怒得足以甩我巴掌。在我們的人生裡他從沒打過我，儘管我年幼時他大有理由這麼做。但他一直搖晃我，晃到我眼花頭暈然後大喊：「住手！媽媽知道我們沒辦法穿過那道上鎖的門！」

這不是克里斯……這個人我從沒見過……他如此野蠻又粗魯。

他不斷吼著一些話，「凱西，妳是我的！我的！妳永遠都是我的！不管妳未來會遇到誰，妳永遠都屬於我！我要把妳變成我的……今晚……現在！」

我不相信，這不是克里斯！

我沒完全弄懂他心裡在想什麼，要是我相信他，我也不覺得他真的有那個意思，但激情自有辦法占上風。

我們兩個人都倒在地板上。我試著反抗他。我們角力，不停翻滾，扭動，不發一語，他狂亂掙扎的氣力壓倒了我。

這稱不上是一場戰鬥。

我有舞者強勁的雙腿，他有二頭肌和較高的身長及較重的體重……而且他比我更有決心去使用某種脹大渴望的火熱東西，他的理性和清明被竊走了。

而我愛他。他想要的我也想，若是他**真的**那麼想要，無論對錯。

不知怎麼地，我們最後來到那舊床墊上，那髒汙難聞變色的床墊一定在這晚之前就見識過其他戀人。他在那裡佔有我，把他渴求滿足的腫硬男性器官擠進來，釘入我繃緊抗拒的身體，讓我撕裂流血。

現在我們做了我們兩個都發誓永遠不會做的。

現在我們永遠有罪，受到永遠炙烤的懲罰，赤裸倒吊在恆久燃燒的地獄之火中。罪人，就像外婆很久以前預言過的那般。

現在我全都明白了。

現在可能會有個寶寶。寶寶會讓我們活著受罰，無需等待地獄，或留給我們這種人的無窮無盡火焰。

我們拉開距離然後望著彼此，臉上麻木又驚嚇慘白，我們著衣時幾乎說不出話來。

他不用說他很抱歉，事情不是他能掌控的……我看著他顫抖的模樣，他抖著手笨拙扣上釦子的模樣。

事後，我們來到屋頂上。

長串的雲朵飄過滿月的臉，月亮躲藏然後又露出來。在屋頂上，宛如對戀人而言最為理想的一個夜晚，我們在彼此懷中哭泣。他不是有意的，而我也不該任他擺布。在有八字鬍的嘴唇落下一吻，最後導致這種可能會有寶寶的後果，這恐懼高懸在我喉頭，在我舌間躊躇。這是我最怕的事。比起地獄和上帝天罰，我更害怕生下一個怪物般的醜陋寶寶，可能是個畸形兒或白痴。但我要怎麼說出口？他承受的已經夠多。不過，他的想法比我更有見識。

「要有寶寶很難，」他激動地說。「只有一次不會懷孕的。我發誓不會再有第二次，無論如何！

在我讓這件事再次發生前，我就先閹了自己！」然後他把我拉了過去緊緊靠著他，我被擠得好用力，肋骨都發疼。「凱西，別恨我，拜託別恨我。我不是有意要強暴妳，我對上帝發誓。以前有好多次我都起了念頭，然後我可以壓制住。我會離開房間，去浴室或是閣樓。我會把鼻子埋進書裡，直到我再次覺得恢復正常。」

我儘量緊緊地用雙手抱住他。「克里斯，我不恨你。」我輕聲說道，把我的頭使勁按向他胸口。「你沒有強暴我。要是我真的想，我有辦法阻止你的。我只要往你告訴過我的地方用力曲膝一抬。我也有錯。」是啊，我也有錯。我早該知道不能親吻媽媽年輕英俊的丈夫。我不該穿半透明的小件睡衣在哥哥身邊打轉，所有男性強烈的生理需求他都有，而且這個哥哥一直對所有人事物灰心喪志。我拿他的需求開玩笑，測試自己的女性特質威力如何，自己也熱烈地渴望滿足。

這是個特別的夜晚，彷彿命運在很久以前就安排了此夜，我們命中注定會有這一晚，無論對錯。圓亮的月照亮黑暗，星星似乎閃著摩斯密碼對彼此發送訊息。命運實現了……

樹葉間的風沙沙作響，發出怪異的憂鬱音樂，不成調子，卻仍是音樂。在這般美麗的夜晚，人與愛情怎麼會變得醜惡？

也許我們在屋頂上待得太久。

石板瓦又冰又硬又粗。現在是九月上旬，葉子已經開始落下，很快地就會受冬天嚴寒的手碰觸。閣樓裡熱得像地獄。在屋頂上開始變得非常非常冷。

我跟克里斯擠成一團，彼此依偎尋求安全感與溫暖。年輕罪惡的戀人，最糟的那種。我們的自尊已墜落十公里深，長久的親密讓渴望伸得太細太長。我們太常反抗命運和我們自身感官享受的天性，而我那時還不知道我會有感官快感，何況他也是。我以為只有美麗音樂能讓我心痛，讓我的腰間產生渴望，我還不知道那可以是更有形的東西。

像是兩人共用一顆心，為了我們做出的事鼓動著自我懲罰的可怕曲調。

微冷的風將一片落葉吹上屋頂，讓它快樂地急馳然後卡在我頭髮上。克里斯取下葉子然後拿著，落葉乾脆易碎，他只是低頭看著那枯楓葉，彷彿他的人生靠著讀懂枯葉的祕密，就能明白怎麼隨風飄揚。沒手沒腳沒翅膀，但死了就能飛起來。

「凱西，」他的嗓音乾裂，「現在我們持有的確切金額是三百九十六元又四十四分。不用多久就會開始下雪。我們沒有合身的冬天大衣或靴子，而雙胞胎已經虛弱到很容易感冒，可能還會變成肺炎。我那晚醒來很擔憂他們，我看到妳躺在床上望著凱芮，妳一定也在擔心。我現在很懷疑我們還能不能在媽媽的套房裡找到錢。他們懷疑有女僕在偷錢，或許沒有，或許現在媽媽懷疑的是妳……我不知道……希望沒有。

「不管他們怎麼想，下次我作賊時會偷取她的首飾。我會來個大掃蕩，全部拿走，然後我們就逃跑。我們只要逃得夠遠就立刻帶雙胞胎去看醫生，而且我們有錢能付醫藥費。」

拿走首飾——那是我一直在求他做的！他終於肯了，同意偷走那些媽媽如此拚命取得又來之不易的獎賞，而在那段期間她也失去了我們。可是她會在乎的——會嗎？

那隻老貓頭鷹在遠處發出叫聲，聽起來很可怕，可能就是我們來到這裡頭一晚在車站向我們問候的那隻貓頭鷹。當我們朝外眺望，因為夜晚突然變冷，濡濕的地面慢慢升起灰色薄霧。薄薄大霧往上漫到屋頂。起伏的繚繞波浪，像是翻滾的霧海要將我們淹沒。

我們在灰暗冰冷又潮濕的雲霧中只能看見上帝的巨大獨眼，在月亮裡發光。

我在日出前醒來。我望向克瑞和克里斯的床，察覺克里斯也醒著，而且已經醒了一陣子。他注視著我，閃亮的淚光在他藍眼裡閃爍，沾在他眼白上。淚水滾落在他枕上，我將落下的眼淚命名為：羞恥、內疚和自責。

「克里斯多弗．瓷娃娃，我愛你。你不用哭。因為我會忘記，要是你也能忘，那麼就沒有什麼事需要原諒。」

他點點頭，什麼也沒說。但我很了解他，而且是深入骨髓地了解。我明白他的想法感受和重創他自尊的這一切。我知道他用我來反擊那個背叛他信任、信仰和愛意的女人。我只要望向那個背面有我名字縮寫的手鏡，就能看見自己母親的那張臉蛋，她在我這年紀一定就是長這樣。

所以一切就像外婆預言過那般實現了。惡魔的後裔，種在錯誤土壤上的罪惡種子創造生命，發芽長大的新植物會重蹈其父的罪行。

以及其母的。

20 將所有日子塗上藍色，留一天給黑色

我們要離開了。哪天都行。只要媽媽說她傍晚要外出，她留在家裡的那些值錢又好攜帶的私人物品就能隨我們拿。我們不回格拉斯通，那裡的冬季會持續到五月底。我們可以去佛羅里達州的沙拉索塔市，那裡是馬戲團之城，表演藝術工作者的聚集之地。那城市的居民對來歷奇特的人依然友善好客，這可是大家都知道的。既然我跟克里斯已經習慣在高處活動，像是屋頂和綁在椽柱樑木的許多繩索，我開心地對克里斯說，「我們可以當馬戲團的空中飛人。」他一開始咧嘴一笑覺得這主意很荒唐，然後說那是神來之筆。

「天啊凱西，妳穿亮晶晶的粉紅緊身衣會很棒。」他開口就唱：「她飛過空中，輕鬆自若，敢在空中盪鞦韆的年少佳人……」

克瑞抬起他的金髮腦袋，藍色雙眼害怕瞪大。

「不行！」

那是凱芮說的，而克瑞的表達更加熟練，「我們不喜歡妳的打算。我們不要妳摔下來。」

「我們不會摔下來，」克里斯說道，「因為我跟凱西是無敵二人組。」我瞪著他，想起在教室的那一晚，想起後來他在屋頂上輕聲訴說，「凱西，除了妳我永遠不會再愛上任何人。我明白……我就是有那種感覺……只有我們兩個，永遠。」

我若無其事地笑著。「別說傻話，你知道你不是真的對我有**那方面的愛**。你也不用覺得罪惡或羞愧。我也有錯。我們可以假裝事情沒發生過，而且保證不會再有第二次。」

「可是凱西……」

「要是在我和你之外有別的人出現，我們就不會再對彼此有這種感情。」

「可是我想對妳有這種感情，要我去相信去愛別人，為時已晚。」

我覺得自己好老。我望著克里斯和雙胞胎，為我們大家訂定計畫，自信地宣稱我們要如何做到。這對雙胞胎來說是個安慰，象徵給了他們平靜，但我知道我們會被迫做出任何事，只為謀生。

九月即將進入十月。很快地雪花就會開始飛揚。

「今晚。」克里斯這麼說道，媽媽沒在門口逗留回頭看我們就草草道別然後外出。現在她幾乎沒辦法正眼看我們。我們將兩個枕頭套套在一起加強承重力。克里斯會在這袋子裡裝下媽媽所有的珍貴珠寶。我已經打包好兩只行李箱藏在閣樓上，現在媽媽再也不會上閣樓。

快到傍晚時克瑞開始嘔吐，而且吐了又吐。藥櫃裡沒有腸胃不適的成藥。我們使盡辦法卻止不住嘔吐，他慘白顫抖哭泣。然後他手臂環著我脖子輕聲說道，「媽媽，我覺得很不舒服。」

「克瑞，我要怎樣才能讓你舒服點？」我問道，覺得自己太年輕又經驗不足。

「米奇，」他虛弱地低訴，「我想要米奇跟我一起睡。」

「可是你可能會壓到牠，然後牠會死掉。你不要牠死，對不對？」

「不要，」他說道，看起來那想法嚇到他了，然後恐怖的嘔吐再度開始，他在我懷裡變得好冰冷。他的頭髮貼在汗濕額上。他藍色眼睛茫然地望著我的臉，叫喚他的母親，「媽媽，媽媽，我的骨頭好痛。」

「沒事的，」我安撫他，把他抱起來帶回床上，換掉他汗濕發酸的睡衣。他明明已經吐到沒東西吐了，怎麼還會吐？「克里斯會幫你，別擔心。」我躺在他旁邊，將他虛弱顫抖的身體擁在懷裡。

克里斯在他桌前仔細研讀醫學參考書，用克瑞的症狀去找出我們所有人不時發病的神祕疾病。他現在快十八歲了，但要成為醫生還遠遠不及。

「別走，別把我跟凱芮留在這裡，」克瑞懇求。然後他哭喊得好大聲，「克里斯，別走！留在這裡！」

他的意思是？他不要我們逃跑？或者他是說不要再偷溜進媽媽的套房行竊？為什麼我跟克里斯以為雙胞胎很少關注我們在做什麼？他和凱芮當然明白我們不會丟下他們自己離開，在那之前我們已經死了。

一身白衣的嬌小黑影走到床邊，站在那裡用水汪汪藍色大眼凝視她同胞弟弟。她才不過一百公分高。她長大了，但年紀還小，是在黑暗溫室長大的嬌弱小植物，發育不良又臉色憔悴。

「我可不可以……」她有禮貌地開口（我們一直試著教她，她不斷抗拒不用我們教她的語法，然而在這一夜她盡力而為。）「我可不可以跟克瑞一起睡？我們不會做什麼不好的邪惡有罪的事。我只是想靠他近一點。」

就讓外婆前來使盡她的手段吧！我們讓凱芮睡在克瑞身旁，然後我跟克里斯坐在大床另一側滿懷焦慮地注視，而克瑞不斷喘氣作嘔，胡言亂語哭喊。他要老鼠，他要他媽媽他爸爸，他要克里斯，他要我。淚水浸濕我睡衣衣領，我看到克里斯臉頰有淚。「凱芮，凱芮……凱芮在哪裡？」他反覆問了好久，而她已熟睡。他們蒼白的臉蛋只隔幾公分距離，他就跟她面對面但他卻看不見。我將目光從他身上移向凱芮，她的情況看起來也不過稍稍好些。

懲罰，我心裡想著。上帝在處罰我們，我跟克里斯，因為我們做出那樣的事。外婆警告過我們了，她每天都警告我們，直到我們被鞭打的那天。

整個晚上克里斯翻過一本又一本的醫學書，我起身離開雙胞胎的床鋪然後在房裡踱步。

克里斯終於抬起他有血絲的紅腫雙眼。「食物中毒。是牛奶，一定餿掉了。」

「喝起來沒餿，聞起來也沒餿啊。」我咕噥回應。我總是先謹慎地聞過嘗過所有食物，然後才遞給雙胞胎或克里斯。不知為何，我覺得自己的味蕾比克里斯敏銳，他什麼都不討厭而且什麼都吃，甚至連餿掉的奶油也吃。

「那麼就是漢堡了。我覺得吃起來怪怪的。」

「我覺得吃起來很正常。」而且他一定也覺得吃起來沒有不對勁，因為他還吃掉半塊凱芮的漢堡和一整塊克瑞的。克瑞一整天什麼都不想吃。

「凱西，我發現妳一整天幾乎沒吃多少東西。妳快瘦得跟雙胞胎一樣了。她帶了足夠的食物給我們，雖然分量不多。妳不需要自主節食。」

在我緊張沮喪或憂慮時，我會練習芭蕾，而我現在三種情緒都有。我會輕輕靠著用來當作扶手的櫥櫃，開始做下蹲動作暖身。

「凱西，妳還需要做那個嗎？妳已經瘦得像皮包骨。而且為什麼妳今天都不太吃東西？妳也病了嗎？」

「可是克瑞那麼喜歡甜甜圈，我也只想吃那個。而他比我更需要。」

夜晚緩慢過去。克里斯繼續讀醫學書。我讓克瑞喝水，但他馬上就嘔出來。我用冷水清潔他小臉洗了好多次，換了三次睡衣，而凱芮一直一直睡。

清晨。

太陽升起，我們還在努力弄清楚克瑞為何生病，然後外婆提著今日配給食物的野餐籃走了進來。她沒說一句話就關門落鎖，把鑰匙放進衣服口袋，然後走向遊戲桌。她從籃子裡拿出裝牛奶的大保溫瓶、裝湯的小保溫瓶、還有裹著錫箔的一包包食物，裡頭是三明治、炸雞、一碗碗馬鈴薯沙拉或高麗菜沙拉，最後是四個糖霜甜甜圈，接著她轉身就要離開。

「外婆。」我試探地說。她沒看克瑞那邊，她沒有發現。

「我沒跟妳說話，」她冷冷說道，「要等我先開口。」

「我等不了，」我開始生氣，離開克瑞床邊往前走。「克瑞病了！他吐了一整晚，昨天也吐了一整天。他需要醫生，還有他的媽媽。」

她沒看我也沒看克瑞，只是昂首闊步走出門外然後上鎖。沒有任何安慰的話。沒說她會告知我們的母親。

「我要開門去找媽媽。」克里斯說道，他還穿著昨天的衣服而且也沒打算休息睡覺。

「那她們就會知道我們有鑰匙。」

「那就讓她們知道。」

就在那時房門打開，媽媽走了進來，外婆跟在後頭。她們一起圍在克瑞旁邊，觸碰他汗濕冰冷的臉，她們目光對視。她們走到角落小聲商量，不時瞥向有如垂死之人般靜靜躺在那裡的克瑞。他只剩胸口陣陣起伏，喉嚨發出喘息和哽咽聲響。我走去擦掉他額頭上的汗水。荒謬的是他覺得冷，卻又在流汗。

克瑞喘著，不斷吸氣吐氣。

而媽媽在那裡，什麼也沒做。沒辦法做出決定！她還在怕會讓人知道這裡有小孩，因為一個也不應該有！

「妳們為什麼站在那裡說悄悄話？」我大吼。「除了送克瑞去醫院讓最好的醫生看病，還有別的選擇嗎？」

她們對我怒目而視，兩個人都是。媽媽臉色冷硬，慘白顫抖，她藍色雙眼盯著我然後又焦慮地移向克瑞。床上的景象令她嘴唇打顫，雙手抖動，嘴邊的肌肉抽搐。她不停眨眼，像是在強忍淚水。

我仔細端詳著所有背叛她心中思緒的暗示。她在衡量克瑞有可能會被發現，然後讓她失去繼承權……因為樓下那個男子總有一天會死，不是嗎？他不會永遠活著！

我大叫出聲，「媽媽，妳在幹嘛？妳只是站在那裡想著自己和財產，而妳最小的兒子躺在那裡等死？妳得救他！妳不在乎他怎麼了嗎？妳是不是忘了自己是他母親？沒忘的話，該死，就像個媽媽吧！別再猶豫！他現在就需要治療，不能等到明天！」

她脹紅了臉，目光斥責地轉向我。「妳！」她憤憤地說。「都是妳！」她揚起戴滿戒指的手然後重重地打上我的臉！然後再甩一巴掌。

在我人生中，這還是第一次被她掌摑，竟是為了這種原因！我氣得不加思索一掌打回去，一樣用力！

外婆退了一步然後注視著，得意滿足地將她醜陋薄唇曲成一條彎線。

在我可能會再搧媽媽一記耳光時，克里斯連忙捉住我的雙手。「凱西，妳這樣幫不了克瑞的。冷靜點。媽媽不會做不對的事。」

幸好他抓住我的手，因為我好想再打她一巴掌，讓她明白自己在幹嘛！

我眼前閃現爸爸的臉。他皺著眉，無聲地告訴我永遠都要尊敬那個生下我的女人。我知道他會那麼想，他不要我打她。

「柯琳．佛沃斯，要是妳不帶妳兒子去醫院，」我拚命吶喊，「我就詛咒妳下地獄！妳以為自己可以對我們為所欲為，沒人會察覺！哦，妳可以拋開那種自以為安全的想法了，因為我會想辦法報仇，就算耗上我的餘生，我會看到妳付出代價，而且是高昂代價，要是妳現在不做點什麼來挽救克瑞的命。繼續啊，憤怒地看著我，哭泣懇求，跟我談錢和錢能買些什麼。可是錢買不回死去孩童的命！要是他真的死了，我難道不會想辦法找到妳丈夫告訴他，說妳在一間上鎖房間裡藏了四個親生小孩，他們唯一的遊樂場就是閣樓……然後妳把孩子關了一年又一年！看他還會不會愛妳！妳可以注視他的臉，然後等著瞧他還會對妳有多少尊重仰慕！」她畏縮著，但目光依舊死死盯著我。「還有，我會去找外公也說給他聽！」我吼得更大聲。「然後妳連個紅色一分硬幣都繼承不了。我會很開心、很開心、很開心！」

從她臉上的神色能看出她會宰了我，但奇怪的是，卻是那個卑鄙的老女人靜靜地說：「柯琳，那女孩沒有錯。那孩子一定得送醫院。」

＊＊＊

她們那天晚上返回房間，兩個人都來了。在僕人都回到車庫上方的住處休息之後。她們都裹著厚大衣，因為外頭突然變得很冷。傍晚的天空是灰色的，寒冷初冬預示著即將飄雪。她們兩個從我懷中拽出克瑞，用綠色毛毯包著他，然後媽媽將他抱起來。凱芮發出一聲痛苦叫喊。「不要帶走克瑞！」她大喊。「別帶他走，不要……」她整個人抱住我手臂對我哭訴，要我阻止她們帶走從未跟她分離的同胞弟弟。

我低頭看她淚流滿面的蒼白小臉。「讓克瑞去不要緊的。」我轉頭迎上我媽媽憤怒的目光，「因為我也會一起去，我會陪克瑞待在醫院裡好讓他不害怕。護士忙得沒空照料他的話，我就能幫上忙。這樣一來他會好得更快，凱芮知道有我陪著他，她也會感覺好一點。」我說的是實話。我知道我陪克瑞的話，他會更快康復。現在**我**才是他媽媽，她不是。他現在不愛她了，他需求想要的人是我。孩童的直覺很敏銳，知道誰付出最多的愛，知道誰只是裝裝樣子。

「媽媽，凱西說得對，」克里斯開口說話，他筆直望著媽媽，眼中不帶一絲暖意。「克瑞很依賴凱西。拜託讓她跟著去，就像她說的，她陪著去會讓他更快好，也能比妳講出更多症狀給醫生聽。」

媽媽呆滯空白的目光轉向他的方向，好像試圖弄懂他的意思。我承認，她看起來很煎熬，目光從我身上移到克里斯，又看向她母親，然後看著凱芮，再看向克瑞。

「媽媽，」克里斯的口氣更加堅定，「讓凱西跟妳去吧。如果妳是在擔心凱芮，我可以照顧她。」

她們當然不讓我去。

我們的母親抱著克瑞走向走廊，他的頭往後仰，額頭上的頭髮在她走路時前後擺盪，她將自己的孩子裹在一條綠色毯子裡，是春天新綠的顏色。

外婆朝我露出勝利的嘲弄笑容，然後關門上鎖。

她們留下失去同胞弟弟的凱芮，她尖叫流淚，她用小拳頭搥打我，好像我該為此負責。「凱西，我也想去！叫她們讓我去！克瑞不會想去沒有我的地方……而且他沒帶吉他。」

她的怒氣消耗殆盡，倒進我懷裡啜泣。「凱西，為什麼，為什麼？」

為什麼？

那是我們人生中最大的質疑。

這一天是我們目前人生裡最糟、最漫長的一天。我們有罪，而且上帝如此迅速地對我們做出懲處。祂**確實**一直用銳利目光注視我們，好像**祂**明白我們遲早會證明自己十分可恥，就像外婆向來知道的那般。

這就好像一開始的那些日子，還沒有電視機來讓我們日子好過一些。後來，我們整晚沒開電視，只是靜靜坐著等克瑞消息。

克里斯坐在搖椅上伸手環抱我跟凱芮。我們兩個都坐在他膝上，他慢慢地前後搖晃搖椅，椅子在地板上嘎吱響。

我不知道為什麼克里斯的腳沒麻掉；我們在他腿上坐了那麼久。然後我起身照料米奇的籠子，給牠食物和飲水，然後我抓著牠撫摸，對牠說牠主人很快就會回來。我相信那隻老鼠明白事情不太對勁。牠沒在籠裡快樂玩耍，就算我打開籠門，牠也沒跑出來在房間裡亂竄或是跑向凱芮那最吸引牠的娃娃屋。

我把早已煮好的食物拿出來擺盤，我們幾乎沒吃多少。我們吃完那天的最後一餐，碗盤擱到一旁，洗好澡準備睡覺，我們三個在克里斯的床邊跪成一排禱告向上帝祈求。「拜託，拜託讓克瑞好起來，回到我們身邊。」要是我們還祈求了別的事，我也想不起來了。

我們上床睡覺試著入眠，三個人躺在一張床上，凱芮躺在我跟克里斯中間。我跟他之間再也不會發生任何下流的事……不會，再也不會。

上帝，拜託別用克瑞來反擊我跟克里斯，讓我們受創，因為我們已經很受傷，我們不是有意的，我們沒有。就只是那樣發生了，只有一次。而且一點也不舒服，上帝，真的沒有。

新的一天破曉到來，陰森灰暗又險惡。在沒拉開的窗簾後方，那些生活在外頭、我們看不見的人們開始活動。我們慢吞吞地讓自己回神，到處閒晃，試著打發時間試圖進食，試著讓米奇開心起來，沒有那個小男孩一路灑下麵包碎屑讓牠跟著走，牠看起來很憂鬱。

我在克里斯的協助之下換了床墊套，因為要把墊套從厚重墊子扒下來實在很費力，不過因為克瑞會尿床，我們時常得替換。我跟克里斯換上乾淨床單，把床單鋪平然後清掃房間，凱芮一個人坐在搖椅上凝視虛空。

早上十點左右，我們無事可做只能坐在最靠近走廊那扇門的床上，雙眼盯著門把，期望門把轉動，然後媽媽走進來，她會告訴我們消息。

不久之後媽媽來了，她雙眼哭得眼眶泛紅。冷酷的外婆跟在她後面，高大嚴峻，毫無淚水。我們的媽媽在門邊身子搖晃，好像她的雙腳無力到會讓她跌在地上。我跟克里斯一躍而起，但凱芮只是瞪著媽媽那空洞雙眼。

「我開車送克瑞去好幾公里外的醫院，最近的一家，是真的，」我們的母親用乾啞嗓音說著，不時哽咽，「我替他用假名登記，說他是我外甥，我是他的監護人。」

謊話！永遠都是謊話！「媽媽！所以他怎麼樣了？」我不耐問道。

她呆滯的藍眼睛轉向我的方向，眼神空洞地瞪著虛空，目光迷茫地尋找已經永遠消逝的事物，我想那是她流露出的人性。「克瑞得了肺炎，」她像在吟誦一般。「醫生盡力了……可是……已經……

已經太遲了。」

得了肺炎？

盡力了？

太遲了？

她沒講現在怎麼了！

克瑞死了！我們再也見不到他了！

後來克里斯說那消息就好像用腳往他鼠蹊部狠狠一踢，我也看到他踉蹌後退，然後轉身掩住面容聳起肩膀哭泣。

一開始我不相信她說的。我站在那裡瞪眼然後質疑。但她臉上神情說服了我，我胸口有種巨大空洞開始變大。我愣愣地坐在床上幾乎動彈不得，直到我衣服變濕才知道自己在哭。

雖然我坐在那裡哭泣，我還是不願相信克瑞離開我們的人生。還有凱芮，可憐的凱芮，她抬頭往後仰張嘴放聲大哭！

她哭了又哭直到聲音變啞再也不能哭喊。她走到克瑞放吉他和班鳩琴的角落，將他破舊的小網球鞋一雙雙整齊排好。她決定坐在那裡，跟那些鞋子和樂器待在一起，米奇的籠子也在附近，而從那一刻起，她雙唇沒再吐露一字一語。

「我們可以去他的葬禮嗎？」克里斯依然背對著媽媽，惱怒地問道。

「他已經安葬了，」媽媽說道。「我在墓碑上刻了假名。」然後她迅速逃離這個房間，迴避我們的質疑，外婆的嘴唇抿成無情薄線，也跟著離開。

凱芮在我們飽受驚恐的眼前一天天憔悴。我覺得上帝可能也想帶走凱芮，讓她跟克瑞一起用假名埋在遠方墳墓裡，連葬在爸爸附近這點安慰都沒有。

我們所有人都吃得不多。我們無精打采，覺得疲倦。沒有任何事能引起我們的興趣。眼淚——我跟克里斯哭了五座海洋的淚水。我們擔起所有責任。很久以前我們就該逃跑。我們該用那木鑰匙逃出去求助。是我們讓克瑞死掉的！他是我們該負的責任，我們摯愛的安靜小男孩，他才華洋溢，我們卻讓他死去。現在我們有個小妹蹲在角落，一天天虛弱下去。克里斯低聲說話，好讓凱芮不能偷聽，以免她有在聽我們說話，雖然我對此很懷疑（我們的長舌女現在已經又瞎又聾又啞，該死）。「凱西，我們得逃出去，而且要快。要不然我們全都會像克瑞一樣死掉。我們所有人都不太對勁。我們在隔離生活中被關了太久，就像沒有細菌的真空，沒有孩童時常會接觸到的病原體。我們對疾病沒抵抗力。」

「我不懂。」我說道。

「我的意思是，」我們擠在同張椅子上，他小聲說道，「就像那本書《世界大戰》[9]裡火星來的生物，一種感冒病菌就會讓我們全都死掉。」

我嚇到只能盯著他瞧。他懂的比我多太多。我將目光移到角落的凱芮身上。她那可愛的嬰兒臉上眼睛好大還有黑眼圈，空洞地凝視著前方。我知道她將視線定焦在永恆之中，克瑞就在那裡。我給克瑞的所有愛意現在都轉移給凱芮，我是多麼為她擔憂。這皮包骨的小身體，頸子細弱得像撐不住頭。所有瓷娃娃都要這樣走上末路嗎？

「克里斯，就算我們得死，也不能是中了陷阱的老鼠死法。要是病菌會殺死我們，那就殺吧！所以等你今晚偷溜出去，把你能找到的所有值錢東西和我們帶得動的全都拿走！我會把午餐另外打包。取出克瑞的衣物後，我們有更多空間裝東西。在天亮之前我們就離開。」

9 譯注：《世界大戰》（*The War of the Worlds*），英國作家H．G．威爾斯（H. G. Wells）於一八九八年出版的科幻小說。

「不行，」他輕聲說道。「只有等我們知道媽媽和她丈夫要出去，我才能拿走所有錢，一口氣洗劫所有珠寶。只帶我們絕對需要的東西。玩具不行，遊戲也不行。還有凱西，媽媽今晚大概不會出去。她服喪的時候一定不能去派對。」

她必須永遠瞞著她丈夫的時候，要怎麼服喪？除了外婆，沒有人會來告訴我們發生什麼事。她不願跟我們說話也不看我們。在我心中，我們已經離開這裡了，在我眼裡她已屬於過往的一部分。現在我們啟程的時刻即將到來，我好害怕。外頭的世界好大。我們得靠自己。外頭的世界現在會怎樣看待我們？

我們不再像過去那般好看。我不過是有著一頭亞麻長髮的慘白生病閣樓老鼠，穿著昂貴卻不合身的衣服，腳上踩著運動鞋。

我和克里斯讀了很多書自學，電視也教會我們許多關於暴力貪婪和想像方面的事，但很少教導我們任何實際有用的事，讓我們能在面對現實時有所準備。

生存。電視該教導無知孩童這件事。在這個世界要如何生存？在這個世人只顧自己，有時甚至自顧不暇的世界！

錢。如果我們這幾年囚禁生活中學到了什麼，那就是錢擺第一，其他的擺後面。媽媽以前說得真對：「讓世界轉動的不是愛，而是錢。」

我從手提箱取出克瑞的小衣物、他的備用運動鞋，和兩套睡衣，在這過程中我涕淚俱下。我在手提箱的側邊口袋發現樂譜，一定是他自己放的。哦，拿出那幾張紙真讓人心痛，看到他用直尺畫出的五線譜和畫得歪歪扭扭的小小黑色音符和二分音符。在樂譜（他從克里斯找給他的百科全書裡學會自己寫下旋律）下方，克瑞為一首寫到一半的歌曲寫下歌詞：

我希望夜晚會結束

我希望白天會來臨
我希望會下雨或下雪
或是讓風吹起
或是讓草生長
我希望我有昨天
我希望有遊戲可玩……

哦天啊！世上有這麼悲傷憂鬱的歌嗎？這就是那首歌的歌詞，曲調我聽他一彈再彈。希望，他總是希望擁有他所沒有的。而其他男孩都把那些當成平凡生活的一部分。

我好想將所有痛苦都化為尖嚎。

我心裡想著克瑞入睡。一如往常，我憂慮至極墜入夢鄉。但這一次夢中只有我，我發現自己在一條彎曲的泥巴小徑上，左手邊有緋紅和粉紅的野花開在遼闊平坦的草地上，右手邊有黃色和白色花朵在常春的和煦微風下輕柔搖擺。有個小孩牽著我的手。我往下一瞧，以為會見到凱芮，結果是克瑞！他開心笑著在我身邊蹦蹦跳跳，短腿試著跟上我腳步，手上拿著一束野花。他仰頭對我笑正要開口說話，然後我們聽見前方的梧桐樹上有好多顏色鮮豔的小鳥在吱吱喳喳叫。

有個皮膚晒成古銅色、穿著白色網球衣的金髮高瘦男子，從一個景致秀麗的花園走過來，那花園裡有好多樹和燦爛花朵，包括各種顏色的玫瑰花。他在離我們幾公尺的前方停下腳步，對著克瑞張開懷抱。

即使在夢裡，我的心也興奮喜悅地砰砰跳！那是爸爸！爸爸來接克瑞了，好讓他不用獨自走完剩下的路。雖然我知道我該放開克瑞的溫暖小手，但我好想永遠牽著他。

爸爸望向我的目光裡沒有憐惜斥責，只有驕傲讚賞。我放開克瑞的手，站在那裡看他開心跑過去投入爸爸懷中。強健臂彎一把將他抄起，我也曾被那雙手抱住，讓我覺得世界無比美好。而我也會踏下那小徑再次感受那臂彎，讓爸爸帶我到他要去的地方。

「凱西，醒醒！」克里斯坐在我床邊搖著我。「妳在說夢話，又哭又笑，說哈囉又說再見。為什麼妳這麼多夢？」

我的夢流逝得太快，我的話只剩隻字片語。克里斯坐在那裡看著我，凱芮也聽見而醒了過來。我最後一次見到爸爸已經是好久以前的事，他的臉孔在我記憶中褪色，但當我望向克里斯，又感到非常困惑。他跟爸爸長得好像，只不過比較年輕。

那個夢好幾天都縈繞在我心頭，令人愉悅。那個夢給我平靜，讓我明白我不曾明白的事。人們不曾真正死去。他們只是去了一個更好的地方，等待他們所愛之人前來團聚。然後他們又會再次回到世上，和他們第一次來到世間時的方式一樣，不斷輪迴。

21 逃離

十一月十日。這是我們關在囚牢的最後一天。上帝沒向我們宣布日期，但我們能自己決定。

今晚一過十點，克里斯就會去進行最後一次的搶劫犯罪。我們的母親只來探望我們幾分鐘，顯然現在對我們態度很不友好。「我跟巴特今晚要出去。我不想去，但他很堅持。瞧，他不懂我為什麼看起來這麼悲傷。」

我猜他確實什麼也不知道。克里斯在腋下夾了雙層枕頭套以便攜帶沉重首飾回來。他站在打開的門口看了我和凱芮好久好久，然後才關門用他的木頭鑰匙把門鎖上，因為他不能讓門一直打開，要是外婆來巡視就會覺得不對勁。我們聽不見克里斯悄聲走過北側漆黑的長廊，因為牆壁太厚而且走廊的長絨地毯會吸音。

我跟凱芮肩併肩躺在一起，我的雙手保護似地環著她。

要是沒有那個夢告訴我克瑞過得很好，我大概還會因為他不在身邊而哭泣。我壓抑不住對那小男孩的心痛，他只要確定他哥哥不會聽見就叫我媽媽。他總是怕克里斯會覺得他娘娘腔，因為他很想念、很需要他媽媽，所以得拿我當媽媽替身。即使我告訴他克里斯不會笑他或嘲弄他，因為克里斯自己曾經也很需要媽媽，但克瑞還是將這件事當成我們兩個和凱芮的祕密。他必須裝得很有男子氣概，說服自己沒有爸爸或媽媽無關緊要，但其實一直都重要，非常重要。

我緊緊抱著凱芮，發誓要是我有小孩，一定不會毫無知覺又不回應他們的需求。我會是世上最棒的母親。

幾小時過得像幾年那麼久，最後一次突襲媽媽大套房的克里斯還是沒回來。他怎麼去那麼久？我睜大眼睛，覺得痛苦，然後淚水湧出，彷彿看見他遭遇什麼可怕的事。

巴特．溫斯洛，那疑心病重的丈夫，他逮到了克里斯！叫了警察！把克里斯關進監獄！媽媽會冷靜地站在一旁，稍微表現出震驚訝異，有人竟然敢偷她東西。哦不，她當然沒有兒子。拜託，所有人都知道她沒生小孩。他們有見過她跟小孩在一起嗎？她不認識那個金髮碧眼長得很像她的男孩。再怎麼說，她畢竟有很多親戚遍布各地，而且就算他真有血緣關係，是隔五代或六代的遠親，賊就是賊。

還有外婆！要是她逮到他……那是最可怕的懲罰！

晨曦很快地在一隻公雞微弱啼叫中到來。

太陽不甘願地徘徊在地平線上。很快就會來不及離開這裡。列車一早會經過那個車站，我們得在外婆打開房門發現我們離開的好幾小時前就動身。她會派出搜查隊？通知警方？她大概什麼都不會做，只是任憑我們離去，慶幸終於擺脫掉我們？

我絕望地爬上閣樓樓梯向外張望。多霧又寒冷的一天。上星期的雪依舊遍布四處。沉悶詭譎的日子似乎永不可能帶給我們歡樂或自由。我又聽到公雞咕咕啼，雞鳴在我無聲禱告時聽起來隱約又遙遠，不管克里斯在哪做些什麼也會聽見的，這會讓他加快腳步。

我記得，哦！我還記得克里斯溜回來的那個寒冷清晨。我躺在凱芮旁邊，煩躁地淺眠，所以我們的房門一打開我立刻驚醒。我穿著整齊地躺在那裡，即使半夢半醒依然處於等待狀態，因為克里斯會回來解救我們所有人。

克里斯站在門邊躑躅不前，用呆滯的目光盯著我。然後他朝我的所在方向不疾不徐走來，好像他本該如此。我只能一直盯著那雙層枕套——好扁！看起來好空！「首飾呢？」我叫喊著。「你怎麼去那麼久？看看窗外，太陽都升起了。我們來不及準時趕到火車站！」我的聲音變得冷硬，帶著控訴又憤怒。「你又心軟了對不對？所以你才沒有帶媽媽那些珍貴珠寶回來？」

他這時走到了床邊，只是站在那裡，手中拿著扁扁的空枕套。

「沒了，」他呆呆說道，「全部首飾都不見了。」

「不見？」我尖聲問著，十分肯定他在說謊掩飾，他果然還是不想拿走他母親珍視的物品。然後我看著他的雙眼。「沒了？克里斯，珠寶一直都在那裡的。而且你怎麼了？為什麼看起來這麼不對勁？」

他跪倒在床邊，沒骨頭似地癱軟垂頭往前傾倒，把臉埋在我胸口。然後他開始哭了起來！天啊！怎麼回事？他怎麼哭了？我以為他已經不是男孩而是男人才對，聽到男人哭泣實在可怕。

我抱著他，雙手在他頭髮、臉頰、手臂和背上輕撫，然後我親吻他，盡一切努力來緩和他遭遇到的所有壞事。我見過媽媽在他沮喪時這麼做，而我出於本能不怕他會感情勃發到超乎我所能給的。

老實說，我得逼他開口解釋。

他哽住抽咽然後吞回去。他抹掉眼淚，用床單一角把臉弄乾。然後他轉頭讓自己凝視著那些描繪地獄景象和折磨的畫作。他講得斷斷續續，條理不分，時常還要因為忍住哭泣而停頓。

在如此情況下，他終於開口述說，他跪在我床邊，而我握著他顫抖雙手，他全身抖個不停，藍色眼睛陰鬱淒涼，告誡著我將會受到震驚。我有了預警，但還是沒準備好聽到那些話。

「嗯，」他呼吸困難地開始說，「我一踏進她的套房就覺得怪怪的。我沒開燈，只用手電筒掃視四周，然後簡直不敢相信！太諷刺了……我們太過怨恨絕望又痛苦，才會這麼晚行動！凱西，她走了！媽媽和她丈夫走了！不是去鄰居派對那種，而是真的離開這裡！他們拿走房裡所有私人物品：衣櫥裡的小飾品、梳妝台上的小雜物、乳霜乳液粉餅和香水——原本在那裡的東西全都不見了。她梳妝台上空無一物。

「這讓我簡直快發瘋，我像個瘋子到處跑，拉開抽屜仔細搜索，希望能找到值錢東西能讓我們拿去典當……然後我什麼也沒找到！哦，他們打包得真仔細，連個小瓷盒也沒留下，更別提那些價格昂貴的沉重威尼斯玻璃紙鎮。我跑進更衣間拽開所有抽屜。是啊，她是留了一點東西，對我們或任何人都是毫無價值的廢物：唇膏、冷霜、和其他類似東西。然後我拉開那個底層的特殊抽屜，就是她很久以前告訴我們的那個，那時她從未懷疑我們會偷她東西。我得把那個抽屜整個拉出來然後放在地上。然後我摸索後方的小按鈕，必須按下特定數字組合——她的生日，要不然連她自己都會忘記。記得她是怎麼笑著對我們說這件事嗎？那個暗格彈了開來，裡頭有很多天鵝絨底盤，上頭原本應有數十只戒指塞在一個個小空格裡，現在上面一個戒指也沒有！沒有！然後手鍊項鍊和耳環也沒了，所有東西都不見了，凱西，就連妳戴過的頭飾也沒了。天啊，妳不知道我有什麼感覺！妳求我那麼多次，就算只拿個小戒指也好，但我就是不肯，因為我信任她。」

「克里斯，別再哭了，」我在他哽咽時說道，他再次把頭埋到我胸口。「你不知道她會走，至少在克瑞才剛過世的時候。」

「是啊，她很悲痛，不是嗎？」他痛苦地問著，我的手指撫著他頭髮。

「凱西，真的，」他繼續說著，「我完全失控。我打開所有衣櫥翻出了冬季衣物，馬上發現所有夏季衣物都不見了，還缺了他們那兩只高級行李箱。我清空鞋盒然後洗劫衣櫥抽屜，我翻找他放硬幣的錫罐，可是他也把錫罐帶走了，或是藏到更隱祕的地方。我什麼都找，所有地方都找了，覺得快瘋掉。我甚至想過要拿走一盞大燈，不過我抬了抬卻好像有一噸那麼重。她的貂皮大衣都還留著，我想過要偷一件出來，可是妳曾試穿過，全都太大件，要是一個年輕女孩穿著不合身的貂皮大衣，外面的人可能起疑心。貂皮披肩都不見蹤影。要是我拿一件大尺寸的貂皮大衣可能就塞滿一只手提箱，我們就沒地方放自己的東西和我可能賣得出去的畫作，而且我們也需要自己的衣物。真的，我煩惱得不得了，好想找出值錢東西，因為要是我們錢不夠要怎麼謀生？妳知道嗎，那時我站在她房間裡思考我們的處境，還有凱芮的病，我能不能當上醫生變得一點也不重要。我一心只想讓我們離開這裡！

「然後在我似乎找不到東西可偷時，我望向床頭櫃的下方抽屜。我之前還沒找過那裡。然後凱西，裡頭放著有爸爸相片的銀色相框、他們的結婚證書、還有一個小小的綠色天鵝絨盒。凱西，那盒子裡放著媽媽的婚戒和訂婚鑽戒，是爸爸送她的。一想到她帶走一切卻把他的相片當成沒用東西留下，實在令人難過，她連他給的那兩只戒指都沒帶。我心中不由得掠過一種古怪想法。說不定她知道是誰從她房裡偷了錢，然後故意把那些東西留下來。」

「才不！」我嘲弄說道，拋開那善心推測。「她只不過是一點也不在乎他了，她有她的巴特。」

「無論如何，幸好我至少找到一些東西。所以這袋子沒像它看起來那麼空。我們拿到爸爸的相片還有她的戒指，不過只有面臨真正的危機時，我才會拿出戒指典當。」

我聽出他語氣中的告誡之意，不過那聽起來似乎沒像原本應有那般地真誠。就好像他只是在扮演過去那個對人信賴的克里斯多弗．瓷娃娃一角，覺得所有人都是善良的。「繼續講吧。接下來呢？」因為他去了那麼久，他剛才說的那些事不可能耗上一整晚。

「我心想既然沒辦法搶劫我們的母親，那我就去外婆房間搶她。」

哦，我的天，我這樣想著。他沒有……他不敢。不過，這真是個完美報復！

「妳知道她有首飾，手指上戴了好多戒指，還有那個該死的鑽石胸針，她當成制服必備裝飾品，每天都要配戴，而且還有那些我們在聖誕派對看到她戴的鑽石和紅寶石。當然，我想她一定還有更多值錢的東西可拿。所以我悄悄走過所有的黑暗長廊，踮著腳尖朝外婆緊閉的房間走去。」

哦，真有膽量。我就永遠做不到……

「房門下透出一道細細的黃色光線提醒我她還醒著。這讓我很不滿，因為她應該睡熟了才對。要是情況沒那麼緊迫，那燈光應該能讓我罷手，不無謀行事——也許妳會說那是『無畏』，因為妳計畫著等妳有一天成為有行動力的女人後，也要當個善於言談的女人。」

「克里斯！別岔開話題！繼續講！告訴我你做了什麼瘋狂的事！如果我是你，我就會轉身直接回來！」

「哦，凱瑟琳．瓷娃娃，我不是妳，我就是我……我很謹慎，非常小心地只打開她房門一點點縫隙，雖然我分秒都害怕門會嘎吱響讓我暴露。不過有人為門軸仔細上好油，我往裡頭瞧，一點也不怕她發現。」

「你看到她沒穿衣服！」我出口打岔。

「沒有！」他惱怒地不耐回答，「我沒看到她光著身子，幸好沒有。她坐在床上蓋著被子，穿著一件布料厚實的長袖睡衣，那件睡袍還有衣領，從她脖子到腰間都扣著鈕釦。不過我確實有點算是看見她沒穿。妳知道我們很討厭她那鋼青色的頭髮。那頭髮不在她頭上！它歪扭地放在她床頭櫃的一顆假人頭上，好像她要確保那頭髮在晚上急需時依然觸手可及。」

「那是假髮？」我震驚地問道，雖然我早該明白。任何人只要一直把頭髮往後梳緊，遲早都會禿頭。

「是啊，妳猜的沒錯，她戴假髮，然後她在聖誕派對時的髮型一定也是假髮。她頭上的真髮是稀疏的黃白色，頭皮上還有大片的粉紅部位，一根頭髮也沒有，只有嬰兒般的短短細毛。她那長鼻子末端戴著無框眼鏡，妳知道，我們從沒見過她戴眼鏡。她的薄唇彎成不滿的弧度，目光緩慢地在她手上拿的一本黑皮大書上游移，那本書當然是聖經。她坐在那裡閱讀妓女和其他邪惡罪行，這足以讓她深深皺眉。我一邊看著，知道自己現在不可能偷她東西，然後她用明信片當書籤，闔上聖經放在床頭櫃上起身跪在床邊禱告。她低頭雙手合十，就像我們做的那樣，然後她小聲地不斷禱告。接著她大聲念著：『上帝，請寬恕我所有罪行。我已盡力而為，若我犯錯，請相信我以為自己沒做錯。願我永在祢眼前蒙恩。阿們。』她爬回床上然後伸手關燈。我站在走廊不知該怎麼辦。我就是沒辦法空手回去找你們，因為我希望我們永遠都不用典當爸爸送媽媽的戒指。」

他繼續說著，現在他把手放在我髮間捧著我的頭。「我走向圓形主廳，五斗櫃旁有個樓梯，然後發現外公的房間。我不知道自己敢不敢打開**他**的門，面對那個年復一年永遠垂死躺著的男人。

「可是，這次是我唯一的機會，我得好好利用。不管怎樣，我像個真正的小偷提著我那枕套袋悄悄走下樓梯。我看見又大又棒的奢華大房間，我思考著在這種大宅裡長大會是怎樣的情形，妳要是看見也會這麼想。我想著有很多僕人無微不至地服侍是什麼滋味。哦凱西，這是棟漂亮房子，家具一定是從國外皇宮進口的，看起來脆弱到不能坐，太過漂亮所以不舒適，有一看就知道是原作的油畫，大半放在台座上的雕像和半身塑像，和鮮豔波斯地毯和東方地毯。而我當然知道怎麼去圖書室，因為妳已經問過媽媽超多問題。凱西，妳知道嗎？我很高興妳曾經問過，要不然我很可能會迷路，主廊有太多往左右延伸的通道。

「不過要找到圖書室再簡單不過：一個長形黑暗又廣大的房間，裡頭靜得像墓園。天花板一定有六公尺高。書櫃高高聳立，有座弧型小鐵梯通向二樓平台讓你能拿到二樓高度的書。在一樓有沿著欄杆滑動的兩座木梯方便取書。我從沒在私人住宅裡見過這麼多書。難怪不會因為媽媽帶書給我們就空出很多空位，雖然仔細一看，能在那長排皮質燙金的精裝昂貴書本之間瞧出齒縫般的空隙。

「那裡有張又黑又大的書桌，大概有一噸重，桌子後方有個高高的旋轉皮椅，我能想像我們外公坐在那裡朝各方發號司令，然後用桌上的電話對外聯絡。凱西，那裡有六台電話。六台！不過我想著可能用得上然後檢查電話時，發現它們線路都不通。書桌的左側有一排高高的窄窗，可以眺望私人花園，就算在夜裡，那依然是令人驚嘆的景觀。有個看起來像上等家具的深色桃花心木檔案櫃。兩座柔軟的黃褐色長沙發放在離牆邊約一公尺的地方，讓你有足夠空間從後方經過。椅子放在靠近爐邊的位置，當然還有許多會讓你絆倒的桌椅和一大堆小古玩。」

我嘆了口氣，因為他說了這麼多我一直想知道的事，不過我還是等著聽見讓我驚慌的可怕事情，等著那把刀向我捅下。

「我以為錢會藏在那張桌子裡。我打開手電筒，打算拉開所有抽屜。抽屜全都沒上鎖。不過這也難怪，因為裡頭全是空的，空空如也！這讓我有點困惑，如果不打算放一堆雜物的話，幹嘛要有桌子？重要文件會放在銀行保險櫃或私人保險櫃，不會放在上鎖的書桌抽屜讓機靈小偷撬開。所有的空抽屜連橡皮圈、迴紋針、鉛筆、鋼筆、筆記本，和其他零碎東西都沒有，為什麼有書桌又不放這些東西？妳不知道我心裡閃過什麼疑惑。然後我下定決心。我能從長形的圖書室瞥見另一頭通往外公房間的門扉。我慢慢朝那頭走去。我終於要見他了……跟那個討人厭的外公面對面，他同時也是我們的半個伯伯。

「我想像我們會面的場景。他會病懨懨地躺在床上，但依舊強硬刻薄，冷酷似冰。我會踢開那扇門打開燈光，然後他會看見我。他會倒抽一口氣！他會認出我……他會知道我是誰，只要瞄一眼就明白。然後我會說『外公，我來了——我是你永遠不想生在世上的孫子。我還有兩個妹妹在樓上北側廂房一間上鎖的房間裡。我曾經還有個弟弟，但他現在過世了，你也是害死他的人！』我心裡想著這些事情，但我不知道自己是否真能說出口。雖然妳鐵定會把一切事情都嚷出來，凱芮要是能說話表達自己，大概也會說得出口，但妳一定可以。不過或許我能說得出口，只要見到他皺眉我就很開心，也許他會悲悽痛苦或是心懷憐憫……不過他更可能會對我們活在世上的事激動憤慨！我明白這點，我片刻都無法再忍受當個囚犯，然後讓凱芮像克瑞一樣死去。」

我忍住呼吸。哦，真大膽，敢面對討厭的外公，就算他還躺在垂死病床上，而那堅固的黃銅棺木還等著他去填滿。我對接下來發生的事屏息以待。

「我小心地轉動門把打算讓他嚇一跳，然後我又為了自己的膽怯感到羞愧，心想我該大膽行動——我抬起腳踢開那扇門！裡頭很暗，我什麼也看不到。而我又不想用手電筒。我在門邊摸索找牆上開關，但就是找不到。我將手電筒直直往前照，看見一張漆成白色的醫院病床。我一徑盯著，因為我看見超出我預料的東西，那張床墊上的藍白條紋棉布是摺起來的。床是空的，房間是空的。沒有垂死外公躺在那裡喘著最後幾口氣，插著管線連接到各種維生機器。凱西，那感覺好像被人揍了一拳，我準備好要見他，他卻不在那裡。

「離床邊不遠的角落有支枴杖，枴杖附近是那台我們見過他坐在上頭的閃亮輪椅。輪椅看起來還很新，他一定不常用。兩張椅子旁只有一個家具，是個櫃子，櫃子上什麼都沒有。沒刷子，沒梳子，什麼都沒有。這房間乾淨得像媽媽留下的套房，只不過這裡不是套房而且牆壁有嵌板。而且外公的病房讓人感覺很久沒人用了。裡頭的空氣汙濁又有霉味。櫃子頂板也積了灰塵。我在裡頭到處走動，尋找能讓我們之後拿去典當的值錢東西。沒有！依然沒有！我滿腹憤恨受挫地匆匆回到圖書室，尋找媽媽曾提起的那幅特殊風景畫，畫作後方牆上藏著保險箱。

「妳知道我們在電視上見過很多小偷打開保險箱，我覺得只要知道原理就簡單無比。只要將耳朵靠在密碼轉盤邊，然後慢慢轉動仔細聆聽不尋常的喀答聲……然後計算……我以為是如此。然後就能聽出數字，正確地轉動，接著，保險箱就會打開。」

我打斷他：「外公為什麼不在床上？」

好像我沒開口似的，他繼續往下說：「我在那裡聽喀答聲。我心想如果夠僥倖，那個鐵製保險箱成功打開，大概也會是空的。凱西，妳知道發生什麼事嗎？我聽出了那個透露數字組合的喀答聲！哈哈！我算得不夠快！無論如何，我還是試著轉動鎖上的轉盤，心想我可能剛好能猜中正確數字和正確順序。保險箱門沒打開。我聽出了喀答聲，但我沒弄明白。百科全書不會認真教你怎樣當賊，那一定要有天分。然後我望著四周尋找又細又硬的東西能塞進鎖孔，希望自己能撬中彈簧讓門打開。然後，我聽見腳步聲！」

「哦！糟糕該死！」我低聲咒罵，替他感到沮喪。

「沒錯！我飛快躲到一張沙發後頭，肚子朝下趴在地上，然後我才想起自己把手電筒遺落在外公的小房間裡。」

「天啊！」

「沒錯！我心想我真是自做自受，但還是安靜不動趴在那裡，然後有一男一女走進圖書室。女生先開口說話，嗓音甜美像個女孩。

「『約翰，』她說道，『我發誓我聽到動靜！我聽見聲音就是從這房間傳出來的。』

「『妳老是說聽見了什麼，』那低沉喉音抱怨著。是約翰，那個禿頭管家。

「那對爭論的男女心不在焉地搜查圖書室，然後又去另一邊的小臥室，我屏住呼吸等他們發現那支手電筒，但他們不知為何沒發現。我想是因為約翰眼中除了那女人什麼也不想看。就在我要起身離開圖書室時他們走了回來，我說真的，他們在沙發上坐下來而我正好就躲在那沙發後面！我把頭埋進屈起的手臂裡，打算小睡一下，心想妳們會在樓上不安地猜想我怎麼還沒回去。不過既然妳們被關在那裡，我不用怕妳們來找我。幸好我沒睡著。」

「為什麼？」

「凱西，讓我照我的方式說完，拜託。『瞧，』約翰說道，他們回到圖書室坐在沙發上，『我不是告訴過妳，這裡和那裡都沒人嗎？』他的聲音聽起來很得意，沾沾自喜。『莉薇，真的，』他繼續說道，『妳一直都太緊張。這樣就一點樂趣也沒有了。』

「『可是約翰，』她說道，『我真的聽到了。』

「『就像我之前說的，』約翰回應，『妳聽了太多不該聽的。見鬼了，妳今天早上不是還說閣樓又有老鼠了，而且很吵。』然後約翰低沉咯咯笑著，他一定做了什麼事讓那漂亮女孩發出響亮的傻笑聲，即使她有抵抗也只是欲拒還迎。

「然後約翰咕噥說著，『那個老賤人要把閣樓裡的小老鼠全殺光。她用野餐籃帶食物過去……食物分量足以殺掉一整支德軍那麼多的老鼠。』」

天啊，我聽到克里斯說到這裡，還不覺得哪裡不對勁，我真蠢，多麼天真，滿懷信賴。

克里斯清了清喉嚨才繼續往下說。「我的心頭有股怪異感覺，心臟發出砰砰巨響，我以為沙發上的那對男女一定會聽見。

「『是啊，』莉薇說道，『她是個刻薄無情的老女人，老實告訴你，我一直都比較喜歡那個老人，至少他還會笑。可是那女人，她不懂什麼是笑。我一次又一次來這裡打掃，然後發現她在他房間裡……她只是臉上帶著古怪淺笑站在那裡瞪著他的空床，我覺得那是幸災樂禍的笑容，因為她活得比他長，現在她自由了，再也沒人能壓迫她，叫她這個那個都不能做，我一開口她就匆匆離去。天啊，有時候我真不懂她怎麼能夠忍受他，他又怎麼受得了她。不過現在他死了，她得到他的財產。』

「『是啊，她確實有一些錢，』約翰說道。『是她家族留給她的財產。可是她的女兒拿到老麥爾坎．尼爾．佛沃斯留下的所有百萬財產。』

「『哦，』莉薇說道，『那個老巫婆不需要更多錢。別怪那老人把所有家產都留給他女兒。明明有看護替他打理生活，他女兒還得忍受他弄出來的髒亂在他身旁盡心盡力伺候。而且他還把她當奴隸對待。不過她現在也自由了，嫁給那個英俊的年輕丈夫，而且她也依然年輕貌美又多金。如果我是她的話，不知道會有什麼感覺？有些人鴻運當頭。而我……一點運氣也沒有。』

「『莉薇寶貝兒，那我呢？妳有我啊！至少在下一個漂亮臉蛋的人出現之前。』

「我在沙發後聽見所有對話，覺得震驚不已。我很想吐，但我靜靜趴在那裡聽沙發上的男女繼續說個不停。我好想爬起來然後飛快回到妳跟凱芮身邊，在一切還來得及前帶妳們離開這裡。

「但我在那裡動彈不得。要是我行動就會被他們發現。而且那個約翰跟外婆有親戚關係……隔了三代的表親，媽媽說的……雖然我覺得那完全無關緊要，不過顯然約翰深受外婆信任，要不然外婆就不會允許他開她的車。凱西，妳見過他的，那個穿制服的禿頭男人。」

我當然知道他說的是誰，但我只是癱在那裡，內心驚愕無比，完全說不出話來。

「所以，」克里斯用那極度平板的聲音說下去，一點也沒露出他的憂慮害怕或驚嚇。「我躲在沙發後面，頭埋進手臂裡，閉上眼睛試著讓心臟別跳得那麼大聲，約翰和那女僕開始認真辦事。我聽到他們那些小動作，他開始脫她衣服，她也脫了他的。」

「他們互相脫衣服？」我問道。「她真的幫他脫掉衣服？」

「我覺得聽起來像那樣。」他淡淡地說道。

「她沒有尖叫或抵抗？」

「該死，才沒有。她樂得很！而且天啊，他們做了好久好久！哦，凱西，他們發出的那些聲音，妳絕對難以置信。她呻吟尖叫又抽氣喘氣，他的哼聲好像被宰的豬，不過我想他一定在那方面很在行，因為她最後叫得好像快發瘋了。完事後，他們躺在那裡抽雪茄，談論大宅裡的八卦，相信我，沒什麼事他們不知道的。然後他們又做了一次。」

「一個晚上兩次？」

「這是有可能的。」

「克里斯，為什麼你說話很不對勁？」

他頓了頓，稍微拉開距離然後探究我的神色。「凱西，妳沒在聽嗎？我懷著極大痛苦把所有發生過的事都告訴妳。妳沒聽見嗎？」

我聽見了嗎？有啊，我什麼都聽進去了。

他等了太久才去洗劫媽媽辛苦得來的那些首飾。就像我之前懇求他的，他應該每次都偷拿一些。所以媽媽和她丈夫又去度假了。這算什麼消息？他們總是來來去去。為了離開這棟大宅，他們什麼都會做，我也不能責怪他們。我們不也正準備做出同樣事情嗎？

我皺起眉頭，向克里斯露出質疑目光。顯然他知道某些事卻沒告訴我。他還是護著她，他還愛她。

「凱西。」他的聲音沙啞痛苦。

「克里斯，不要緊。我沒有怪你。所以我們親愛和藹可親又迷人的媽媽和她年輕英俊的丈夫又外出度假，而且帶上了所有珠寶。我們還是可以勉強過活的。」再見了，外頭世界的安逸生活。可是我們還是要離開這裡！我們可以工作，會想辦法謀生，而且付錢讓醫生治好凱芮。別再想著珠寶，別再想著媽媽無情無義，沒提她的去處和歸期就撇下我們。現在我們已經習慣那可恨嚴酷又無情的冷淡對待。**克里斯，為什麼你哭得這麼厲害？為什麼你要痛哭？**

「凱西！」他出聲怒斥，淚流滿面的臉轉過來直視著我。「妳沒聽見，沒反應過來嗎？妳的耳朵都長到哪去了？妳沒聽見我說的？我們的外公死了！他已經去世快一年了！」

也許我真的沒在聽，聽得不夠仔細。也許是他的悲痛讓我沒聽進所有事情。現在我才頭一回真正聽見這消息。要是外公真的死了，這真是驚人的好消息！現在媽媽可以繼承財產了！我們會變有錢人！她會打開門鎖，她會放我們自由。現在我們不用逃跑了。

其他的思緒洶湧而出，浮現一連串的可怕疑問——媽媽沒告訴我們她父親死了。她明知這些年對我們有多漫長，為什麼她依然將我們留在這黑暗裡，讓我們一直等？為什麼？我困惑不解，不知道該有什麼情緒反應。我該高興快活？還是該悲傷？那猶疑未決化為令人無力的古怪恐懼。

「凱西。」克里斯低聲說著，雖然我不懂他為何要小聲說話。凱芮不會聽見。她隔絕在自己的世界裡。凱芮徘徊在生死交界，知道她讓自己愈挨餓就離克瑞愈近，失去她的另一半靈魂讓她拋下求生意志。「凱西，媽媽故意欺騙我們。她的父親死了，幾個月後就宣讀遺囑，可是她一直都閉口不提，卻讓我們在這裡等到腐爛。九個月前，我們比這九個月以來健康得多！要是媽媽在她父親去世那天或遺囑公布後就放我們出去，克瑞現在就還活著。」

我崩潰地墜入媽媽親手掘挖，打算溺斃我們的背叛深井中。我開始哭泣。

「等會兒再哭吧，」克里斯說道，他自己也哭了。「妳還沒把所有事情都聽完呢。還有很多更糟的事……」

「還有？」他還能對我說什麼？我們的母親已經被證實是個撒謊的騙子，偷走我們的青春，在得到那筆財產的過程中還害死克瑞，不想把財產分享給她不想要不再愛的孩子。哦，她那晚給了我們不開心就可以念的小小禱告文，她對我們說的多好聽啊。她是否知道而且猜到自己會變成外婆想讓她變成的**那個樣子**？我倒向克里斯懷中，伏在他胸膛上。「別再說了！我聽夠多了……別讓我更恨她！」

「恨……妳還不明白什麼是恨。可是在我告訴妳一切事情之前，妳要記住，無論如何我們都要離開這裡。我們要去佛羅里達，就像我們之前所計畫的。我們會住在陽光燦爛的地方，盡可能讓自己過得很好。永遠都不要對自己感到羞恥，跟媽媽做的事比起來，我們之間的事不算什麼。如果妳比我早死，我也會記得我們在這裡和在閣樓的生活。我會看到我們在紙花下跳舞，妳是如此優雅，而我笨手笨腳。我會聞到塵土味和腐爛木頭的味道，我會記得那聞起來像玫瑰般的甜美香水，少了妳，一切將會乏味空虛。是妳讓我初嘗愛的滋味。」

「我們要改變。我們要丟棄自己壞的部分，留下好的。但無論如何，我們三個都要團結，齊心齊力。凱西，我們的身體心理和情緒都會成長。不僅如此，我們要朝著自己的目標前進。我會成為聞名於世最傑出的醫生，妳會讓帕芙洛娃像個笨拙的鄉下姑娘。」

「好了，克里斯，你讓我歇口氣了。什麼事我都能面對。還有，謝謝你告訴我這一切，謝謝你愛我，謝謝你沒有變得自暴自棄。」我很快地親了下他的嘴唇，要他繼續說下去，再給我致命一擊。

「真的，克里斯，我知道你一定有什麼糟透的事要告訴我，那就說吧。你抱著我說，這樣一來你說什麼我都能承受。」

我是多麼年輕，多麼沒想像力，而且多麼自信自恃。

22 結束與開始

「猜猜她是怎麼對他們說的，」克里斯繼續說道。「有關這間房間在每個月最後一個週五不用清掃的原因。」

我怎麼猜得到？我得有她那種心腸才會知道。我搖搖頭。很久以前開始僕人就不再來到這房間，我已經記不起一開始那可怕的幾個星期。

「凱西，是老鼠，」克里斯說道，他藍眼中冷酷堅硬。「老鼠！閣樓裡有上百隻老鼠，我們的外婆編造出聰明的小老鼠，會從樓梯跑到二樓來，邪惡的小老鼠逼她將這扇門上鎖，在房間裡留下覆滿砒霜的食物。」

我邊聽邊覺得讓僕人退避三舍的這故事實在有巧思，妙極了。閣樓裡確實有老鼠。牠們也確實會爬樓梯。

「凱西，砒霜是白色的，白的。混在糖粉裡就嘗不出砒霜的苦味。」

我頭暈目眩！每天送來的那四個甜甜圈上有糖霜！我們一人一個。現在籃子裡只剩三個！

「可是克里斯，你說的沒道理啊，外婆為什麼一次只對我們下一點點毒藥？為什麼不一口氣放下能立刻毒死我們的分量，不就完事了？」

他修長的手指撫過我頭髮，用掌心捧著我的臉。他低聲說道，「想想我們過去在電視上看到的老電影。還記得那個幫老年人料理家務的美麗女子？當然，是有錢的老人。等她贏得他們信賴而且有了感情，他們就把她寫進遺囑裡，而且她每天都會餵他們吃一點砒霜？每天只吃進少許砒霜，全身系統就會慢慢吸收，受害人會覺得自己一天天虛弱，可是並不嚴重。輕微頭痛和反胃都可以輕易找到理由，所以等受害人死亡送進醫院診斷時，他已經瘦削貧血，而且有一長串乾草熱和感冒等等疾病的病史。醫生不會懷疑中毒，因為受害人的症狀全都符合肺炎，或者純粹是年紀大了，就像那部電影裡一樣。」

「克瑞！」我抽了口氣。「克瑞死於砒霜中毒？媽媽說是肺炎害死他的！」

「她想對我們說什麼就能說什麼啊？我們怎麼知道她說的是事實？說不定她根本沒帶他去醫院。就算她帶他去了，醫生顯然也沒有懷疑死因不尋常，否則她現在就在牢裡了。」

「可是克里斯，」我反駁，「媽媽不會任由外婆對我們下毒的！我知道她想要那筆財產，我也知道她跟以前不一樣，她現在不愛我們，可是她不會想殺我們的！」

克里斯別過臉。「好吧，我們得做個實驗。我們餵克瑞那隻寵物鼠吃一點糖霜甜甜圈。」

不行！不能用米奇，牠信任我們而且愛我們，我們不能那麼做。克瑞很寵愛這隻小灰鼠的。「克里斯，抓別的老鼠吧，任何一隻不信任我們的野生老鼠。」

「凱西，別這樣，米奇年紀大而且又跛腳。妳也知道，要活抓一隻老鼠沒那麼容易。有多少老鼠咬了老鼠夾上的起司還沒死？而且等我們離開以後，米奇被野放也活不下去，牠現在是寵物鼠，靠我們餵食生存。」

可是我打算帶牠一起走。

「凱西，這樣看吧，克瑞死了，他的人生甚至還沒開始。如果甜甜圈沒有毒，米奇就不會死，要是妳堅持的話我們就帶牠走。只有一件事非常肯定，我們得弄個清楚。為了凱芮，我們得積極點。瞧瞧她，妳看不出她也快死了嗎？她一天天衰弱下來，我們也是。」

我們那可愛的小灰鼠蹣跚走來，三隻完好的腳拖著那隻不良於行的腳，牠滿懷信賴地輕咬克里斯的手指，然後才啃食甜甜圈。牠毫不懷疑地吃了一小口，牠信賴我們，我們就是牠的神、牠的父母、和牠的朋友。真叫人目不忍睹。

牠沒死，沒有馬上死去。牠慢慢變得遲緩，倦怠無精打采。接著牠感到些許痛楚而發出哀叫。幾個小時後牠四腳朝天，僵硬冰冷。粉紅的腳趾彎曲成爪，小小的黑豆眼睛無神死寂。現在我們知道了……十分清楚。上帝不曾打算帶走克瑞。

「我們可以把老鼠和那兩個甜甜圈放進紙袋裡，然後拿給警方，」克里斯試探地說道，一直迴避我的目光……

「他們會把外婆關進牢裡。」

「是啊。」他轉過身去。

「克里斯，有些事你還沒說出來。是什麼？」

「晚一點……等我們離開後。現在我能講的全都說了，再講我就要吐了。我們明天一早就離開，」我沒開口他就講個不停。他雙手覆住我的手然後緊緊握著。「愈快愈好，我們要送凱芮去看醫生，我們兩個也得看。」

真是漫長的一天。我們準備好所有東西，無事可做，只好最後再看一次電視。凱芮待在房間角落，我們兩個各占一張床，觀看我們最愛的那齣肥皂劇。「克里斯，戲裡的人跟我們好像，他們很少外出。如果有外出，我們也只聽到消息，沒有看到外出場景。他們在客廳和臥室晃來晃去，坐在廚房裡喝咖啡或是站著喝馬丁尼，可是從來從來沒讓我們看到他們走到外面。然後只要有好事發生，只要他們覺得自己終於走運，就會有不幸的事隨之而來毀滅他們的希望。」

不知怎地我感覺到房間裡還有別人。我屏住呼吸。外婆就站在那裡。她的站姿和殘酷堅硬的灰石眼睛顯露出嘲諷輕蔑，讓我明白她已經站在那裡好一會兒了。

她開口說話，語調冰冷。「你們兩個與世隔絕關在這裡，竟然還懂得世間的道理。自以為是玩笑地誇大人生道理，不過一點也不誇張。妳完全預料得沒錯，沒有任何事會照著原本想的去實現，到最後，永遠只會失望。」

我跟克里斯瞪著她，我們兩個都全身發寒。隱藏在窗簾後的太陽直墜，沒入黑夜裡。她說了她要說的，然後鎖門離開。我們各自坐在床上，凱芮失神地靠在角落旁。

「凱西，別看起來一臉挫敗。她只是想再數落我們一頓。也許她一事無成，但那並不表示我們也註定如此。迎向明天，不要過於期待一切都會完美。然後只期望一點點的幸福，我們就不會覺得失望。」

要是一丁點的幸福就能滿足克里斯，對他是件好事。然而經過掙扎、希望、夢想和渴求的這些年，我想要的像山那麼高！小山還不夠。從今天開始我對自己發誓，我要掌控自己的人生。無論命運、上帝，甚至是克里斯，都再也不能吩咐我該做什麼，或是在任何方面支配我。從今天起我只屬於我，做我要做的，想做才做，不回應他人需求。我曾被囚禁，被貪婪虜獲。我曾遭背叛、欺瞞、撒謊、利用、下毒……但現在這一切都已過去。

媽媽在那個繁星映月的夜晚帶著我們穿過茂密松林時，我不過才十二歲……剛要長成女人的年紀，而在這三年又快五個月裡，我已經長大成人。我比外頭的山脈還蒼老。閣樓裡的智慧深入我骨髓，刻在我腦海，化作我血肉的一部分。

就像克里斯在某個難忘日子引述的聖經話語：凡事都有定期。我想我的幸福日子就在前方等著我。

我以前那副脆弱的金髮瓷娃娃模樣去哪了？消失了。像是瓷器化為鋼鐵般消失不見，我變成無論任何人事物擋住去路，都一定要達到自己目標的那種人。我決然的目光看向凱芮，她低著頭待在角落，頭低到讓長髮掩住臉孔。她才不過八歲半，但她虛弱到走起路來像個老人，她不吃飯、不說話，也不玩娃娃屋裡的可愛小玩意兒。我問她要不要帶走幾個小玩偶娃娃，她還是不抬頭。

然而凱芮和她那頑固抗拒的姿態現在無法對付我了。現在沒有任何人能夠抵抗我堅強意志，何況是一個八歲孩子。

我走了過去將她抱起，她虛弱抗拒，想重獲自由，但卻徒勞無功。我坐在桌旁把食物硬塞進她嘴裡，她想吐出，我就逼她吞下去。我端著一杯牛奶放在她嘴邊，雖然她緊閉雙唇，我還是撬開她的嘴逼她喝下牛奶。她哭喊嚷著我好壞。我帶她進浴室，她拒上廁所，我也用衛生紙逼她上。

我在浴缸裡洗她頭髮，然後幫她穿上好幾件溫暖衣物，我自己也穿了。等她頭髮變乾，我梳著她頭髮直到髮絲閃亮，跟以前有幾分相似，只不過髮量單薄許多，不再那麼燦亮。

在那些漫長的等待時分裡，我抱著凱芮，輕聲訴說我跟克里斯對未來的計畫，我們會住在有金色流動陽光的佛羅里達，過著快樂日子。

克里斯穿著整齊坐在搖椅上，閒適地撥動克瑞的吉他。「跳吧，芭蕾舞者，跳吧！」他低聲吟唱，歌聲其實不太糟。也許我們可以組成音樂人團體，一個三人組合，只要凱芮康復到再度願意重拾嗓音。

我手腕上有只14K金的瑞士表，一定花了媽媽好幾百美金，克里斯也有一只，我們並非身無分文。我們可以賣錢的有吉他、班鳩琴、克里斯的拍立得相機和多幅水彩畫，還有爸爸送媽媽的那些戒指。

明天凌晨我們就要逃離了，可是為何我一直覺得忽略了什麼非常重要的事？

然後我突然想到了！我和克里斯都忘了一件事。既然外婆能打開上鎖房間，然後靜靜站在那裡久到我們沒察覺她到來……那麼她之前是否也做過這種事？要是有的話，她可能現在早已知道我們的計畫！她可能也計畫好要阻止我們逃跑！

我望向克里斯，不知自己是否該提起這件事。他不會放過這次機會找個理由繼續留著，所以我勇敢開口提出質疑。他依然拿著吉他，一點也不慌。「我看到她站在那裡的時候，我腦中就閃過這個可能了，」他說道。「我知道她很信賴那個管家約翰，她很有可能會叫他待在樓梯下面以免我們逃脫。就讓他試試吧！沒有任何人事物可以阻止我們明天一早離開！」

然而，外婆和她那位管家會在樓梯下方等候，這種想法揮之不去，令我心煩。撇下在床上熟睡的凱芮，撇下坐在搖椅上彈吉他的克里斯，我漫步走上閣樓向它道別。

我站在懸掛的燈泡正下方環顧四周。我的思緒回到我們第一次走上閣樓的那天……我看見我們四個手拉著手四處張望，這龐大閣樓和裡頭的可怕家具與成堆廢物令我們不知如何是好。我看見克里斯站在高處，冒著生命危險替凱芮和克瑞掛上鞦韆繩索。我慢慢走進那間教室，望著雙胞胎曾坐在那裡學讀寫的舊桌椅。我沒望向那個有汙漬又難聞的床墊，我們曾在上頭做日光浴，然而它會讓我回想起別的事。我凝視著有閃亮花心的花朵，還有歪一邊的蝸牛和可怕的紫色蟲子，以及遍布在我們的花園叢林迷宮裡，我和克里斯寫下的那些告示牌。我看到自己在跳舞，向來是一個人獨舞，除非克里斯站在暗處觀看，讓彼此感同身受。因為我跟克里斯共舞華爾滋時，我讓他判若兩人。

他在樓梯下方出聲。「凱西，該走了。」

我飛快跑回教室，在黑板上用白粉筆寫下大大的字：

我們住在閣樓裡
我、克里斯多弗、克瑞、凱芮
現在只剩三個人

我簽下自己的名字，然後寫下日期。我心中明白我們四個人的幻影會勝過這閣樓教室裡關住的其他孩童幻影。我留下謎團，等待未來有人來解開。

裝著米奇和兩個有毒甜甜圈的紙袋放在克里斯的包包裡，他用那支木頭鑰匙最後一次打開我們那扇牢門。要是外婆和管家在樓下，我們會奮力搏鬥。克里斯拿著兩只手提箱，裡頭裝著我們的衣物和其他物品，肩上掛著克瑞鍾愛的吉他和班鳩琴。他帶頭走過所有昏暗走廊來到大宅後的樓梯。凱芮在我懷裡半睡半醒。比起我們將近三年前抱她上樓梯的那晚，她現在不過只重了些許。我哥哥提著的那兩只手提箱，恰恰正是很久以前那個可怕夜晚裡，媽媽扛不動的那兩只手提箱，那時我們還那麼年幼，那樣愛著、相信著。

我們的衣服裡用針別上兩個小袋子，裡頭裝著從媽媽房間偷來的鈔票，各放著同樣金額以免我跟克里斯難以預期地失散，那樣一來我們誰也不會身無分文。而凱芮一定會跟著我們其中一個，不怕沒人照顧。那兩只手提箱裡有沉重硬幣，一樣分成兩袋，平衡重量。

對於外界會有什麼等著，我們很有自覺。我們看了那麼多電視，學到無情的世間正伺機等候天真無知的人。我們確實年少軟弱，又虛又病，但不再天真無知。

我等著克里斯打開後門時心跳都停擺了，每一秒鐘都害怕有人會來攔我們。他踏出門後，回頭對我笑。

外頭很冷。點點積雪在地上融化。很快地，雪花會再次飛舞，上方的灰色天空如此預示著。不過，還是沒有比閣樓裡來得冷。我們腳底的地面很泥濘，多年來只行走在硬實的木頭地板上，現在感覺很怪。我還沒有安下心來，因為約翰可能會追上來帶我們回去，或只是試圖帶我們回去。

我抬頭嗅聞山裡清淨強烈的空氣，像是會讓人醉倒的氣泡酒。有一小段路我仍抱著凱芮，然後我才讓她自己站好。她搖搖晃晃地望著四周，神情茫然迷惘。她聞了聞，然後搔搔她那小而美的發紅鼻子。哦……她不會這麼快就感冒吧？

「凱西，」克里斯回頭叫我，「妳們兩個得快一點。我們時間不多，而且路還很長。凱芮累了就抱她。」

我抓起她的小手，拖著她往前走。「凱芮，深呼吸。不用多久，新鮮空氣、美味食物、陽光就會讓妳覺得健康有力氣。」

她蒼白的小臉仰望著我，眼神裡終於閃動希望？「我們要去見克瑞嗎？」

自從我們得知克瑞死去的那悲慘日子，這是她問出的第一個問題。我低頭看她，明白她深刻渴求著克瑞。我沒辦法說不是。我就是無法熄滅那希望火花。「克瑞在一個很遠、很遠的地方。妳有沒有聽我說過，我看見爸爸在一個很漂亮的花園裡？妳有沒有聽我說，我看見爸爸把克瑞抱在懷裡，爸爸現在會照顧克瑞？他們會等我們，有一天我們會再見到他們，不用太長的時間。」

「可是凱西，」她皺眉抱怨，「要是我不在那裡，克瑞不會喜歡那花園的。要是他回來找我們，他就不曉得我們去哪了。」

如此一本正經的話讓我雙眼含淚。我舉起她，試著抱好，但她仍然掙扎著，拖著雙腳躊躇不前，同時半扭著身子以便回頭望著我們離開的那棟大宅。

「凱芮，來吧，走快點！克瑞正看著我們，他想要我們逃出來！他跪在地上祈禱我們能逃出來，在外婆派人來帶我們回去，把我們又鎖起來之前！」

在蜿蜒小徑上，我們緊跟在克里斯後頭，他腳程很快。他像我相信的那樣可靠，帶著我們來到那個相同的小車站，只有一片錫屋頂靠四根木柱支撐，還有一張不牢固的綠長凳。

圓弧的朝日從山頂窺探而出，驅走清晨的薄霧。我們離車站愈來愈近，天空變成薰衣草和玫瑰的顏色。

「凱西，快！」克里斯嚷著。「要是我們錯過這班車，我們就得等到下午四點！」

哦！天啊，我們不能沒趕上這班車！要是我們沒搭上，外婆就絕對有足夠的時間把我們再抓回去！

我們看到一輛郵車，有個高大得像稻稈掃把的男子站在地上的三個郵袋旁。他摘下帽子，露出像肥皂鋼絲球般的紅髮。他親切地朝我們笑，「你們還真早啊，要去夏洛茲維爾市？」他爽朗地打招呼。

「對！要去夏洛茲維爾。」克里斯回應，他鬆了口氣放下兩只手提箱。

「小女孩很漂亮啊，」高大的郵差將目光掃向凱芮，眼神憐惜，凱芮害怕地依偎在我裙邊。「不介意我這麼說的話，她好像身子有點弱。」

「她病了，」克里斯出聲證實。「不過她很快就會好起來。」

郵差點點頭，看起來相信了這個說詞。「有票嗎？」

「有帶錢。」然後克里斯又聰明地加了一句，警戒著不太可靠的陌生人，「不過只夠付車錢。」

「哦，孩子，那就掏錢吧，因為那班五四五次火車來了。」

我們坐上清晨列車，朝夏洛茲維爾市前進，我們看到聳立在山坡高處的佛沃斯大宅。我跟克里斯都挪不開視線，只能一徑盯著我們的牢房外觀。我們特別把目光放在有著緊閉黑色門葉窗的閣樓窗戶。

然後我的注意力移到北側廂房，專注在二樓的邊間上。我用手肘輕推克里斯，那房間的厚重窗簾拉開了，出現一個高大老婦人模樣的陰暗微小人影，她正朝外頭張望，尋找我們，然後人影消失了。

她當然看得見火車，但我們知道她看不到我們，就像我們從來就看不見火車上的旅客一樣。話雖如此，我跟克里斯還是在座位上壓低身子。「她那麼早就上樓幹嘛？」我輕聲對克里斯說道，「她通常不到六點半是不會帶食物上來的。」

他笑了笑，語氣苦澀。「哦，不過是她又想試著逮到我們做什麼有罪又禁忌的事。」

或許吧，但我想弄清楚，當她走進房間發現裡面空無一人的時候有什麼想法？有什麼感受？衣櫥和抽屜裡的衣物都不見了，而且也沒有人聲和腳步聲從頭上的閣樓傳來，即使她出聲叫喚。

我們在夏洛滋維爾市買了開往沙拉索塔市的巴士車票，接著得知我們得等兩個小時才有下一班南下的灰狗巴士。兩個小時夠讓約翰跳上黑色轎車，追上火車慢車了！

「別想那種事，」克里斯說道，「妳不知道他是否真知道我們的事。雖然他大概刺探了不少事，能自己想清楚，但她如果親口告訴他就太蠢了。」

要是他被派來抓我們的話，我們想到不讓他找到我們的最好辦法就是不停移動。我們把兩只手提箱、吉他和班鳩琴放在租借的置物櫃裡。我們手拉著手，凱芮在中間，我們漫步在這城市的大街上，佛沃斯大宅的僕人休假時會來這裡拜訪親友、購物看電影、或是從事其他娛樂活動。要是今天是星期四，我們就真的得提心吊膽。不過今天是星期天。

我們看起來一定很像其他星球來的訪客，穿著不合身的大件衣服，腳踩運動鞋，頭髮又剪得很難看，而且臉色還很蒼白。但是沒有一個人如同我害怕的那樣盯著我們瞧。我們就像人類種族的一份子被接納，一點也不出奇。能夠重回擁擠人群感覺真好，每張臉孔都不相像。

「不知道每個人匆匆忙忙地要去哪？」克里斯問道，我也正好在想同一件事。

我們在轉角佇步，猶豫不決。克瑞應該埋在離這裡不遠的地方。哦，我多想找到他的墳墓，然後獻上花束。有一天我們會帶著黃玫瑰回來，我們會跪下來禱告，不管有沒有用。至於現在，我們得前往更遠更遠的地方，不讓凱芮身陷危險……遠離維吉尼亞州，直到我們帶她去看醫生。

然後克里斯從他夾克口袋掏出那個裝著死老鼠和糖霜甜甜圈的紙袋。他嚴肅的雙眼與我對視。他漫不經心地把紙袋拿到我面前端詳我的神情，他的目光裡訴說著：以眼還眼？

那個紙袋象徵著如此多的事。所有我們虛度的那些年、錯失的學業教育、玩伴和朋友、以及我們應能歡笑而非垂淚的那些日子。那袋子裡有我們的挫敗恥辱、成噸的孤寂，還有失望和懲罰。最重要的是，那袋子更象徵著失去克瑞。

「我們可以去找警察，把我們的事情都講出來，」克里斯多弗說道，他的目光依然閃躲，「政府單位會保護妳跟凱芮，妳們不用逃跑。妳們可能會被送去寄養家庭或是孤兒院。至於我，我不曉得……」

克里斯只有隱瞞事情時才會不正眼看我說話，而那件事只有等我們離開佛沃斯大宅才能說。「克里斯，好啦。我們已經逃出來，逃得遠遠的了。你到底有什麼事沒講？」

他低著頭，而凱芮抓著我裙子依偎得更近，她出神地瞪大眼睛望著驚人的交通往來，許多人匆匆走過，有些人對著她笑。

「是媽媽，」克里斯低聲說道。「記得她說過，為了贏回外公認同讓她繼承財產，什麼事她都會做嗎？我不知道他要她承諾什麼，但我聽到僕人在談論。凱西，就在外公去世的前幾天，他在遺囑上寫了附加條款。條款裡說要是媽媽被證實跟她第一任丈夫生下孩子，她繼承的所有東西都會被收回，而且還要歸還她用財產買的所有東西，包括衣物珠寶首飾和投資。所有東西。不僅如此，他甚至還註明，要是她在第二任婚姻裡有小孩，她也會失去一切。媽媽以為外公原諒她了，但他沒原諒也不能忘懷。他就算進了墳墓也要繼續懲罰她。」

我的雙眼震驚睜大，把他沒說完的話補上。「你說是媽媽……不是外婆，是媽媽做的？」

他聳肩，好似一點也不在乎，但我知道並非如此。「我聽到那個老婦人在床邊禱告。她心地邪惡，但我懷疑甜甜圈是否由她親自下毒的。她帶了甜甜圈給我們，知道我們吃下點心，但她一直警告我們不要吃。」

「可是克里斯，不可能是媽媽。開始每天送來甜甜圈的那時，她在度蜜月。」

他的笑容變得痛苦古怪。「是啊。但遺囑是在九個月前就宣讀的，九個月前媽媽回來了。只有媽媽從外公的遺囑裡得到好處，外婆沒有，她有自己的財產，她只是每天帶野餐籃上來而已。」

我有好多問題得問，可是凱芮緊靠著我，盯著我瞧。我不想讓她知道克瑞不是自然死亡。就在此時克里斯把裝著證物的紙袋放進我手裡。「由妳來決定。妳的直覺一向都對，要是我聽進去了，克瑞現在就還活著。」

沒有一種恨能勝過被愛背叛而生的恨意，我的心中尖哮著復仇。沒錯，我想見到媽媽和外婆關在牢裡的柵欄後，坦承預謀殺人——四條人命，如果把意圖殺人也算進去。她們只會像籠中的灰鼠，如同我們被關住那般，不過她們還比較幸運，有吸毒犯、妓女，和像她們一樣的殺人犯陪著作伴。她們的衣服會是灰綿囚衣。媽媽不能一週去兩次美容沙龍，沒有化妝品，沒有專人美甲，也不能一週泡一次澡。她甚至失去她私密身體部位的隱私權。哦，她還得忍受沒皮草可穿也沒珠寶可戴，冬天來臨時也不能去南方海邊來趟避冬溫暖之旅。沒有英俊迷人的年輕丈夫一起在天鵝床上嬉鬧。

我仰望天空，上帝應該在那上頭——我能讓祂用神能從我身上取走公正的砝碼，將天平恢復平衡嗎？

我覺得這很殘酷很不公平，克里斯竟把下決定的重擔擱到我肩上。為什麼？是因為他會原諒她做的任何事，連克瑞的死和她試圖殺害我們所有人都能原諒？他是否會認為那樣的雙親足以逼她做出任何事，包括謀殺？全世界的錢足以讓**我**想殺自己的四個孩子嗎？

我腦中閃過許多畫面，憶起爸爸過世前的日子。我看到我們所有人都在後院裡開懷歡笑。我看到我們在沙灘上、在划船、在游泳，或是在山上滑雪。我也看到媽媽在廚房裡努力做飯，讓我們所有人都開心。

是啊，她的父母一定知道怎樣才能殺掉她對我們的愛，他們早就知道。克里斯是否也跟我一樣在想著，要是我們去找警察坦承一切，我們的臉就會出現在全國所有報紙的頭版新聞上？名聲遠播能夠彌補我們失去的一切嗎？我們的私生活、我們想待在一起的需求？我們會失去彼此，只為了討回公平？

我再次望向天際。

上帝。祂沒有替下界微不足道的禱告人們寫下劇本。寫下劇本的是我們自己，用我們活過的每一天，說過的每句話，還有腦中刻畫的所有思緒。而媽媽也寫了她自己的劇本。那是齣爛戲。

她曾經有四個她自認為完美無缺的孩子，現在她一個也沒有了。曾經有四個孩子愛著她，也認為**她**完美無缺，現在沒有一個孩子覺得她完美。她也永遠不能再有其他孩子。熱愛金錢能買到的事物，驅使她永遠遵守她父親遺囑裡的殘酷條款。

媽媽會變老，她的丈夫年輕得多。她會感覺寂寞，希望自己沒做出那些事。即使她的雙手不想再次擁住我，也會渴求擁住克里斯，或是凱芮……而且，她肯定會渴望我們將來會生下的寶寶們。

我們從這個都市坐巴士往南逃亡，假裝自己是別人。當我們再次見到媽媽，我們會直直望著她雙眼，然後轉身背對——命運無疑會如此安排。

我在最近處的綠色垃圾筒丟掉那紙袋，向米奇道別，請求牠原諒我們做的事。

「凱西，走吧，」克里斯伸出他的手。「過去的都已過去，向過去說再見，然後朝未來說聲哈囉。我們在浪費時間，而且已經浪費夠多時間了，一切都在前方等著我們。」

他說的話正好讓我回到現實，同時深切地感覺到自己正**活著**，而且完全**自由**！這自由已經足以令我忘卻復仇思緒。我笑著轉身跑向他，他的手已經伸出來等著了。克里斯用空著的另一隻手抱起凱芮，親吻她蒼白臉頰。「凱芮，妳聽見了嗎？我們要去一個冬天也開著花的地方，事實上，那個地方的花朵一年四季都綻放。這有沒有讓妳想笑？」

那看似已經遺忘如何歡笑的蒼白雙唇上，一抹微笑綻放，而且沒有消失。對現在的我們來說，這樣的微笑就已經足夠。

終幕

真是鬆了口氣，我終於說完我們從前的那些年，那幾年為我們的餘生立下根基。

在逃離佛沃斯大宅後我們努力謀生，一直朝著我們的目標奮鬥邁進。

我們的人生始終如狂風暴雨，我跟克里斯因此明白我們是倖存者。對凱芮來說則截然不同，她必須說服自己接受一個沒有克瑞的人生，即使她生活平順安樂。

至於我們後來是如何謀生的？那是另一個故事了。

南方古堡中的亂倫之愛：《閣樓裡的小花》作為美國南方歌德羅曼史

文◎施舜翔

親愛的哥哥，如果有一天醒來，我們只有一間閣樓，我們只有彼此，我們不禁相愛，我們還會不會有未來？

《閣樓裡的小花》是美國暢銷小說家V．C．安德魯絲在一九七九年出版的小說，寫的是道蘭根格家族的亂倫之戀。才一出版，就因為書中描繪的禁忌之愛引發極大爭議，迅速成為暢銷書，也立刻成為禁書。安德魯絲因此在七〇年代末期崛起，靠著歌德羅曼史（gothic romance）與家族傳奇（family saga）兩大文類，奠定自己在美國大眾文學史上的特殊地位。

＊

《閣樓裡的小花》是一部歌德羅曼史。

這部小說中有恐怖，也有羅曼史。而把恐怖與羅曼史結合在一起，安德魯絲並不是第一人。事實上，這樣的書寫模式可以追溯到兩百年前，雷德克里夫（Ann Radcliffe）掀起女性閱讀浪潮的歌德羅曼史。從十八世紀末，《舞多佛的祕密》（*The Mysteries of Udolpho*）、《簡愛》（*Jane Eyre*）與《咆哮山莊》（*Wuthering Heights*），乃至二十世紀帶起第二波歌德羅曼史浪潮的《蝴蝶夢》（*Rebecca*），歌德羅曼史是文學史上少數由女性作家一手獨攬的文類。這個文類書寫的是女性的焦慮，女性的恐懼，也是女性的慾望，女性的幻想。因此，羅曼史學者莫德烈斯基（Tania Modleski）在其經典研究《羅曼史的甜蜜復仇》（*Loving with a Vengeance*）中也說了，歌德羅曼史中的古堡，就是女性的潛意識空間。閱讀歌德羅曼史，就是女性替自己的潛意識渴望尋找出口。

所以，每部歌德羅曼史都有一座城堡，只是這座城堡象徵的不再是夢幻的婚姻家庭，而是恐怖的禁忌愛慾。《簡愛》中的荊棘地莊園（Thornfield Hall），《蝴蝶夢》中的夢德里莊園（Manderley），全都藏有黑暗的祕密，禁忌的愛情，不可告人的過去。《閣樓裡的小花》也不例外。這部小說始於賓州格拉斯通（Gladstone）的夢幻家庭，在中產家庭幻象破滅以後，兄妹四人被帶入南方，來到祖父母位於維吉尼亞州（Virginia）的豪宅佛沃斯莊園（Foxworth Hall）。所以，佛沃斯莊園就是繼舞多佛、荊棘地與夢德里之後，文學史上又一個歌德城堡代表。是在佛沃斯莊園，道蘭根格家族陷入亂倫之戀，也是在佛沃斯大宅，這份祕密戀情被壓抑禁錮。佛沃斯大宅因此成為大眾文化史中另一個潛意識空間，釋放的是我們的亂倫渴望與禁忌情慾。

《閣樓裡的小花》與兩百年來的歌德羅曼史一樣，都在告訴世人一個道理：愛情中必然有恐怖，慾望中必然有黑影。是在恐怖中我們生出愛情，也是在黑暗中我們迸發情慾。歌德羅曼史寫的是那些只能藏在夢境中的情與慾。閱讀歌德羅曼史，就是走入我們禁忌的夢中。

*

《閣樓裡的小花》也是一部南方歌德（Southern Gothic）小說。

在這裡，歌德不再與羅曼史纏綿，歌德與地方色彩連結。美國南方歌德小說將南北戰爭後美國南方凋零衰敗的氛圍與層層疊疊的歷史，化為歌德恐怖能量。於是，整片南方大陸化為一座大型的歌德古堡，古堡內充滿了那些飽受折磨卻又備受遺忘的畸零角色。福克納（William Faulkner）、歐康納（Flannery O'Connor）、麥克勒絲（Carson McCullers）、以《梅崗城故事》（*To Kill a Mockingbird*）一書成名的哈波李（Harper Lee），以及她同樣知名的童年好友柯波帝（Truman Capote），都是南方歌德文學的代表作家。安德魯絲把南方歌德重新帶回羅曼史，讓地方色彩再次與愛情結合。

當道蘭根格四兄妹被送入南方，安德魯絲將維吉尼亞州描寫成一片鬼域。貓頭鷹低聲鳴叫如鬼魂哭嚎，霧氣濃厚得讓他們看不見未來，南方的黑暗沉重地往他們襲來。那一夜，他們抵達了南方，也揮別了曾經純真的童年。南方是歷史，是過去，是凋零，是腐敗。南方是純真的反義詞，甜美的另一面，夢幻的潛意識。南方是鬼。

南方歷史符碼大量現身於這部小說中。道蘭根格四兄妹在囚禁著他們的閣樓中隨意翻找，竟翻出一件件南北戰爭制服與一本本家族名冊相簿。那些不被我們窺見的祕密家族名冊，那些積滿了灰塵的南北戰爭制服，象徵的就是南方無法被掩埋的黑暗歷史。在兄妹的扮裝戲劇中，凱西堅持要扮演《飄》中的郝思嘉。她嚮往郝思嘉代表的南方佳麗（Southern-belle）之美。又是一個南方符碼。

南方歷史如鬼魂一般潛伏在佛沃斯豪宅中，在閣樓中不時現身。道蘭根格四兄妹因此不只是活在豪宅閣樓中——他們活在南方的歷史鬼域中。

*

《閣樓裡的小花》更是一部變色的家庭羅曼史。

佛洛伊德早在他的家庭羅曼史（family romance）理論中說了，小孩面對父母的權威懷有怨恨卻又無能為力，因此只好將自己的挫敗投射在幻想中，想像自己屬於別的家庭，想像自己實為王公貴族，總有一天可以跳脫平庸的現實。《閣樓裡的小花》寫出的卻是一段變色的家庭羅曼史。道家娃娃們發現自己原來不姓道蘭根格，原來名叫佛沃斯，原來自己來自南方富有家族。孩童幻想成真了，可是，幻想帶來的卻是噩夢。他們終於成為貴族，卻受到無情囚禁。他們終於逃離平庸，卻走入殘酷夢境。於是，《閣樓裡的小花》寫的不是小孩遠離家庭尋找美好身世的床邊故事，而是發現黑暗身世以後反被禁錮的異色童話。這部家庭羅曼史從幸福走向恐怖，從甜蜜走向幻滅。

佛洛伊德的家庭羅曼史也寫出了孩童的亂倫情結。孩子必然要潛抑自己的戀親情結，亂倫情慾終究只能暗湧於潛意識之境。《閣樓裡的小花》卻讓亂倫成真。潛抑的亂倫情結是家庭羅曼史的必須，成真的亂倫關係卻是家庭羅曼史的變色。道蘭根格一家的亂倫之戀，從父母延續到子女，這究竟是延續的祝福還是繼承的詛咒？受到了潛抑的家庭羅曼史可以在現代文明社會中存活，成為文明表象底下暗藏的潛意識禁忌，成真了的家庭羅曼史卻只能被深鎖在閣樓中，成為歌德古堡中的黑暗祕密。

愛上了自己叔叔的母親尚有與之結為連理的短暫幸福，愛上了哥哥克里斯多弗的凱西，卻只能與他在閣樓中相依相偎。於是閣樓也化為反烏托邦，柏拉圖筆下的洞穴寓言。他們沒有經歷常規的性別社會化，他們甚至沒有父母作為性別樣板。他們有的僅是書本中的羅曼史與電視中的肥皂劇，他們扮演戲劇中的戀人，從愛情的再現中模仿愛情，從愛情的模仿中練習愛情。

克里斯多弗與凱西擁有性別的「麻煩」。這一對兄妹戀人，既不是男孩／男人，也不是女孩／女人，跳過了男孩化／女孩化的過去，又到不了男人化／女人化的未來。在這個回不到過去又到不了未來的反烏托邦中，他們只有彼此。只有彼此的克里斯多弗與凱西，因此成為鏡像情人。他們凝視著彼此的身體成長，他們熟知彼此的身體紋路，他們以「我們」自稱。他們逐漸萌發情慾，情慾卻不受社會化規範，流動投射到彼此之上。所以克里斯多弗就是凱西，凱西就是克里斯多弗。這不只是一對模仿愛情的兄妹情人，更是一對愛上鏡像的自戀戀人。

在第一次的肌膚之親以後，克里斯多弗與凱西爬上屋頂，聆聽樹葉摩擦出的憂鬱之音。凱西不明白，在這麼美麗的夜晚，為什麼發生了這麼罪惡的事情？凱西明白的是，他們已經成為了世俗與上帝眼中的罪人，他們果然是外婆口中「魔鬼的壞種」。而現在，他們同享一顆心臟的跳動，他們僅有彼此。

凱西在離開閣樓之前留下了自己的名字。她可以離開，可以被世俗道德視為魔鬼的惡種，可是她與克里斯多弗無論如何也要化為鬼魂，永遠縈繞著豪宅不去。凱西與克里斯多弗的鬼魂就是美國社會的慾望潛意識。文明道德可以壓抑他們，卻無法消滅他們。

*

《閣樓裡的小花》並沒有一個結局，如果囚禁著四兄妹的豪宅閣樓是一座歌德城堡，那逃離了歌德城堡之後他們會面臨什麼樣的命運？安德魯絲只告訴我們，那又是另一個故事了。當然，後設的我們都知道，安德魯絲指的是道蘭根格家族傳奇的後續作品，因為《閣樓裡的小花》僅僅是這系列異色家庭羅曼史的首章而已。

（本文作者為知名作家，「流行文化學院」研究網站召集人兼總編輯。著有《惡女力》。）

暢小說 **閣樓裡的小花 Flowers in the Attic**
RQ7062

●原著書名：Flowers in the Attic●作者：V.C.安德魯絲（V.C. Andrews）●翻譯：鄭安淳●美術設計：林立●責任編輯：徐凡●國際版權：吳玲緯、蔡傳宜●行銷：艾青荷、蘇莞婷●業務：李再星、陳玫潾、陳美燕、枡幸君●副總編輯：巫維珍●編輯總監：劉麗真●總經理：陳逸瑛●發行人：凃玉雲●出版社：麥田出版／城邦文化事業股份有限公司／104台北市中山區民生東路二段141號5樓／電話：(02) 25007696／傳真：(02) 25001966、發行：英屬蓋曼群島商家庭傳媒股份有限公司城邦分公司／台北市中山區民生東路二段141號11樓／書虫客戶服務專線：(02) 25007718；25007719／24小時傳真服務：(02) 25001990；25001991／讀者服務信箱：service@readingclub.com.tw／劃撥帳號：19863813／戶名：書虫股份有限公司、香港發行所：城邦（香港）出版集團有限公司／香港灣仔駱克道東超商業中心1樓／電話：(852) 25086231／傳真：(852) 25789337／E-mail：hkcite@biznetvigator.com、馬新發行所／城邦(馬新)出版集團【Cite (M) Sdn Bhd】／41, Jalan Radin Anum, Bandar Baru Sri Petaling, 57000 Kuala Lumpur, Malaysia.／電話：(603) 90578822／傳真：(603) 90576622／印刷：前進彩藝有限公司●2016年（民105）1月初版●2016年（民105）12月初版14刷●定價350元

國家圖書館出版品預行編目資料

閣樓裡的小花／V.C.安德魯絲（V.C. Andrews）著；鄭安淳 譯. -- 初版. -- 臺北市：麥田出版：家庭傳媒城邦分公司發行, 民105.1
面；　公分. --（Hit暢小說；RQ7062）
譯自：Flowers in the Attic
ISBN 978-986-344-296-7（平裝）
874.57　　104026736